Madeleine Lévesque

Les Éditions du Boréal
4447, rue Saint-Denis
Montréal (Québec) H2J 2L2
www.editionsboreal.qc.ca

SONNEZ, MERVEILLES !

Kent Nagano
et Inge Kloepfer

SONNEZ, MERVEILLES !

traduit de l'allemand par Isabelle Gabolde

Boréal

© Berlin Verlag in der Piper Verlag GmbH, Munich 2014
© Les Éditions du Boréal 2015 pour l'édition en langue française au Canada
Dépôt légal : 4e trimestre 2015
Bibliothèque et Archives nationales du Québec

L'édition originale de cet ouvrage a été publiée en 2014 par Berlin Verlag
sous le titre *Erwarten Sie Wunder! Expect the Unexpected.*

Diffusion au Canada : Dimedia

Catalogage avant publication de Bibliothèque et Archives nationales du Québec
et de Bibliothèque et Archives Canada

Nagano, Kent, 1951-

    [Erwarten Sie Wunder ! Français]

    Sonnez, merveilles !

    Traduction de : Erwarten Sie Wunder !
    Comprend des références bibliographiques

    ISBN 978-2-7646-2398-5

    1. Nagano, Kent, 1951- . 2. Musique – Histoire et critique. 3. Chefs d'orchestre – Bio-
graphies. I. Kloepfer, Inge, 1964- . II. Titre. III. Titre : Erwarten Sie Wunder ! Français.

ML422.N33A3   2015   784.2092   C2015-941989-1

ISBN PAPIER 978-2-7646-2398-5

ISBN PDF 978-2-7646-3398-4

ISBN EPUB 978-2-7646-4398-3

Le plus grand cadeau que Dieu pouvait faire à l'homme était le don de parole et de communication. Et la musique tient une grande place dans la communication.

LEONARD BERNSTEIN

Prologue

Qu'est-ce que la musique classique ?

Elle est une aventure, de celles que l'on vit lorsqu'on s'y engage. Elle nous emporte alors dans un autre monde, où elle rayonne d'un prodigieux pouvoir. Et grâce à ce pouvoir, elle nous apporte infiniment, et ce, précisément aujourd'hui, en ces temps inquiets, si pressés. C'est ce dont traitera ce livre.

Il est possible de répondre différemment à cette question. La musique classique est un univers qui se déploie, pour peu qu'on s'y engage. On y trouve tout ce que cette forme artistique a produit depuis presque mille ans : la musique du Moyen Âge, de la Renaissance et de l'époque baroque, la musique classique et romantique, la musique nouvelle, enfin, l'opéra, les œuvres symphoniques, la musique sacrée, la musique de chambre. Lorsqu'il est question de musique classique dans ce livre, j'entends par ces mots l'univers réunissant toutes les expressions esthétiques formées par l'agencement de sons, passées et à venir. La musique classique embrasse la totalité de notre tradition occidentale, en elle résident l'idée majeure d'évolution jusqu'à la modernité ainsi que le canon des œuvres de *toutes les époques. Source intarissable de la créativité humaine, elle prend forme dans des œuvres sans cesse nouvelles. L'expérience partagée des concerts et de l'opéra, les rencontres au cœur de la cité, c'est elle encore. Sans oublier le consensus sur la valeur qu'elle revêt en tant qu'art. C'est tout cela que j'entends par la musique classique.*

Ce livre ne parle pas seulement d'elle, mais aussi de nous et des raisons pour lesquelles nous ne devrions pas permettre que cet art perde de son importance sociale dans notre monde pressé, dans notre environnement technologique à forte imprégnation visuelle. Qu'est-ce qui, mieux qu'elle, nous rappellerait nos traditions dont nous avons grand besoin dans notre absence de repères postmoderne ? Qu'est-ce qui, plus qu'elle, aurait le pouvoir de nous inspirer, d'enrichir davantage notre imaginaire, de nous engager à nous lancer vers l'avenir, sans oublier qui nous sommes, tout en nous oubliant en elle ?

Kent Nagano, juillet 2014

CHAPITRE I

Labours et trompettes

Le langage parlé est fait d'énoncés et d'arguments, de questions et de réponses. Le langage musical est autre. Aucun argument ne s'y trouve; la musique est libre et toujours prête à être partagée, à devenir une partie de chacun.

WACHTANG KORISHELI

Un mélodieux village de pêcheurs

Je fais un rêve. Il serait certes trompeur que la première phrase de ce livre me range sans équivoque parmi les rêveurs. Je ne suis pas un rêveur, je suis un réaliste. Aussi, j'écris ce livre. Pour mon rêve. Ce rêve m'emporte loin, vers mon enfance passée au bout du monde, dans les années 1950 et 1960. Il m'emporte sur la côte ouest des États-Unis, au milieu d'un terrain presque désertique, long de quatre cents milles, entre Los Angeles et San Francisco. Aujourd'hui, il suffirait de sept heures pour parcourir cette distance par la route.

Sur la côte pittoresque et sauvage, à environ mi-chemin entre les deux métropoles, se trouve Morro Bay, lieu modeste, alors simple village de pêcheurs de deux mille habitants peut-être, venus des quatre coins du monde. Lorsque je songe à mon enfance dans ce village, de la musique résonne toujours dans mes souvenirs – les cantates, les préludes et les fugues de Bach, les symphonies de Beethoven et de Mozart, les grandes œuvres chorales. Il n'est bien sûr pas inhabituel pour un chef d'orchestre que ses souvenirs soient indissociables de la musique ; elle est ce qui définit son quotidien. Qui ne connaît la force de suggestion des mélodies, leur pouvoir d'évoquer des paysages, des situations, des personnes, de ressusciter des pans entiers du passé ?

Or ce n'est pas ce dont il est question ici. La musique que j'entends, c'est celle que jouait notre orchestre et que chantaient nos chœurs, inlassablement. La présence continue de la musique classique régissait en effet, avec naturel et évidence, le quotidien de notre village. Elle était une partie intrinsèque de notre existence, omniprésente – à la fois objet d'étude, passe-temps, moyen de reconnaissance sociale, partage d'une expérience. La vie de mes sœurs, mon frère, mes amis, mes camarades de classe, la mienne, était purement inconcevable sans musique. Nous faisions de la musique pour la musique ; aucun de nous, enfants d'agriculteurs, ne songeait alors à une carrière de musicien. Rien ne laissait présager, au cours de mon enfance et de mon adolescence, que je gagnerais un jour ma vie comme chef d'orchestre.

Les répétitions du chœur et de l'orchestre, les cours de piano, de solfège rythmaient les sept jours de la semaine, sans que nous voyions là, mon frère, mes sœurs et moi, quelque chose de singulier. Presque tous les membres de notre communauté rurale étaient engagés d'une manière ou d'une autre dans la vie musicale. Les enfants des agriculteurs autant que ceux des pêcheurs, des artisans, des professeurs, des épiciers ou du directeur de l'école. Tel un village musical, situé entre les rochers, les champs et le Pacifique, Morro Bay avait quelque chose d'étrange et d'unique. L'intensité avec laquelle les enfants se consacraient à la musique et entraînaient leurs parents dans le monde du classique rendait notre village quelque peu inhabituel, peut-être

même rare. La musique nous reliait les uns aux autres,
nous qui formions une société d'immigrants d'origines
ethniques et culturelles si différentes. Le recul me le fait
voir presque comme un rêve.

Peut-être devrais-je en dire ici un peu plus : mes
grands-parents paternels et maternels ont émigré du
Japon vers les États-Unis à la fin du XIXe siècle et se sont
installés comme paysans maraîchers sur la côte Ouest
pour construire leur bonheur dans le pays de tous les
possibles. Notre famille vit en Amérique depuis plus de
cent vingt ans, c'est-à-dire depuis à peu près la moitié
de la durée d'existence des États-Unis. Je suis donc pleinement américain. Mes grands-parents exploitaient une
ferme que mon père et ses frères reprirent après qu'une
grave maladie eut atteint mon grand-père. Ni mon père
ni ma mère n'étaient destinés à devenir cultivateurs.
Tous deux devaient, selon la volonté de leurs parents,
apprendre un métier qui leur ouvrirait un horizon au-
delà de l'agriculture. Ils suivirent dès lors un parcours
professionnel tout autre : mon père étudia les mathématiques et l'architecture à l'Université de Californie à
Berkeley, où ma mère obtint ses diplômes de microbiologiste et de pianiste.

Et ils se firent néanmoins fermiers – par nécessité,
mon grand-père n'ayant plus la force de cultiver seul ses
terres. Ce n'est que plus tard, en 1976, qu'ils eurent la
possibilité d'exercer le métier qu'ils avaient choisi. À
cette époque, une entreprise agroalimentaire acheta nos
terres agricoles après qu'elles eurent été transformées en
terrain constructible dans le cadre d'un programme de
développement régional. Des bâtiments recouvrent,

aujourd'hui, nos champs d'alors. Ma mère travailla par la suite comme microbiologiste pour les autorités sanitaires, mon père conçut et construisit non seulement des maisons, mais également de grands centres commerciaux. À ce moment-là, je ne vivais plus à Morro Bay depuis longtemps.

Je suis, pour ainsi dire, enfant d'agriculteurs, l'enfant d'un planteur d'artichauts, que son père a peu vu, car il passait aux champs le plus clair de son temps. Une fois rentré, le soir, il se consacrait à l'architecture, dessinait des projets qui sont devenus par la suite – et de plus en plus fréquemment – des commandes. Il avait commencé très tôt à monter un petit bureau d'architecture, en plus de son travail d'agriculteur, et se retirait souvent dans son « atelier », où il dessinait ses ébauches et donnait libre cours à ses rêves. Ma mère veillait avec beaucoup d'attention à ce que nous, les enfants, ne le dérangions jamais dans son travail. Elle était une scientifique passionnée, qui jouait merveilleusement du piano. Extrêmement érudite, ma mère faisait vivre, au cœur de notre famille, sa fascination pour les sciences et son amour des arts, de la musique et de la littérature.

La campagne nous entourait, vaste et rocailleuse. Les métropoles californiennes de San Francisco, au nord, et de Los Angeles, au sud, se trouvaient chacune à deux cents milles de Morro Bay et étaient donc, dans les années 1950, quasiment inaccessibles pour nous, les enfants. Nous nous y rendions si rarement qu'il s'agissait chaque fois d'une escapade tout à fait extraordinaire. Nous vivions à l'extrême limite des États-Unis, là où la côte escarpée se jette dans l'océan, où le paysage rocailleux alterne avec de longues plages sur lesquelles déferlent d'immenses vagues les jours de tempête. Petits, mes sœurs, mon frère et moi n'allions que rarement au bord de l'océan, qui s'étendait pourtant devant notre porte. Notre vie se déroulait essentiellement dans les deux microcosmes que formaient la maison et l'école.

Le sérieux de la mère

Ma mère me mit au piano à l'âge de quatre ans. Elle le fit avec cette certitude qui était la sienne lorsqu'elle lisait avec nous des livres ou nous emmenait à l'église, le dimanche, sans le moindre doute sur le fait qu'il nous fallait supporter avec patience même les prêches les plus ennuyeux. Nous avons chacun commencé notre apprentissage avec elle au même âge. La question de savoir si nous le désirions ne fut jamais posée ; et nous, enfants, ne nous la sommes pas plus posée. Nous faisions les exercices qu'elle nous enseignait. Nous apprenions à lire les notes et à écouter – à nous écouter nous-mêmes et à écouter les autres. Nous intériorisions la différence entre le bruit, le pianotage et la vraie musique.

La musique était une activité sérieuse, elle revêtait de l'importance pour ma mère. Plus qu'un simple jeu, elle était aussi essentielle que la lecture, l'écriture ou le calcul. S'y exercer faisait partie de notre quotidien d'enfants, tel un fait indiscutable que nous ne remettions jamais en question. Peut-être parce que l'intention de ma mère ne fut jamais de nous éduquer dès l'âge de quatre ans comme des enfants prodiges ou, plus tard, de faire de nous des artistes. Pour elle, la musique faisait partie de l'éducation de ses enfants ; elle appartenait de manière naturelle à toute formation humaniste et, dès lors, à notre quotidien. Elle n'a jamais été un moyen de parvenir à une quelconque fin.

Je ne voudrais pas prétendre que nous étions, nous autres enfants, démesurément motivés par nos exercices quotidiens au piano. Si nous avons étudié avec plaisir ? Ce ne fut pas mon cas. Je ne m'y suis pas non plus opposé ; quand quelqu'un exige de vous, avec une calme certitude, ce dont il offre l'exemple au quotidien, une certaine docilité s'installe naturellement. Peut-être était-ce ce qu'on appellerait aujourd'hui de la violence douce, lorsque, face à certaines questions, on décide à la place des enfants plutôt que de leur donner le choix. La musique n'était pas un choix, elle faisait simplement partie intégrante de notre vie. Lorsque j'y songe, je nous trouve, mes sœurs, mon frère et moi, étonnamment dociles en comparaison d'autres enfants d'alors.

Mes parents étaient un peu insolites dans ce contexte rural. Cela ne tenait pas uniquement à la prédilection de ma mère pour les arts ; la vocation véritable de mon père occupait également une place importante dans notre vie familiale. Des esquisses, des plans, des maquettes d'architecte se trouvaient partout dans notre maison. Lorsque nous fûmes un peu plus grands, il nous a emmenés de plus en plus souvent sur ses chantiers. Il nous expliquait la construction des bâtiments et ne laissait aucun doute sur le fait qu'il entendait l'architecture comme un art reflétant son époque sur le plan esthétique, façonnant son temps et, dans le meilleur des cas, le dépassant.

Ma sœur, ma cadette de trois ans, et moi jouions surtout du piano. Mon frère, lui, a assez tôt exprimé une préférence pour les cuivres et a appris à jouer du trombone. Ma sœur la plus jeune jouait de l'alto. Aucun de nous n'a jamais pensé à cesser de jouer d'un instrument. Cela ne nous serait simplement pas venu à l'esprit, d'autant que notre quotidien ne nous offrait que peu de distractions. Nous vivions à l'écart et ne faisions donc pas partie d'équipes sportives ; nous allions simplement de temps à autre à la plage, où nous essayions d'apprendre à surfer en imitant les grands. Au milieu des années 1950, mes parents ont acheté une télévision. Mais il n'y avait pas grand-chose à regarder : la qualité de la réception à Morro Bay, avec les montagnes à l'est et l'eau à l'ouest, est restée médiocre pendant des années. La télévision intéressait mon père en raison du bulletin météorologique quotidien, indispensable pour son travail aux champs ; les prévisions lui permettaient une meilleure planification. Pourtant, le plus souvent, il s'en remettait à la radio.

La musique classique a certes joué très tôt un grand rôle au sein de notre famille. Cela tenait simplement à l'amour que ma mère portait à la musique. À cela près, nous ne nous distinguions guère de nos voisins ou des autres membres de notre communauté dans l'Amérique relativement traditionnelle des années 1950 et 1960, où la messe, les visites familiales, les rencontres entre amis rythmaient le quotidien, tout autant que l'école et, parfois, en fin de semaine, la plage, voire la montagne.

On entend les histoires les plus folles sur l'enfance des artistes – à maints égards malheureuse selon les représentations modernes. Elle ressemble à celle des sportifs de haut niveau. Ici, le père, sévère, exige de son fils un engagement sans faille, de longues heures d'entraînement et d'étude, jour après jour, sans aucun égard pour les conséquences physiques et psychologiques de pareille torture. De tels exemples sont nombreux dans le domaine de la musique classique. Là, c'est la mère qui, inflexible sous prétexte qu'un de ses enfants a montré un certain talent ou tout du moins un certain intérêt pour la musique, veut absolument en faire un soliste. Quand il s'agit de leurs enfants, l'imagination des parents s'enflamme facilement. Dès lors, tout s'enchaîne : une représentation entraîne la suivante, les enfants sont envoyés à des concours, sont présentés à des musiciens et à des professeurs de renom. Ce phénomène n'est pas propre à notre époque, il existe depuis des siècles.

Enfant, Wolfgang Amadeus Mozart suivit les leçons de son père, chaque jour, de longues heures durant. Il fut présenté, exhibé au monde entier au cours de longs voyages, et ce, jusqu'aux limites de l'épuisement. Il en fut de même pour le jeune Ludwig van Beethoven que son père, farouchement ambitieux, serait allé jusqu'à faire passer pour plus jeune qu'il n'était, afin que l'enfant prodige brillât plus encore au piano. On ne parle pas volontiers des souffrances des enfants prodiges, dont témoignent pourtant bien des autobiographies. Le perfectionnisme peut ravager en peu de temps l'insouciance de l'enfance. La jeunesse de certaines stars de la musique classique ou du sport, d'hier ou d'aujourd'hui, fut loin d'être idyllique. Toutefois, à Morro Bay, nous vivions dans un monde différent, qui, avec le recul, me semble parfois presque irréel.

Le miracle de Morro Bay

Ce fut l'arrivée d'un pédagogue au talent exceptionnel qui marqua le début du miracle musical de notre village de pêcheurs. Wachtang Korisheli, celui que nous tous, ses élèves, appelions et appelons aujourd'hui encore avec affection et admiration « professeur Korisheli », était géorgien de naissance. Dans mon souvenir, il surgit de nulle part au volant d'une petite Volkswagen pétaradante. Il fut soudain simplement là et commença à métamorphoser notre école primaire en une sorte de laboratoire musical. C'était en 1957, j'avais à peine six ans.

Korisheli, à trente-six ans, avait déjà derrière lui une vie plus que mouvementée. Il était originaire de Tbilissi, où il était né en 1921 – l'année de l'annexion militaire de la Géorgie par l'Union soviétique. Ses parents étaient acteurs. Son père était rapidement devenu une personnalité phare de la scène théâtrale. Connu dans toute l'URSS, il avait attiré l'attention de Staline, en l'honneur duquel il donna même une représentation à Moscou. L'état de grâce ne dura pas : il fut bientôt déclaré opposant géorgien à la suprématie soviétique et ennemi de l'État ; arrêté par le KGB, il fut interné et exécuté en 1936. Son fils, Wachtang, avait alors quinze ans. Il avait rencontré Staline du temps où son père avait encore la faveur du dictateur. Staline était allé jusqu'à mettre son bras autour des épaules du petit Wachtang et avait échangé quelques mots avec lui. Le fils et sa mère eurent à peine vingt minutes avant l'exécution du père pour lui faire leurs adieux à travers les barreaux de sa cellule.

En URSS, l'enfant d'un ennemi de l'État n'avait aucun avenir. Il lui était simplement impossible de songer à une carrière de musicien. Staline soumettait continuellement les enfants des opposants politiques à de nouvelles restrictions. Déjà, au cours de sa dernière année d'école, les brimades se multipliaient, et le jeune Korisheli savait ce que cela signifiait pour lui : il ne pourrait pas suivre de formation, encore moins étudier, sans même parler de pouvoir, un jour, occuper un poste important dans des institutions de premier plan. Ces enfants ne pouvaient même pas s'enrôler dans l'armée.

Sa mère, qui était actrice au Théâtre Roustaveli, dont elle avait fait la popularité dans tout le pays, perdit sa place et se joignit à une troupe itinérante. Tous deux se heurtaient à la pression exercée par Staline et le KGB sur les familles des prétendus ennemis de l'État. Les perspectives du talentueux jeune pianiste, dont le plus grand souhait était d'étudier la musique, étaient sombres – sombres au point de courir le risque d'être un jour envoyé dans un camp de travail. Après l'école, on lui assigna une unité de travail, et il fut bientôt déplacé à la frontière polonaise. Ses camarades et lui devaient y creuser des tranchées pour contrer l'avancée de l'armée allemande.

La Wehrmacht n'était pas loin, et l'affrontement ne se fit pas longtemps attendre. Le jeune homme fut capturé et transféré dans un camp de prisonniers. Il survécut à la guerre seulement parce qu'il parlait allemand et parce qu'il était d'origine géorgienne et non russe. En outre, il était le fils d'un ennemi de l'État soviétique. Il fut le traducteur des Allemands et eut la possibilité de jouer un peu de musique. Les tumultes de la guerre le menèrent de Salzbourg à Bad Reichenhall, puis à Munich. C'est là, au conservatoire de musique de Munich, qui recherchait de jeunes étudiants après la guerre, qu'il put, à vingt-cinq ans, véritablement commencer à étudier le piano.

Il n'y resta pourtant pas plus d'un an. À titre de réfugié, il avait un statut de « personne déplacée » – il était de ceux que la guerre avait contraints à quitter leur pays natal et qui, ne pouvant y être rapatriés, bénéficiaient d'un programme de réinstallation d'envergure internationale. Korisheli poursuivit donc son chemin jusqu'à Los Angeles, ville où les instances officielles avaient retrouvé des membres de sa famille. Avec l'accord de son professeur, il quitta donc Munich, où il devait ne plus jamais revenir, et s'embarqua pour l'Amérique.

Peut-être son histoire et son origine, pour nous si étrangères et mystérieuses, faisaient-elles partie de la magie de sa personne. La Géorgie n'était pas seulement une contrée incroyablement lointaine, elle était alors aussi située derrière le rideau de fer. Telle une feuille que les tumultes du XXe siècle auraient emportée loin de chez elle, poussée toujours davantage vers l'ouest, il était arrivé chargé d'une histoire que les hasards ou le destin avaient façonnée, sans avoir rencontré chez quiconque, semble-t-il, la moindre compassion.

Le professeur Korisheli était un enseignant de grand talent qui avait dû prendre conscience de sa vocation assez tôt. C'est au cours de sa formation de pianiste à l'Université de Californie à Los Angeles, où il s'était inscrit dès son arrivée sur la côte Ouest, qu'il décida de changer d'orientation et de renoncer à une carrière de soliste. Il s'inscrivit à Santa Barbara, suivit des cours de pédagogie, apprit à jouer de l'alto et obtint son diplôme de professeur de musique. Il prit ensuite sa coccinelle et longea la côte vers le nord. Il traversa de nombreux villages, passa plusieurs entretiens d'embauche dans des écoles qui avaient un poste de professeur de musique à pourvoir et s'arrêta, enfin, à Morro Bay. Ce fut pour nous, les enfants, une chance formidable : en très peu de temps, il sut métamorphoser notre village en oasis musicale.

Le succès de ce pédagogue d'exception s'explique de plusieurs façons. Cela ne tenait pas simplement à son allure inhabituelle, presque exotique, mais aussi et surtout à sa passion sincère et inconditionnelle pour l'art, qui lui faisait rassembler autour de lui, tel un enchanteur, la plupart des enfants du village. Il était mû par la conviction d'apporter, grâce à la musique, un peu de bonheur aux enfants. Il commença son travail de manière très stratégique et, dès son entretien d'embauche dans notre école primaire, demanda que lui soit accordé un temps d'enseignement supplémentaire pour l'éducation de l'oreille et l'apprentissage de la lecture chez les élèves les plus jeunes – cela en plus des orchestres et ensembles qu'il comptait reprendre ou former.

Il était convaincu que la musique devait s'inscrire dans le cadre scolaire, c'est-à-dire dans un contexte d'apprentissage que les enfants puissent eux-mêmes définir comme tel. Pour lui, comme pour ma mère, la musique n'était ni un jeu ni un divertissement ou une manière agréable de passer le temps. Elle était au contraire une activité très sérieuse. Le meilleur environnement était dès lors précisément là où les enfants arrivaient, vaille que vaille, tous les matins, dans un état d'esprit déjà orienté vers l'apprentissage. Nous le prenions tous très au sérieux. Il ne pouvait en être autrement. Le professeur Korisheli savait pertinemment que découvrir le pouvoir de la musique nécessitait tout d'abord de s'astreindre à de vrais efforts, de s'engager à cultiver un savoir-faire et quelques compétences cognitives. Et cela commençait par l'acquisition de la lecture musicale et d'une oreille juste.

C'était alors tout sauf une évidence. Dans le cadre de notre école, Korisheli prit en charge un ensemble orchestral de quelque soixante-dix élèves qui était tout au plus capable de jouer des marches. Il dut bientôt constater que les enfants savaient à peine déchiffrer et avaient besoin qu'on leur inscrive le doigté au-dessus des notes. Placer un feuillet de musique devant eux et se mettre tout de suite à répéter était de l'ordre de l'impossible. Il ne se laissa pas décontenancer, retroussa ses manches et commença à exiger plus que ce dont les enfants avaient l'habitude. Il leur fallait apprendre à lire les notes, à déchiffrer, à s'écouter mutuellement. Les deux tiers des élèves abandonnèrent. Ainsi, un mois seulement après son arrivée dans notre école, le professeur se trouvait devant un premier échec de taille. Le conseil d'administration ne l'avait pas engagé pour qu'il décime l'orchestre de l'école en un temps record.

Korisheli faillit renoncer, démissionner, remonter dans sa Volkswagen et partir. Mais les plus jeunes élèves, eux, le suivaient en grand nombre, avec assiduité, faisant des progrès sensibles dans ses cours de solfège et d'éducation de l'oreille. Même s'ils formaient un bien étrange ensemble après tant de défections, ils ne se laissèrent pas décourager et redoublèrent d'efforts. Ils apprirent à lire les partitions et donnèrent en fin d'année une impressionnante démonstration de leurs nouvelles compétences. Ils rayonnaient. Grâce à Korisheli, ils avaient surmonté leur analphabétisme musical. Parents, élèves, tous étaient transportés. Le professeur resta. Son charisme conquit bientôt le village tout entier.

Je l'eus comme professeur au cours de sa deuxième ou troisième année, je crois, dans notre école. Ma mère mit chacun de ses enfants, l'un après l'autre, entre les mains de ce magicien. Et c'était bien ainsi. Tout ce que nous avions auparavant appris à la maison prit en effet brusquement forme dans un contexte plus large. Les heures passées au piano, l'effort du déchiffrage et de l'étude portèrent soudain fruit. Comme la plupart des enfants, nous avions, nous aussi, un but : nous voulions tous faire partie d'un des ensembles fondés par le nouveau professeur. Absolument. Korisheli recruta toujours plus de jeunes musiciens. En quelques années, trois ensembles furent formés. J'appris moi-même l'alto et la clarinette pour jouer dans ces orchestres, et c'est lui qui m'initia à ces deux instruments.

Musique, école, musique

Notre quotidien était organisé de manière assez stricte, et la musique y tenait une place importante. Ceux qui s'étaient inscrits dans la classe du professeur Korisheli commençaient la journée par son cours, avant 8 heures. Le conseil de l'établissement scolaire lui avait accordé un pavillon entier. Il le transforma en conservatoire pour nous, ses élèves les plus jeunes. À la fin de la journée scolaire, qui se déroulait en général de 9 heures à 15 h 30, nous retournions le voir. S'ensuivaient alors les répétitions d'orchestre ainsi que des cours particuliers. Nous rentrions chez nous vers 18 heures.

Être accepté dans son orchestre, ce pour quoi nous redoublions tous d'efforts, signifiait un surcroît de prestige en tant que membres d'un groupe d'enfants que nous pensions choisis, et dont il s'occupait de façon plus étroite. Nous n'étions en réalité pas vraiment choisis car il était parvenu, littéralement, à tous nous recruter. Il avait notamment réussi à persuader Dan, le fils d'un éleveur, de jouer de la trompette. Dan n'a jamais particulièrement brillé au cours de la période où il a joué avec nous, mais faire partie des trois orchestres le comblait de bonheur. Je ne peux m'imaginer le nombre d'heures qu'il a dû passer en répétitions. Mon ami Noël, fils d'une famille très catholique d'origine italo-suisse, était, lui, particulièrement doué pour le tuba. Il avait un son chaud et doux. Un jour, pourtant, je ne l'ai plus vu ; il avait disparu de notre école. Très discrètement. Le bruit a couru qu'il était entré au petit séminaire pour devenir prêtre.

Les fins de semaine sont, elles aussi, encore vives dans ma mémoire. Nous rendions visite à notre professeur, dans sa maison, où se trouvaient d'autres enfants avec qui nous répétions dans des formations de musique de chambre toujours différentes. Nous adorions cela. Nous vénérions notre professeur.

Nous jouions rarement ensemble chez nous, du moins pas en trio ou en quatuor – ces formations qu'on associe spontanément à la musique de chambre. Chez Korisheli, c'était différent. Dans son studio, il avait construit un escalier de bois à douze marches qui menait à une sorte de mezzanine. Chacune des marches représentait un des demi-tons de la gamme chromatique. Je ne sais à combien d'enfants du village il inculqua les principes de l'harmonie grâce à cet escalier.

Il était également passionné de sculpture. À son domicile, il avait aménagé un atelier où il sculptait des blocs de pierre et des bûches. Il peignait et parlait beaucoup de philosophie. Nous partions souvent en excursion avec lui. À l'occasion des sorties scolaires qu'il organisait, nous apprenions une foule de choses sur la peinture, la sculpture, la signification de l'esthétique et, bien sûr, les grands penseurs occidentaux. Il partageait avec nous toutes ses connaissances tout en nous laissant participer.

L'école, la musique, les arts plastiques et la vie privée se combinaient de manière parfaitement naturelle, pour nous comme pour notre enseignant. Nous apprenions de lui et lui de nous. Il cherchait également à inclure les parents ; ses cours leur étaient toujours ouverts. Toutes les mères, tous les pères qui le souhaitaient pouvaient y assister et surtout y prendre part. Il métamorphosa les parents en assistants enthousiastes afin que les enfants ne soient pas laissés seuls avec leur musique une fois à l'extérieur du conservatoire. Les parents, me dit-il un jour, comptent beaucoup dans le succès de leur enfant. C'était pour lui quasiment un dogme : toute la famille devait pouvoir bénéficier de l'éducation musicale d'un enfant, dans la mesure où les parents n'avaient pas eu accès à cet univers auparavant, que leur enfant faisait partie de l'orchestre et qu'il avait montré de l'intérêt pour l'apprentissage d'un instrument.

La musique était devenue une partie intégrante du quotidien de presque tous les enfants de notre école primaire. Korisheli nous avait ouvert toutes grandes les portes de l'art, il nous en avait forgé la voie. Il ne façonnait pas seulement notre sens artistique, mais celui de toute une communauté au cœur de laquelle semblait vivre la musique. Et c'était exactement l'intention qu'il avait toujours eue. Il a fait de Morro Bay un village mélodieux, où la musique a aidé à surmonter les fréquents conflits qui éclatent dans des communes d'immigrants d'origines ethniques si différentes.

À la fin de la classe de sixième, quand j'ai eu douze ans, l'idylle musicale touchait à sa fin. Je suis entré à l'école secondaire. Le professeur Korisheli a continué à m'enseigner pendant deux ans encore. En troisième année du secondaire, cela aussi a pris fin. Lorsque je pense à cette période aujourd'hui, il m'apparaît clairement que je traversais une sorte de crise. Une mutation sociale s'amorçait qui n'épargnait aucun de nous. C'était un temps d'incertitudes. La musique a été reléguée au second plan, d'autres choses ont pris plus d'importance : l'école, avant tout, avec ses exigences. Le professeur Korisheli ne me donnait plus de cours de piano que de manière sporadique.

La seconde moitié des années 1960 marqua le début de temps plus troublés encore aux États-Unis. J'avais alors quinze ou seize ans. Le pays ne s'était pas encore remis de l'assassinat de John F. Kennedy que le défenseur controversé des droits civiques, Malcolm X, tombait à son tour en 1965. Je me rappelle encore l'état de choc dans lequel m'ont laissé les nouvelles de l'assassinat de Martin Luther King en avril 1968 et, deux mois plus tard, de celui de Robert Kennedy. Les États-Unis s'étaient en outre profondément enferrés dans le conflit au Vietnam, devenu une véritable guerre. Cette entreprise cauchemardesque, qui avait tout d'abord rencontré l'incompréhension de l'opinion publique, a provoqué un effroi grandissant avant d'être dénoncée avec véhémence dans la rue. Le mouvement hippie a représenté pour la jeunesse dont je faisais partie un nouveau mode de vie exprimant son rejet de l'ordre établi.

À cette époque, une grande partie de la population américaine était fortement politisée, ce qui a de toute évidence marqué ma jeunesse. Nous avions souvent, après les répétitions avec le professeur Korisheli, de longues discussions passionnées sur l'actualité. C'est durant cette période que le point d'ancrage de mon engagement musical s'est déplacé vers l'église. Le monde qui m'entourait avait des priorités plus urgentes que mon éducation musicale. Des graines avaient été semées dans mes premières années de vie, les plantes qui avaient poussé avaient été cultivées avec soin pendant quelques années, avant d'être abandonnées, du jour au lendemain, au gré du vent. C'était à moi de veiller désormais à ce qu'elles portent un jour leurs fruits.

Savoir si je le ferais est longtemps resté incertain. Peu de choses indiquaient, dans ma jeunesse, que je serais un jour musicien. J'étais probablement un très bon pianiste pour des oreilles profanes, mais certainement pas exceptionnel. Ainsi, muni de mon diplôme d'études secondaires, je me suis inscrit en 1969 en sociologie à l'Université de Californie – et aussi en musique. Je ne voulais pas y renoncer totalement.

À l'université, les journées étaient longues. Je suivais non seulement des cours et séminaires de sciences sociales, mais également plusieurs cours de musicologie, portant notamment sur l'analyse, la théorie et la composition. Des cours soutenus de piano faisaient également partie du cursus musical. J'étudiais beaucoup – avec cette fois ma propre volonté pour seule motivation. La musique demeurait une partie importante de ma vie. Il m'était pourtant encore impossible d'imaginer qu'elle jouerait, dans un futur très proche, un rôle si dominant qu'il ne se passerait plus un jour sans que j'en fasse, sans que j'y réfléchisse, sans que j'en parle. Mes professeurs de musique ont joué un rôle essentiel dans cette évolution. Le monde m'était alors ouvert et me semblait, à l'orée de mes dix-neuf ans, avoir infiniment à offrir.

Professeurs et structures

Pourquoi raconter tout cela ? Ce n'est certainement pas un accès de nostalgie ou de sentimentalité qui m'y pousse. Je le fais car ce qui est nécessaire pour qu'une société ne perde pas son lien avec la musique et avec les arts m'apparaît clairement au regard de ma propre histoire. Il n'y a probablement pas de meilleur exemple que nous, enfants de Morro Bay.

L'art n'existe réellement dans une société que lorsque les gens peuvent y prendre part, de manière active ou passive, et ce, idéalement, dès l'enfance. Pour y arriver, il faut d'abord une bonne infrastructure qui ne soit pas au service des seules élites, lesquelles s'intéressent toujours à la musique classique et disposent de ressources financières suffisantes pour transmettre la connaissance des arts à leurs enfants.

Par infrastructure, je n'entends pas le Temple philharmonique apportant, sous le feu des projecteurs, sa musique au vaste monde. Les villes de San Francisco et de Los Angeles, phares de la culture musicale de la côte Ouest, étaient bien trop éloignées pour que nous puissions, enfants, nous y rendre de façon régulière et assister à des concerts. Je n'entends pas non plus par là les programmes d'éducation destinés à la jeunesse, certains très coûteux, que presque chaque orchestre symphonique a depuis lors développés en vue de fidéliser les auditeurs de demain. Nous n'avons jamais rien connu de tel à Morro Bay.

J'entends plutôt une infrastructure qui garantisse, à long terme, la présence des arts et de la musique classique dans le quotidien des enfants et des jeunes. Là où chacun d'eux peut y être exposé, indépendamment de sa condition sociale, du niveau d'éducation ou des difficultés financières de ses parents.

Le conservatoire du professeur Korisheli faisait partie de notre école. L'offre musicale était toujours présente ; il y avait sans cesse quelqu'un qui se rendait chez lui, suivait un cours ou répétait dans son ensemble. Des sons, des voix et des rires fusaient du bâtiment. Il était quasiment impossible de ne pas s'y sentir attiré. Et cela touchait tous les élèves, pas simplement ceux dont l'environnement culturel pourrait être qualifié de bourgeois, comme celui où j'ai grandi. Mon frère, mes sœurs et moi-même avons sans doute commencé le cours de Wachtang Korisheli avec un peu plus de connaissances que la plupart des enfants du voisinage. Mais cela a-t-il compté ? L'art n'avait absolument pas besoin de la culture bourgeoise à Morro Bay. L'art avait juste besoin d'un être qui sache inspirer la passion.

L'infrastructure est une chose ; l'enseignement est son pendant indispensable. L'intérêt pour la musique, qui est plus qu'un simple loisir, se transmet d'une personne à une autre, des plus âgés aux plus jeunes, des enseignants aux élèves. L'art de l'écoute, que permet un apprentissage musical poussé, la faculté de plonger dans les profondeurs de la musique pour y puiser de nouvelles expériences : tout cela est impossible à acquérir en autodidacte, et c'est tout aussi important que de faire de la musique de manière active.

Celui qui veut comprendre la musique ou en jouer a besoin d'un enseignement, et donc de professeurs.

Dans le monde de la musique classique, l'influence cruciale des professeurs est loin d'être appréciée à sa juste valeur. Les plus grandes stars ne sont en aucun cas les meilleurs professeurs. Wachtang Korisheli était un artiste de second plan, il ne jouait pas de la musique pour sa propre renommée. Sa véritable vocation était d'enseigner. Il ne pouvait, en effet, faire autrement que de partager la musique avec autrui, cette musique qui lui avait tant apporté et qui continuait de le faire. Il était véritablement animé de la conviction que la musique devait faire partie de la vie de chacun, afin que tous puissent mener une existence plus accomplie, plus heureuse, plus inspirée, grâce à une sensibilité et une réceptivité élargies.

« Qu'est-ce que les professeurs ont à voir avec la musique ? » demanda Leonard Bernstein, l'air provocateur, à son jeune public, en novembre 1963 au Philharmonic Hall (aujourd'hui Avery Fisher Hall) du Lincoln Center, au cours d'un de ses concerts pour les jeunes alors régulièrement diffusés à la télévision et aujourd'hui légendaires. Il s'agissait d'une question rhétorique, comme si souvent chez Bernstein. « Tout ! lança-t-il aux enfants et à leurs parents. Nous ne prenons que trop rarement conscience de l'importance des enseignants. » Enseigner est sans doute la profession la plus noble, altruiste, difficile, honorable. « C'est aussi la moins appréciée, la plus mal considérée, elle est sous-payée et peu célébrée. »

Nous savons tous de quoi parle Leonard Bernstein et quel professeur exceptionnel il était lui-même. Dans le monde de la musique, il a porté cette activité à son sommet et il parlait de musique avec des mots accessibles. Ses fréquentes apparitions à la télévision, grâce auxquelles il s'invitait dans le salon de nombreuses familles passionnées de musique, lui donnaient une place de premier plan aux États-Unis.

Il ne pouvait cependant pas faire entrer seul la musique dans le quotidien de millions d'enfants et de jeunes, encore moins de ceux dont les parents n'avaient aucune envie d'allumer la télévision pour regarder des émissions de musique classique. Aussi, les enseignants les plus importants, plus que lui encore, sont ceux qui se dévouent dans la dureté du quotidien, jour après jour, et montrent aux enfants que l'art est une part de l'existence à laquelle on ne peut renoncer. La musique classique est une chose dont on discute entre générations : elle doit être transmise du professeur à l'élève, des parents à leurs enfants. Wachtang Korisheli ne ressemblait pas à Bernstein, mais il était lui aussi un enseignant exceptionnel au sens où l'entendait Bernstein, certainement plus encore que ce dernier.

Deux autres professeurs m'ont particulièrement marqué à l'université. Grosvenor Cooper, qui m'enseignait surtout la composition et la théorie de la musique, et Goodwin Sammel, qui me donnait des cours de piano et m'a fait comprendre, entre autres choses, l'importance d'étudier en profondeur les sources d'une œuvre. Naturellement, la fin de la formation au conservatoire et le diplôme universitaire ne marquent pas la fin de l'apprentissage – encore moins lorsqu'il s'agit de musique. Plus tard, à San Francisco, j'eus pour professeur le célèbre violoncelliste et chef d'orchestre László

<u>Varga</u>. Il était d'une sévérité impitoyable, se montrait intraitable face aux erreurs, ne pardonnait aucune négligence. C'est de lui que j'ai appris combien la musique exige d'efforts et de rigueur tout au long de la vie, efforts dont on est ensuite grandement récompensé.

L'âge d'or de la musique classique

Si la rencontre avec ces professeurs fut un grand atout, l'époque où je suis né joua elle aussi un rôle considérable. La Deuxième Guerre mondiale était finie. La profonde récession qui avait frappé les États-Unis se dissipait pour laisser place à un boom économique. Le miracle ne se limita pas à l'Allemagne détruite et à l'Europe ; les États-Unis bénéficièrent eux aussi de ce courant ascendant. La croissance économique repartit, nonobstant les nouvelles crises politiques qui secouèrent le pays dans le contexte de la guerre froide. Enfants des années 1950 et du début des années 1960, nous vivions dans le monde florissant du miracle économique et de l'essor de l'éducation – avec toutefois une contrepartie certaine. Une menace singulière et clairement perceptible avait émergé. La peur de la propagation du communisme vers l'ouest dominait cette époque. Les répercussions du maccarthysme et de son anticommunisme féroce n'ont pas manqué de nous influencer, même enfants. Les États-Unis avaient un ennemi. Il fallait avoir peur de l'URSS et du communisme.

L'économie, elle, prospérait. L'essor du bâtiment

et de l'industrie était incroyable. On achetait des maisons, des voitures, des téléviseurs. L'époque se caractérisait par une croissance spectaculaire de la classe moyenne. La Californie se trouvait à la pointe de cette évolution. Le dynamisme économique y était plus vigoureux encore qu'ailleurs au pays. Cette prospérité permit l'épanouissement du système d'éducation. Les pouvoirs publics investissaient. La réputation d'excellence des universités nouvellement fondées rayonnait déjà au-delà des frontières des États-Unis.

Les écoles californiennes épousèrent le mouvement ; elles étaient à l'époque considérées comme exemplaires. L'éducation musicale et artistique y tenait une place incontestable, tout comme la danse, la littérature, le théâtre. L'argent coulait à flots et la Californie devint le lieu de prédilection de nombreux Américains, qui choisirent de s'y établir. D'extraordinaires musiciens européens donnèrent un nouvel élan à la musique classique – parmi eux, des compositeurs de l'importance d'Arnold Schoenberg, d'Igor Stravinsky ou d'Ernst Krenek, des chefs d'orchestre tels Bruno Walter et Otto Klemperer.

Or, dans les années 1970, les moyens n'étaient déjà plus les mêmes. Les crises pétrolières de 1973 et de 1979 n'épargnèrent pas l'économie américaine. Les réformes fiscales mises en place pour atténuer les charges des citoyens eurent de profondes répercussions sur le système éducatif. À l'école, les arts furent systématiquement victimes de la baisse des recettes de l'État. Soudain, ils n'étaient plus si importants. Au début des années 1980, notre professeur de Morro Bay lui-même se trouva en difficulté. Lorsque les moyens dévolus à la musique se révélèrent insuffisants pour garantir à cette discipline une place à part entière dans le cursus, Korisheli quitta le système public et tourna le dos à notre école. C'était en 1984. Il accepta un poste dans une école privée de la ville voisine, plus importante que la nôtre, San Luis Obispo. Les arts et la musique disparurent ainsi de la vie de ceux qui ne pouvaient se permettre de suivre des cours particuliers et encore moins de fréquenter une école privée.

À Morro Bay, les conditions nécessaires pour que chacun trouve un chemin vers les arts étaient simples à reconnaître, les bienfaits qu'apportait la musique classique évidents. La musique insufflait un sens civique à une petite société qui n'aurait pu être plus hétérogène. Les parents et grands-parents des enfants qui jouaient de la musique étaient venus des quatre coins du monde pour tenter leur chance aux États-Unis. De nombreuses familles avaient émigré d'Europe à la fin du XIXe ou au milieu du XXe siècle. Elles s'étaient construit une nouvelle existence, comme mes grands-parents et mes parents, tout en conservant les habitudes de vie et la culture de leur pays d'origine.

Mon lieu de naissance, qui fait partie du comté de San Luis Obispo, existe officiellement depuis 1870 – mais il est habité depuis plus longtemps, bien entendu. La terre y était fertile, la mer regorgeait de poissons. Les gens venaient d'Angleterre, de France, de Suisse, d'Allemagne, d'Amérique latine, d'Asie. Les langues parlées étaient multiples, les fêtes célébrées nombreuses et différentes. Des affrontements survenaient bien sûr entre des villageois d'origines ethniques si diverses. Pas simplement entre les parents, mais entre nous aussi, les enfants. Pourtant, lorsque nous étions rassemblés dans la classe du professeur Korisheli et que nous apprenions toutes sortes de choses sur la musique, lorsque nous étions assis dans son orchestre ou que nous faisions de la musique de chambre en formations toujours différentes, chez lui, en fin de semaine, les conflits s'évanouissaient et les différences sociales perdaient de leur importance.

La musique nous rassemblait, nous apportait un sentiment de communauté, elle créait un lieu de rencontre et d'échange. Et elle nous donnait un but commun : le prochain concert que nous répétions en espérant offrir une expérience unique au public constitué, dans sa majorité, de nos parents et familles. Il y avait d'innombrables concerts. Ils offraient régulièrement l'occasion d'une rencontre aux adultes qu'une chose unissait : la joie de la musique et la fierté de voir jouer, plus ou moins bien, leurs enfants et petits-enfants.

Il y a quelques années, un inconnu s'est présenté dans ma loge, affirmant qu'il avait gardé souvenir de moi depuis bien longtemps. Il m'a fallu un moment avant d'être en mesure de retrouver son nom – nous ne nous étions plus vus depuis quasiment cinquante ans. C'était le joueur de tuba de mon enfance, Noël, qui se trouvait justement à Munich et avait tenu à me revoir. J'étais alors encore le directeur musical général de l'Opéra d'État de Bavière.

Ce fut une rencontre incroyable – sans doute plus encore pour moi que pour lui, qui avait pu suivre mon parcours dans la presse. Qu'était devenu le talentueux joueur de tuba ? Noël n'était pas prêtre, il était devenu un agent haut placé du FBI, spécialisé dans le secteur des douanes, où il luttait contre le trafic d'armes, de tabac et d'alcool. Au moment de nos retrouvailles, il venait de prendre sa retraite ; il avait remisé son arme et s'était immédiatement acheté un tuba. Il avait repris la musique, jouait jour et nuit, faisait partie de différentes formations et partait en tournée dans le monde entier. Peut-être avec davantage de passion encore que pendant notre enfance, avec toute la ferveur d'un retraité qui n'a plus à s'inquiéter de l'école, de sa carrière, de ses projets de vie ou de ses revenus. La musique, disait-il, était toujours restée une partie de lui, même durant toutes les années où il n'avait pas joué une seule note. Les années passées dans le « laboratoire » de Korisheli avaient changé le cours de son existence. Nous étions en parfait accord : celui qui, enfant, s'est vu ouvrir le monde de l'art saura toujours en retrouver le chemin. Ce monde-là fera toujours partie de sa vie – de quelque manière que ce soit.

Que m'ont apporté mes années à Morro Bay, ce pays des merveilles au bout du monde ? Apparemment tout : ma vie de musicien et d'artiste trouve de toute évidence ses racines dans mon enfance. Une carrière internationale de chef d'orchestre ? Bien sûr. Le courage, un jour, de miser toute ma vie professionnelle sur la musique ? Sans doute. Les sons me captivaient tant qu'il ne pouvait en être autrement. Une méticulosité, un désir de plonger profondément dans la musique, et ne jamais me satisfaire de l'expérience que j'y fais ? Cela aussi, je l'ai certainement intériorisé au cours de mon enfance. Mais il ne s'agit là que de quelques facettes d'un ensemble auquel un musicien professionnel ne peut pas plus renoncer qu'aux rencontres fortuites qui vous forgent et vous soutiennent dans les moments difficiles.

Tout cela ne touche que la surface. En réalité, il est question ici de quelque chose de bien plus essentiel. Le naturel avec lequel nous tous, enfants de Morro Bay, descendants d'immigrants, étions entourés de musique, l'évidence avec laquelle nous la découvrions et nous y engagions nous a ouvert les portes d'un autre monde : celui, fascinant et sans frontières, de l'esthétique.

Dans quelle optique est-ce que j'écris ceci ? Celle d'un chef d'orchestre connu, qui à soixante ans commence un peu tardivement à se préoccuper de son public futur ? Certes non, rien de ce qui m'anime n'est lié à cela. Une conviction m'habite, et certaines questions simples ne cessent de me hanter. Pourquoi la musique nous émeut-elle ? Qu'est-ce qui lui confère ce pouvoir ? Les expériences esthétiques sont celles qui nous permettent de mieux supporter les bouleversements de la vie et les questionnements incessants qu'ils soulèvent. Pourquoi précisément elles ?

Pourquoi la musique savante agit-elle sur nous lorsque nous nous trouvons dans des situations presque insoutenables ? Pourquoi les prisonniers des camps de concentration sous Hitler ont-ils dessiné dans leurs baraquements inhumains ? Pourquoi ont-ils chanté et, quand ils en avaient éventuellement la possibilité, joué de la musique ? Pourquoi l'art a-t-il pu les aider à ne pas perdre courage ? Pourquoi le compositeur français Olivier Messiaen a-t-il créé un chef-d'œuvre, le *Quatuor pour la fin des temps*, alors qu'il était prisonnier de guerre en Allemagne en 1941 ? Et comment Korisheli aurait-il supporté le fardeau de son destin – l'exécution de son père et, peu après, avant de fuir l'Union soviétique, la séparation terrible d'avec sa mère ? Lorsqu'il est monté dans le train en direction de la Pologne, qu'elle lui faisait signe en marchant sur le quai, il ne pouvait se douter que c'était la dernière fois qu'il la voyait. Enfants, nous étions sûrs que c'était la musique qui lui avait donné la force d'endurer tout cela.

Mon rêve

Je fais le rêve d'un monde où chacun aurait la chance de trouver le chemin de la musique classique. Pas simplement celui de la musique, mais également celui de l'art. Les arts, dont la musique est le plus sibyllin, font bien plus que rendre le quotidien supportable. Ils nous inspirent, ils nous ouvrent l'esprit. Ils nous aident à accepter l'incompréhensible et l'insoutenable, à y puiser de la force et à ne pas désespérer. Appelez-moi utopiste ou rêveur, mon vœu est que chacun puisse faire l'expérience de la force fondatrice de sens de la musique classique, et ce, indépendamment de son niveau d'éducation et de son origine. Je cherche, avec ce livre, à faire un plaidoyer pour l'indispensable présence de l'art dans la vie de tout un chacun.

Ce désir profond trouve sa source dans mon enfance, où l'art jouait, de manière heureuse, un rôle fondamental. Je n'ai jamais vécu les expériences esthétiques autrement que comme faisant partie du quotidien. La lecture, l'écriture et le calcul n'étaient pas, pour mes parents et mes professeurs, les seules compétences fondamentales dans la vie. Le piano et le dessin en faisaient aussi partie. L'accès aux arts ne se fait pas de lui-même. Il requiert un certain engagement, une aptitude à se saisir de ses contenus ; la musique classique recèle plus que du divertissement. Celui qui n'apprend pas à cultiver cette faculté aura plus de difficultés à pénétrer les profondeurs de la musique classique. Peut-être n'en trouvera-t-il jamais le chemin et elle ne lui manquera pas, car il n'aura jamais fait l'expérience de tout ce qu'elle peut apporter. Mais serait-ce juste qu'il n'en sache vraiment rien ? Personne ne peut, ne devrait y être indifférent.

Il arrive souvent qu'on me demande qui est mon compositeur préféré – question fréquente des amateurs de musique aux musiciens, que peu de musiciens d'ailleurs se posent entre eux. Peut-être parce que nous la trouvons banale au premier abord, peut-être aussi parce qu'une réponse simple et directe serait, très sincèrement, impossible.

La musique est devenue ma vie. Il n'y a rien que je fasse qui n'ait un rapport avec elle. J'ai étudié et dirigé les œuvres de compositeurs connus et moins connus, d'époques très différentes. J'ai cherché à les comprendre. J'ai passé des heures innombrables à réfléchir à la manière dont les orchestres que je dirige pourraient jouer ces œuvres afin de rendre leur message accessible au public. J'ai cherché à atteindre le cœur de ces compositions, à déchiffrer les énigmes qu'elles recèlent. Je le fais aujourd'hui encore. Ce sont les compositeurs dont je travaille les œuvres qui me sont alors le plus proches.

Ont-ils pour autant ma préférence ? Je ne le sais pas. Mon exploration du monde de la musique, commencée il y a soixante ans dans un village de pêcheurs de la côte ouest de la Californie, est loin d'être finie. Ma curiosité artistique me pousse au contraire chaque jour plus avant dans ce monde fascinant. Tout comme l'univers, le monde de la musique est en expansion constante. Plus je plonge dans la musique, moins j'en sais à son sujet. Comment pourrais-je alors répondre à cette question, beaucoup plus difficile qu'il n'y paraît, de savoir qui est mon compositeur favori ?

Peut-être en la formulant autrement : « Dans votre temps libre, pendant les heures qui vous appartiennent entièrement, quelle est la musique que vous voudriez jouer pour vous-même ? » La réponse à cette question est beaucoup plus simple, c'est la musique de Jean-Sébastien Bach – je le dis sans l'ombre d'une hésitation. Bach me captive depuis ma plus tendre enfance. Aujourd'hui encore, sa musique m'accompagne sans cesse. Elle est d'une infinie profondeur. Elle est la quintessence de la musique classique. Je suis toujours à la recherche d'une réponse à l'énigme de son pouvoir. Devons-nous permettre que toujours plus de gens n'aient jamais entendu une note de ce compositeur extraordinaire ?

BACH

Du cœur à l'esprit

Le premier accord me frappe de toute sa puissance, rebondit sur les murs de la nef et emplit tout l'espace en quelques fractions de seconde. Émis par l'orgue de manière si soudaine, il résonne avec fierté, puissance, majesté. Il n'est rien qu'il n'atteigne, tous l'entendent, le ressentent. Mon corps entier le respire. L'espace immense en est ébranlé. Ce premier accord envahit l'église jusqu'en ses coins les plus reculés, l'électrise instantanément d'une énergie qu'elle contient à peine.

Une voix se détache subitement, s'échappe de la tension de ce puissant accord, semble vouloir le fuir. Elle s'éloigne de lui, revient et fait apparaître la voix suivante, plus grave, qui se met à la suivre. Toutes deux se pourchassent, s'affrontent, s'éloignent de nouveau. Une troisième voix s'élève alors ; je suspends mon souffle, que se passe-t-il ? Je vois un jeu, une conversation, un bavardage léger, puis de nouveau sérieux. Je repense à mon enfance et me rappelle ce premier accord qui m'avait alors bouleversé. Je me revois dans notre église : j'ai cinq ans peut-être, totalement envoûté par cet arrangement de notes. Cette musique est celle de Jean-Sébastien Bach.

L'église de notre communauté presbytérienne, qui

m'apparaît si grande dans mes souvenirs, est un petit édifice de pierres blanches, dont l'étroite galerie ne pouvait accueillir d'orgue trop imposant. L'instrument était toutefois assez puissant pour emplir tout l'espace de sa masse sonore.

Enfant, je n'avais aucune connaissance des principes selon lesquels Bach composait sa musique. Pourtant, dès mes premières rencontres avec la musique de ce compositeur, j'eus l'impression, l'intuition peut-être, de quelque chose d'absolument extraordinaire, d'un ordre qui prodiguait à cette musique des assises solides et me donnait, à moi, un sentiment de profonde sécurité. La conduite des différentes voix, suivant leur propre chemin sans jamais se heurter de manière désordonnée, avait quelque chose d'apaisant. Je pressentais qu'il n'y aurait pas de collision, pas d'accident. Pas d'arbitraire, une structure d'une impressionnante clarté. Je revois ces instants. Enfant, je suis dans notre église où cette première rencontre avec la musique de Bach m'a ému, ébranlé – comment décrire autrement mes sentiments ? J'étais profondément bouleversé. C'est ainsi que je m'explique la réaction tout à fait spontanée que j'eus à la musique de Bach – en pleine conscience désormais de la complexité et du degré de perfection de l'univers de Bach, conscience sans laquelle il ne m'est à présent plus possible d'écouter cette musique.

Naturellement, la naïveté enfantine a disparu. Mais ce doit être cette impression d'ordre qui m'a saisi, ému, tout comme l'extraordinaire énergie de ce système insufflant aux notes leur mouvement. Toujours plus loin. Je croyais alors pouvoir ressentir dans ma respira-

tion la tension que Bach crée dans la conduite de chacune des voix, tout autant que l'intensité dramatique
dont il anime sa musique. J'entendais un timonier derrière les notes qui s'enchaînaient, je devinais le conduc-
teur qui, assumant tout naturellement la responsabilité
des harmonies et des voix, ne les abandonnait jamais à
elles-mêmes, mais les dirigeait avec une attention et un
soin infinis.

Tout au long de mon enfance, à Morro Bay, la
musique sacrée faisait partie de notre vie, au même titre
que la musique instrumentale. L'une et l'autre s'asso-
ciaient simplement. L'église de ma première rencontre
avec Bach fut bientôt trop petite. Deux nouveaux édifices, plus grands, furent construits, et la vie musicale de
notre communauté y prit place. Parents et enfants y
chantèrent ensemble les chorals et les cantates de Bach.
Pendant les répétitions m'apparaissait souvent l'image
de différents tiroirs, dans lesquels chacune des voix
était délicatement rangée, séparée des autres avec clarté
et précision, tout en demeurant partie intégrante
d'un ensemble. Je suivais avec attention ces mélodies
indépendantes disposées en un courant continu. Les
chorals de Bach me transportaient, ses fameuses cantates, les oratorios de Noël et de Pâques. Ils étaient indissociables de ma vie d'enfant et d'adolescent. Je ne faisais
pas qu'écouter ; j'étais mêlé, comme tous les autres
membres du chœur, au flux continu de celui-ci, à ses
remous et profondeurs, à ses surprenantes cascades ou,
ailleurs, à son déroulement majestueux.

Ma rencontre précoce avec Bach, le lien profond qui
en découla et se construisit tout au long de mon enfance,

sont peut-être une première partie de réponse à la question de la fascination que sa musique exerce toujours sur moi après toutes ces décennies, à celle de sa présence indéfectible et constante dans ma vie personnelle et intime de musicien. C'est une empreinte qui a marqué profondément mon enfance, le fruit des circonstances dans lesquelles je suis par hasard venu au monde. La phase d'imprégnation de la très jeune enfance a de toute évidence été décisive.

Fonde-t-elle pour autant nécessairement la fascination de toute une vie pour la musique d'un compositeur ? Est-elle la raison pour laquelle, au cours de mes voyages et périples dans le monde de la musique classique, je reviens toujours à Bach comme on revient chez soi ? Lorsque je suis chez moi, en Californie, que j'ai du temps et que je me tiens devant mes étagères remplies des partitions rassemblées tout au long de ma vie, alors instinctivement je saisis celles de Bach, ouvre une de ses cantates, une *Invention* ou bien peut-être *Le Clavier bien tempéré,* me mets au piano et joue. Parfois juste quinze ou vingt minutes. Cela me suffit à me replonger dans son monde des heures durant.

J'ai passé au cours de ma vie plus de temps à étudier Bach et sa musique que ce qu'il serait possible de raconter dans ces pages. Il existe par ailleurs sur lui plus de recherches et d'écrits que ce qu'il me serait possible de lire, ou tout du moins d'assimiler. Si j'essaie néanmoins d'expliquer un peu d'où vient sa force d'attraction, j'évoquerai en premier lieu les grands talents pédagogiques de Bach.

Jean-Sébastien Bach n'était pas seulement un grand

compositeur, il était également un pédagogue des plus doués. Nous ne pensons plus à lui ainsi aujourd'hui. De son temps, il n'y avait cependant rien d'inhabituel à cela, bien au contraire. Le musicien de métier, celui qui gagnait sa subsistance en tant que cantor d'une église ou que maître de chapelle princier, celui-là avait coutume de transmettre la musique. On était apprenti musicien ou compositeur comme on était apprenti artisan. Il n'y avait pas alors de conservatoire ou de programmes d'études musicales à l'université, comme c'est le cas aujourd'hui. L'apprentissage de la musique et de la composition, tel un artisanat, se faisait auprès d'un maître. Et celui qui avait de la chance le faisait auprès de Bach.

Le compositeur accueillait continuellement des apprentis chez lui. Au temps où il était cantor de l'église Saint-Thomas de Leipzig, il aurait enseigné à quelque soixante étudiants de l'université – sans oublier un grand nombre de jeunes gens dont les parents étaient de riches notables. Plusieurs récits de ses étudiants témoignent de la manière dont il leur ouvrait le monde de la musique – son monde – souvent à l'aide de ses propres compositions. Apprendre de Bach ne se résumait pas à l'étude de morceaux qu'il fallait reproduire au clavier de la manière la plus accomplie, cela signifiait l'acquisition d'une éducation musicale bien plus complète. Ses élèves suffisamment doués et ambitieux apprenaient également l'improvisation ou l'écriture musicale.

Pour y parvenir, Bach considérait que les qualités techniques d'un excellent claveciniste – ou organiste – étaient une condition certes requise, mais insuffisante ; ses élèves devaient par-dessus tout acquérir une base en

théorie de la musique pour se familiariser avec les caractéristiques de l'art de la composition. Et lui, compositeur de génie, créa cette base. Il composa pour ses fils et
ses élèves les trente pièces pour clavier connues comme
ses *Inventions* à deux voix et *Sinfonies* à trois voix, qu'il
réunit pour son fils Wilhelm Friedemann en un *Petit
livre de clavier (Klavierbüchlein für Wilhelm Friedemann
Bach)*. Il le retravailla trois ans plus tard et le rassembla
en une nouvelle série formant son livre d'étude
Aufrichtige Anleitung. Les *Inventions* et les *Sinfonies* s'y
succèdent, en mode majeur puis mineur, ton par ton, en
partant du *do* majeur.

Bach a lui-même clairement indiqué la finalité de
son ouvrage d'enseignement : tout étudiant ayant soif
d'apprendre, passionné, devait non seulement s'entraîner à jouer à deux ou trois voix, mais également acquérir des rudiments de composition. Tout le monde peut
écouter de la musique, tous ceux qui maîtrisent un instrument peuvent en jouer. Or seul celui qui a intériorisé
les bases théoriques de la musique peut composer et
créer. Et c'est précisément ce que Bach voulait atteindre
grâce à un enseignement d'une rigueur absolue entouré
de merveilleuses mélodies.

C'est à l'âge de douze ou treize ans que je me suis
pour la première fois sérieusement penché sur ces
petites compositions – et je n'y ai alors vu que d'indispensables exercices que me donnait mon professeur.

À l'époque, je n'aurais bien sûr pas pu reconnaître la
pensée conceptuelle de Bach, la base de sa puissance
créatrice, qui se révèle avec une telle clarté dans ces
miniatures. Tout au plus pouvais-je en avoir l'intuition.

Aujourd'hui, je le sais. Ces miniatures, qui nous permettent de comprendre les bases de notre système tonal, présentent un condensé de l'art de la composition. Il est en effet possible d'apprendre tout ce en quoi consiste la musique à l'aide de ces petites compositions.

Pédagogue passionné, Bach a composé ces petites pièces vivantes, incroyablement colorées et contrastées pour donner à apprendre, à interpréter, à écouter. Or ces courtes œuvres se conforment malgré tout aux principes fondamentaux de la composition. Dans chacune, un principe musical de base est développé avec une telle exigence et de manière si aboutie que je les qualifierais, sans hésitation, de nouvelle forme artistique.

Comme les élèves de Bach ont dû être passionnés – et fascinés ! Ils apprenaient infiniment à l'aide de ses œuvres, étudiaient tout d'abord ses miniatures, les *Inventions* et *Sinfonies,* se penchaient ensuite sur ses suites et, après les avoir travaillées selon les exigences du maître, ils abordaient un univers musical encore plus vaste avec son éblouissant cycle pour clavier, *Le Clavier bien tempéré.*

Bach composa la première partie de cet ensemble de quarante-huit préludes et fugues en 1722, la seconde vingt ans plus tard. Chaque partie comprend vingt-quatre paires, constituées chacune d'un prélude et d'une fugue, en modes majeur et mineur. L'œuvre commence en *do* majeur, le mouvement suivant est composé dans la même tonalité en mineur, tous les autres suivent de manière chromatique par intervalle de demi-ton ascendant, jusqu'à la tonalité de *si* mineur. Une paire par demi-ton d'une octave, qui en comporte douze, le tout en modes majeur et mineur, de sorte que l'ensemble forme exactement vingt-quatre préludes et fugues.

Si Bach était en mesure d'écrire des préludes et des fugues dans les tonalités fondées sur chacun des demi-tons de la gamme chromatique, c'est grâce à la façon nouvelle dont il accordait son instrument. « Bien tempéré » signifie « bien accordé ». Il est ici question d'accorder le clavecin de manière volontairement imparfaite, c'est-à-dire en « trichant » avec les lois physiques de manière que les tonalités s'entendent toutes agréablement. Cela ne fut possible qu'à la fin du XVIIᵉ siècle. C'est le théoricien Andreas Werckmeister qui, en 1681, mit au point la pratique consistant à modifier légèrement certains intervalles afin que les accords parfaits fondés sur chacun des degrés de la gamme chromatique se laissent entendre de manière harmonieuse et non dissonante.

Bach fut le premier à en faire un plein usage. Parce qu'il avait accordé son instrument avec le degré nécessaire de pragmatisme, il était capable de composer dans toutes les tonalités. La gamme tempérée eut l'effet d'une libération. Bach avait délivré le langage musical de ses dernières entraves. Il pouvait alors enfin laisser libre cours à son inventivité musicale dans chacune des tonalités désirées. Il y était maître et sut parachever le langage tonal occidental de son époque.

Pourquoi sa musique nous fascine-t-elle autant ? Peut-être est-ce à cause de l'ordre créé par Bach, ordre dont nous avons tant besoin aussi bien dans notre vie que lorsque nous écoutons de la musique. Bach, avec cet ordre, nous donne une orientation – par sa maîtrise de toutes les tonalités, par ses accords parfaits, majeurs et mineurs, fondés sur chacune des notes de la gamme.

Le système grâce auquel Bach composa ces œuvres destinées à ses étudiants est d'une éblouissante clarté. Ce cycle pour clavier non seulement explore toutes les tonalités, mais il propose aussi un inventaire des procédés d'écriture les plus variés. Il révèle d'une part la parfaite logique de sa pensée et, d'autre part, rend manifeste son talent de pédagogue. Il incarne sa volonté d'offrir à ses élèves les moyens d'intérioriser, une fois pour toutes, la notation et les enchaînements harmoniques, les tonalités et leurs agencements. En jouant ces pièces, les élèves apprenaient le système mélodique de Bach et, par là, son langage, qui demeure aujourd'hui encore un merveilleux outil de communication pour tous les musiciens classiques. Un langage fait de mélodies et de thèmes dont la diversité semble illimitée. De manière fascinante, ce cycle marque la rencontre de la logique et de la créativité à l'intérieur d'un système musical cohérent. Avec ce cycle pour clavier, Bach est parvenu à créer un précis de l'art de la composition unique dans l'histoire de la musique.

J'aurais tant aimé entendre Bach jouer ! Si souvent je me le suis imaginé, j'ai envié ses élèves qui avaient la possibilité d'entendre un tel génie et de goûter ses heures d'enseignement les plus saisissantes, celles où, n'ayant pas envie d'enseigner, il s'asseyait à son instrument et donnait alors vie à son univers. Trois fois d'affilée, il jouait *Le Clavier bien tempéré*, métamorphosant en minutes les heures qu'il lui fallait pour l'interpréter. Cela ne tenait pas du miracle : sa musique ne peut pas devenir ennuyeuse. Elle recèle au contraire des surprises dont on ne prend parfois réellement conscience qu'après avoir joué le prélude ou la fugue à de nombreuses reprises.

Pourquoi la mélodie est-elle ici ascendante quand on s'attendrait à une conduite des voix contraire ? Pourquoi ne descend-elle pas davantage vers le grave ? Parfois, quand je joue Bach, il m'arrive d'être dupé au point d'éclater de rire. Plus particulièrement lorsque je joue une pièce que je crois bien connaître. Bach change soudain de tonalité, module de façon inattendue, et la pièce prend alors une autre couleur, une autre atmosphère. Et la surprise me saisit chaque fois. Peut-être est-ce cet émerveillement toujours renouvelé qui confère sa magie à sa musique. Peut-être est-ce aussi le fait que, plus on se penche sur elle, plus la musique de Bach gagne en profondeur.

Le Clavier bien tempéré est non seulement un outil sublime de transmission d'un langage musical dans lequel nous dialoguons, nous communiquons, encore aujourd'hui, mais aussi la mise en regard de pièces musicales de types quasiment contraires : le prélude et la fugue, le premier libre et joueur, la seconde plus austère, plus complexe et de forme plus étudiée. Si Bach développe dans ses préludes un vaste spectre de formes d'expression, les fugues, elles, suivent un schéma préétabli dans lequel les voix s'imitent les unes les autres. L'ensemble fait de ce cycle une quasi-encyclopédie du savoir musical. Quand je le joue, je perçois cette alliance entre le penchant intellectuel du compositeur et l'aspect passionnel et créatif de son caractère, la manière dont il parvient à garder ces deux forces intérieures en parfait équilibre. Si cela n'était empreint de trop de pathos, j'irais jusqu'à dire que le divin habite les créations musicales de Bach.

Des hommes du monde entier se trouvent sous le charme de la musique de Bach, et ce, indépendamment de l'espace culturel dans lequel ils ont grandi. Cela tient-il uniquement à la perfection de son langage sonore, à son inventivité, à son imagination ? Certes, non. Bach offre des histoires, de pures histoires musicales qui peuvent toutefois éveiller chez l'auditeur de nombreuses associations très concrètes. Pensez à ses suites pour orchestre. Vous connaissez sûrement la *Suite n° 3 en ré majeur,* son deuxième mouvement soutenu, magnifique, dont l'indication « Air » nous engage immédiatement dans une dramaturgie. Ou songez au *Concerto brandebourgeois n° 4* pour violon solo et deux flûtes à bec, dans lequel les trois protagonistes ne cessent de se relancer les uns les autres.

Bach savait aussi composer des œuvres aux résonnances résolument plus profondes que celles du cycle radieux de ses six concertos brandebourgeois. Luthérien orthodoxe, très pieux, il plaçait son entière force de création au service de Dieu. C'est à partir de cette évidence qu'il peignait l'existence humaine avec une sensibilité extrême et au moyen du langage musical qu'il avait créé. Il s'attachait, tel un philosophe, aux thèmes fondamentaux de la vie – ceux qui ne cessent de nous toucher dans sa musique. Bach souligne les oppositions qui déterminent notre existence ; c'est en cela que sa musique est si proche de la réalité. Il oppose la clarté à l'obscurité, joue avec les modes majeur et mineur, avec la lumière et l'ombre, le bien et le mal. La lumière n'existe pas sans l'ombre, ni le bien sans le mal. Ces oppositions qu'on trouve dans sa musique dépassent les frontières culturelles et la rendent dès lors accessible à tous.

Sa musique parle de l'éternel retour des expériences humaines, du plaisir, de la joie, du deuil et du désespoir ; il y est question de conflits et de réconciliation. Bach illustre la lutte de l'homme, son rapport au créateur et à sa volonté. Ses cantates, écrites pour l'office dominical, sont empreintes d'une grande intensité dramatique. Il a composé plus de deux cents cantates, aucune d'elle n'est de moindre qualité. *Ich will den Kreuzstab gerne tragen* (Je porterai volontiers la croix) : dans la *Cantate BWV 56* pour basse solo et orchestre, Bach mit en musique ces mots de Jésus de manière si poignante que la douleur de l'humanité tout entière semble peser sur les épaules du fils de Dieu. Sa *Messe en si mineur,* dont les chorals et les arias reflètent magnifiquement notre existence humaine, est tout aussi bouleversante.

Tout ce qu'il composa fut en hommage à Dieu. À l'image du Tout-Puissant, il comprenait les hommes, voyait en la forme musicale la plus aboutie l'art de faire vivre la grâce de Dieu sur terre. Sa vénération pour Dieu ne fit jamais perdre à Bach la pleine considération de l'homme et de ses besoins, parmi lesquels on compte, aussi, celui du repos, du délassement de l'âme : *Recreation des Gemüths*. Bach était empreint de la vision du monde de l'époque baroque, qui ne connaissait pas de claire séparation entre les sphères du profane et du sacré ; aussi était-il pour lui de son devoir de placer son exceptionnelle musicalité et sa force de création au service du Seigneur. Bach se voyait comme une créature de Dieu, sa musique comme une partie de la création divine, son miroir et son image, au centre desquels se trouvait l'homme avec ses forces et ses faiblesses. Tout y est relié : le divertissement et la méditation, la pédagogie et la créativité, la logique et la sensibilité. Que Bach se soit emparé des lieux communs de l'existence humaine et les ait travaillés musicalement en est une conséquence logique. Or c'est en définitive ce qui affranchit ce musicien de son époque.

Deux choses portent ainsi Bach bien au-delà du temps du baroque et font de sa musique une source intemporelle d'inspiration pour nous, ses interprètes : les thèmes fondamentaux de la vie dont il s'empare et qui occupent les hommes et les femmes depuis toujours, ainsi que sa création d'un langage parfait. Dans l'universalité qui est la sienne, Bach est sans conteste le plus moderne de tous les compositeurs, pour qui il demeure la référence absolue.

Bach est le créateur d'une cosmologie propre qui n'appartient qu'à lui – parfaite, logique, complexe. Même dans ses œuvres miniatures, on discerne déjà qu'il est l'unique timonier de son univers. Il incarne une évolution musicale, la conduit à la perfection et dès lors il échappe à son époque. Avait-il conscience de la portée du langage musical qu'il avait conçu ? Je ne le sais pas. Sans langage, toutefois, il n'est rien. Sans langage, ni la pensée, ni la conscience, ni l'existence ne sont possibles. Dieu parle avant même que l'homme ne soit : « Au commencement était le Verbe, et le Verbe était en Dieu, et le Verbe était Dieu. »

Le langage de Bach est fondateur pour la musique occidentale. Voilà ce qui donne son caractère unique au compositeur. Nous ne pouvons savoir comment se serait développée la musique au cours des siècles suivants s'il n'avait existé. Nous ne pouvons pas même l'imaginer. Je me suis souvent demandé pourquoi Jean-Sébastien Bach est au-delà de toute critique. Il n'est jamais remis en cause, ses œuvres ne sont comparées à celles d'aucun autre musicien, contrairement à d'autres compositeurs – même Mozart, dont les très nombreuses symphonies se voient attribuer des qualités de composition très variables. Bach est aimé, il est vénéré. Voilà longtemps que la valeur universelle de sa musique ne trouve plus sa justification dans les fondements théologiques ou dans une vision strictement chrétienne du monde, dont Bach était pourtant si empreint. Sa musique ne nécessite aucune justification chrétienne. Son esthétique, sa valeur et sa signification ont depuis longtemps dépassé la sphère religieuse.

Au soir de sa vie, Bach vécut retiré, se consacra à son œuvre seule, joua avec le langage qu'il avait créé, l'utilisa pour composer une dernière œuvre, majeure, qui serait un nouveau cycle : *L'Art de la fugue,* recueil de quatorze fugues et quatre canons à deux voix. Le compositeur, alors aveugle, mourut en écrivant la dernière fugue, la quatorzième. Le cycle demeure inachevé. Il nous donne cependant encore accès à la rigueur intellectuelle et à l'imagination infinie de l'artiste. Dans cette œuvre, l'art de la composition se déploie de manière incomparable.

Bach composa certaines des fugues en miroir, c'est-à-dire en inversant la ligne mélodique comme si on lisait dans un miroir placé sous la portée. Ou, pour le dire autrement, comme si on lisait les notes la tête en bas, ce qui donne naturellement une autre mélodie, dont la qualité n'a cependant rien à envier à la mélodie originale. Exactement comme si un poète écrivait des vers pouvant tout autant se lire dans le sens inverse et dont la nouvelle signification ne serait pas moins profonde, n'aurait rien perdu de sa qualité poétique. C'est encore loin d'être tout. Les compositions pour clavier de Bach contiennent d'innombrables messages cachés, une profusion de symboles, intégrés à ses pièces de manières très diverses. Celui qui s'y plonge se verra richement récompensé, il ne lui sera ensuite plus possible de s'arrêter – comme si on cherchait à décrypter un code et que chaque pas vers le déchiffrage faisait gagner le code en complexité. Bach joue avec les nombres, le nombre 14 par exemple. Dans la dernière fugue du cycle, la quatorzième restée inachevée, il fait de son propre nom un thème – comme s'il souhaitait marquer son œuvre, une dernière fois, du sceau de son créateur.

Si on se penche de plus près sur les pièces précédentes, on découvre que la succession de notes B A C H (*si* ♭ *la do si* ♮) y est déjà utilisée à de nombreuses reprises, pas en tant que thème toutefois. Elle reste dissimulée. Or, dans la dernière fugue, ces quatre notes forment le motif fondamental. On a également avancé l'hypothèse que le nombre 14 serait une référence à son nom, il serait telle une signature en forme codée. Si on numérote chaque lettre de l'alphabet et qu'on additionne les chiffres qui correspondent aux lettres de son nom de famille, on obtient 14. Ce nombre apparaît dans plusieurs de ses œuvres, est-ce le fait du seul hasard ?

Le sentiment que quelqu'un apporte de l'ordre à mon monde m'envahit encore aujourd'hui. Contrairement à lorsque j'étais un petit garçon, je connais désormais le système complet des tonalités sur la base duquel Bach a conçu ses œuvres. Celui qui, en toute simplicité, écoute la musique de Jean-Sébastien Bach se trouvera irrésistiblement séduit. Il se laissera emporter par la force de l'harmonie et aura peut-être l'intuition des principes musicaux qui se cachent derrière elle. La musique le comblera. Mais celui qui se plonge dans Bach en s'intéressant aux fondements théoriques de sa création musicale, celui-là s'engage dans un voyage de toute une vie. Il reconnaîtra combien la valeur universelle de son expression musicale caractérise ce compositeur de génie et le porte bien au-delà de son temps.

Dans sa monographie sur le compositeur, le philosophe et médecin Albert Schweitzer écrit que Bach est « une fin », le point culminant de la grande tradition de la musique occidentale qui trouve en lui un maître et un aboutissement, et en ses œuvres le perfectionnement, le parachèvement et l'épuisement de l'évolution musicale à son époque. Schweitzer semble, par son analyse, avoir exprimé l'opinion générale sur l'importance de ce compositeur. Bach n'est cependant pas une fin ; il était savant, novateur et, avant tout, un immense musicien dont les créations permirent un nouveau départ : un envol vers d'autres temps.

Bach est souvent associé à l'époque baroque, dont

il a certes marqué l'apogée sur le plan artistique. Mais le langage musical qu'il a créé marque, lui, le début d'une époque que l'on nommera classique. Il en rend l'avènement possible, amorce ainsi une évolution nouvelle. Il est la référence de Haydn, de Mozart et de Beethoven, dont les œuvres ne sont pas concevables sans les fondations posées par Bach. Son œuvre est l'aurore d'une évolution musicale allant du classicisme au romantisme, et jusqu'aux temps présents. Sa musique contient en germe toutes les évolutions à venir. Il en fut le précurseur. Son univers est une provocation à s'en dégager, voire à le démanteler, comme le fera Schoenberg plus tard. Personne ne peut se passer de Bach ; tout commence avec lui.

CHAPITRE 2

Orchestres en faillite

La disparition de la vieille culture a impliqué
la disparition du vieux concept de valeur. La
seule valeur existante est maintenant celle que
fixe le marché.

Mario Vargas Llosa,
La Civilisation du spectacle, 2015

Concert dans une ville fantôme

La salle de concert brille de tous ses feux. Des hommes et des femmes en tenue de soirée traversent le foyer et se dirigent vers le grand auditorium. Le programme annonce une symphonie et un concerto pour piano, une musique enjouée des belles heures de la période classique. Le chef d'orchestre, les musiciens et le pianiste sont au sommet de leur art, le jeu du soliste atteint ce soir une intensité saisissante. Quelques instants après les dernières notes, la tension se libère en un tonnerre d'applaudissements. Il en va ainsi depuis près de cent ans, à chacun des concerts auxquels afflue la société aisée de Detroit, avenue Woodward, dans Midtown. Rien ne laisse soupçonner que l'orchestre est au bord du gouffre financier.

Après le concert, une limousine reconduit le pianiste à son hôtel, à quelques rues à peine de la salle construite en 1919. Comme il a un peu faim, il prie le chauffeur de faire un petit détour, il voudrait s'acheter un sandwich dans une des épiceries ouvertes 24 heures sur 24. Le chauffeur secoue la tête. En aucun cas il ne quittera la route principale et n'engagera la limousine dans une des rues perpendiculaires, où l'éclairage est coupé depuis des mois en raison de la situation financière catastrophique de la ville. C'est devenu beaucoup trop dangereux.

Cet événement n'est pas très ancien. Le déclin qui menaçait alors la ville de l'automobile est aujourd'hui devenu visible, palpable, à chaque coin de rue. Seule la salle de concert, où, depuis un siècle, un public élégant se retrouve, n'en laisse rien deviner. Des édifices vacants, un nombre record d'agressions ; chacun a entendu aux informations que Motor City, dont l'industrie automobile autrefois si florissante jouait un rôle de mécène pour la musique classique, est désormais à bout de souffle. Dans la salle de concert, au Paradise Theatre, comme on avait jadis coutume de l'appeler, cela ne se remarquait pas, me racontait le pianiste. Pas encore.

Les images avec lesquelles il décrivait les contrastes flagrants de cette ville en crise prirent soudain un aspect surréel : une métropole menacée par un naufrage économique, déjà délaissée par les deux tiers de ses habitants ; sur le pont, l'orchestre continue pourtant de jouer, imperturbable, sous les applaudissements d'un public élégant, quand, entraîné dans la spirale infernale de la ville, il glisse lui aussi vers l'abîme.

Pendant que le pianiste me racontait sa mésaventure, je ne pouvais m'empêcher de penser à la culture bourgeoise associée aux concerts et à l'opéra, si éclatante entre 1870 et la fin des années 1920. Un court instant, cette imposante entreprise musicale m'est apparue sous la forme d'un immense paquebot voguant dans des eaux glacées. Est-il possible que nous, qui avons choisi de nous consacrer à la musique savante, formions désormais l'ensemble qui joue alors que le navire prend l'eau de toutes parts ? Inlassables, nous continuons de jouer sans vouloir prendre conscience que le bateau menace de sombrer.

Depuis quelques années, les nouvelles du secteur de la musique classique en montrent clairement la mutation – il est menacé pas les mesures d'austérité et par les coupes budgétaires. Il est partout question de manque d'argent. Chaque salle de concert, chaque maison d'opéra lutte pour sa survie. La musique classique est partout remise en question, elle est apparemment trop chère ou – comme on l'entend souvent – pas assez actuelle : une forme d'art digne d'un musée dont les pièces datant des XVIIIe et XIXe siècles n'ont plus grand lien avec les modes de vie et les conditions de travail des gens d'aujourd'hui. Le paquebot est en situation critique, et ceux qui n'ont pas encore glissé du pont avec leurs instruments continuent simplement de jouer.

Cela fera bientôt quarante ans que je me suis complètement et exclusivement engagé dans la musique classique, savante. Après avoir obtenu, à l'Université de Californie, des diplômes dans deux disciplines, la sociologie et la musique, j'ai poursuivi mes études à San Francisco. J'avais alors, d'une certaine façon, fait un choix de carrière. Voilà donc quatre décennies que je vis au quotidien la transformation du monde de la musique classique. Je vois des orchestres disparaître, j'observe notre public vieillir et les jeunes se distancer de la musique classique, voire ne plus du tout la côtoyer. Cela touche même ma famille : mes neveux et nièces n'entretiennent presque aucun lien avec la musique classique.

Dans toutes les sociétés industrielles occidentales, le péril qui guette de nombreuses institutions artistiques est très nettement perceptible.

Je pense avoir fait l'expérience, au cours des quatre dernières décennies, d'un affaiblissement constant de la musique classique. L'âge d'or de notre profession – de notre industrie, si vous préférez – semble loin derrière, et le besoin urgent d'une redéfinition de son rôle dans la société se fait sentir. Est-ce que j'idéalise le passé ? Mes mots sont-ils une manifestation de l'âge, de ces soupirs auxquels je répondais avant par un haussement d'épaules, car la nostalgie de tout-ce-qui-était-telle-ment-mieux-avant dissimule souvent le regret d'une jeunesse perdue ? Je ne le sais pas. Permettez-moi de vous dire ce dont j'ai fait l'expérience ; vous le compa-rerez à la vôtre et vous jugerez ensuite par vous-mêmes.

De mort lente

Dans mon pays, depuis quelques années, des orchestres meurent comme jamais auparavant. De nombreux ensembles, qu'ils soient petits ou grands, se trouvent dans une situation financière quasiment sans issue. Cer-tains ont déjà disparu ; d'autres luttent farouchement pour survivre. Les prises de position se multiplient, dans la plus grande cacophonie. L'administration, la direc-tion générale et les musiciens s'accusent les uns les autres. Des grèves sont déclenchées, des représentations annulées à la dernière minute, des musiciens congédiés brutalement en réaction aux grèves. Des salles restent fermées de longs mois. Le déclin de notre paysage orchestral se déroule au vu et au su de tous, plongeant dans l'effroi les cercles de mélomanes, mais en règle générale dans une grande indifférence.

À ceux qu'on appelait les « Big Five » – les cinq orchestres les plus renommés de mon pays, les phares, Philadelphie, New York, Boston, Chicago et Cleveland –, à eux, pensait-on, rien ne pouvait arriver. Tant qu'ils respectaient leur budget, pouvaient payer des musiciens de très haut niveau et proposer des programmes exigeants, la musique classique resterait visible en tant que forme artistique. En 2011, cependant, la scène musicale fut violemment ébranlée. L'Orchestre de Philadelphie était au bord de la banqueroute. Cet orchestre magistral, fier, riche d'une tradition remontant à l'année 1900, se plaçait sous la protection du chapitre 11 de la loi sur les faillites des États-Unis. Comment cela devait-il continuer ?

J'ai grandi à une époque où la musique classique faisait partie du quotidien – certes, pas de tout le monde, mais d'une grande partie de la population américaine. La musique classique se trouvait partout, pas simplement dans les écoles, comme chez nous, ou dans les salles de concert des petites et grandes villes. Le pays entier regorgeait d'ensembles musicaux variés, composés d'amateurs passionnés qui se rassemblaient, répétaient, donnaient des concerts. Il y avait un nombre important d'orchestres semi-professionnels dans lesquels jouaient des musiciens de métier et d'excellents amateurs. Les orchestres des médecins de New York et de San Francisco étaient reconnus dans tout le pays. La télévision diffusait d'innombrables concerts ainsi que des émissions consacrées à la musique classique.

Tout le monde se souvient du cycle *Young People's Concert,* cette série de l'Orchestre philharmonique de New York destinée à la famille, conçue dans les années 1920 et à qui Leonard Bernstein fit atteindre des sommets de popularité. Diffusés à la télévision aux heures de grande écoute de 1958 à 1972, les concerts qu'il animait au Carnegie Hall et, plus tard, au Lincoln Center sont emblématiques de ce que j'entends par l'âge d'or de la musique savante, les années 1960 et 1970 aux États-Unis, tandis que l'économie prospérait et que la musique classique était plus florissante que jamais. La musique était alors une évidence aussi bien qu'une constante dans le quotidien de notre société. Pour moi, musicien débutant, c'étaient des temps merveilleux. Partout, les artistes étaient en demande, même les musiciens qui n'étaient, comme moi, pas solistes, mais généralistes, donc formés comme compositeurs, arrangeurs, musicologues ou producteurs. Les possibilités de trouver un poste dans le monde de la musique étaient nombreuses. J'ai travaillé dans plusieurs maisons, tout d'abord sur la côte Ouest, puis à Boston. J'accompagnais au piano des solistes et des ensembles lors des répétitions et j'assistais la direction d'orchestre.

Ce monde idyllique de la musique classique, dans lequel tout avait jusqu'ici semblé ne pouvoir qu'embellir, reçut dès le milieu des années 1980 un premier choc. En septembre 1986, l'Orchestre symphonique d'Oakland fit faillite, submergé par une montagne de dettes s'élevant à près de quatre millions de dollars. La tradition de cet orchestre était remarquable. J'ai un souvenir clair de cet ensemble dynamique, où j'avais été chef assistant dans mes années de jeunesse. Oakland était une ville animée, l'orchestre jouait au Paramount Theatre, un cinéma désuet qui avait été rénové dans les années 1970 et transformé en une salle de concert de trois mille places. Le magnifique édifice art déco avait été aménagé dans le cadre d'un coûteux programme d'urbanisme, mis en place dans l'espoir d'enrichir le centre-ville d'une attraction supplémentaire.

La ville prospérait. Les gens se donnaient rendez-vous en de nombreux lieux, dans la vieille ville illuminée, dans le port d'Oakland, au stade de football ou à la salle de concert. Au début des années 1980, cependant, l'argent se fit plus rare. Les années fastes semblaient révolues. Les élus locaux, forcés de faire des économies, réduisirent le budget de l'éducation et se virent dans l'obligation de choisir entre soutenir le sport et sauver l'orchestre.

Une équipe de football couronnée de succès, les Oakland Raiders, faisait la fierté de la ville. L'orchestre se trouvait déjà dans un engrenage de déficits croissants. La distance entre l'administration municipale et celle de l'orchestre se creusa. Comme la Ville resta prudente, l'orchestre perdit tout espoir. Il fut fermé, sa grande bibliothèque vendue, les musiciens congédiés, la salle de concert cadenassée, et ce qui avait été un lieu de vie et de rencontre disparut. Avec la fin de la vie musicale, l'effervescence dans la rue diminua. La vieille ville se vida, les citadins restèrent dans les beaux quartiers. Les problèmes sociaux s'aggravèrent. La criminalité augmenta.

À peine remis du choc de la faillite de l'Orchestre symphonique d'Oakland, les protagonistes de l'industrie américaine de la musique classique cherchèrent à interpréter le phénomène : un cas unique, bien sûr. Une étude au titre mémorable, *Autopsy of an Orchestra,* fut commandée pour analyser les raisons de cet échec et tirer des enseignements des erreurs commises. Sa lecture était aussi captivante que celle d'un thriller. Son contenu était sans ambiguïté : des erreurs de management, des musiciens intraitables ne pensant qu'à leur rémunération et, surtout, des prévisions trop optimistes quant à une hausse de la fréquentation avaient causé la faillite. Comme le répétaient alors inlassablement les médias : les 1 400 orchestres des États-Unis ne risquaient tout de même pas de disparaître tous.

Le directeur de l'orchestre d'Oakland se montra toutefois plus lucide : « Il ne faut pas accroître nos collectes de fonds mais prendre conscience », prendre conscience de ce qu'est la musique, de la perte que représente la disparition d'un orchestre. Les orchestres ne sont pas crédibles artistiquement parce qu'ils gagnent des millions, poursuivait-il, « ils gagnent des millions parce qu'ils sont incontestables sur le plan artistique ». Le monde de la musique classique s'est réuni en congrès, a débattu des collectes de fonds, du public, des programmes et de bien plus encore, tout en se berçant de la certitude que les arts ne perdraient jamais leur place dans la société.

Je ne suis pas le seul à considérer, avec le recul, la mort de l'orchestre d'Oakland comme le tournant de l'histoire de la musique classique depuis qu'elle a fait la conquête des États-Unis à son arrivée d'Europe. Cet événement a révélé en effet, de manière on ne peut plus claire, une attitude aujourd'hui courante dans les sociétés occidentales industrialisées ou postindustrielles : tant de choses sont plus importantes que la musique savante. Elle est agréable, *nice to have,* mais en aucun cas essentielle. À Oakland, toute l'attention se portait sur l'équipe de football, pour qui la ville fit bâtir un nouveau stade de 220 millions de dollars quelques années seulement après la fermeture de la salle de concert et la braderie de l'inventaire de l'orchestre. Aux yeux d'un musicien, le cynisme de la situation pouvait difficilement être surpassé. À cette époque, pourtant, nous étions encore dans les années 1980, je n'aurais pu imaginer qu'au tournant du millénaire un grand nombre d'orchestres américains disparaîtraient, que de nombreux musiciens se buteraient aux portes fermées des salles de concert ou seraient contraints au chômage. Avec le recul, Oakland a marqué un commencement.

Salutations de Lehman Brothers

Des raisons expliquent la mort de ces orchestres, elles résident avant tout dans la crise économique et financière, mais aussi dans toute une série de difficultés propres à notre industrie. La crise financière de 2008, qui a entraîné les États-Unis dans une récession profonde, a laissé des traces indéniables dans le paysage musical. Les fonds de dotation des grands orchestres et maisons d'opéra ont été drastiquement diminués. Les revenus qu'ils généraient, à savoir les moyens par lesquels les institutions se finançaient, ont chuté de manière vertigineuse. Les grands mécènes, également touchés par la crise, ont réduit leurs dons, si importants pour les orchestres américains. La troisième source de revenus, la billetterie, était elle aussi en berne. Au cours de la crise économique, bien des gens se sont tournés vers des loisirs moins coûteux, car les billets de concert sont chers aux États-Unis.

Naturellement, tous les orchestres ne sont pas touchés. Quelques-uns prospèrent, d'autres se réinventent grâce au talent de leur administration. Contrairement à l'Allemagne ou au Québec, les orchestres américains ne sont quasiment jamais soutenus par des fonds publics. Soit l'entreprise est rentable, soit elle accumule tant de dettes au fil des ans qu'elle est insolvable et déclare faillite. Le 16 avril 2011, à 15h30, l'Orchestre de Philadelphie se retrouva en cessation de paiement, à peine quelques heures avant le concert du soir, où il interprétait la *Quatrième Symphonie* de Mahler, qui fut acclamée avec enthousiasme. Un tel événement était jusque-là de l'ordre de l'inimaginable, pour nous, musiciens. Ce fut un choc terrible. Plusieurs petits orchestres avaient déjà fait banqueroute, mais aucun des grands ou de la renommée de l'Orchestre de Philadelphie.

La crise financière a frappé de nombreuses institutions. Les musiciens ont dû renoncer à une part considérable de leur salaire ; les grèves étaient à l'ordre du jour. Le capitalisme américain, qui avait permis l'émergence d'un paysage orchestral merveilleux, était en pleine crise – et la crise dévorait la musique. Les citoyens de nombreuses villes furent soudain contraints de réfléchir à ce que représentaient pour eux ces institutions, fleurons de la musique classique. La mort de ces orchestres exigeait en effet de repenser le rapport de la société à la musique, de réévaluer ce que pouvait s'offrir la société et, surtout, de se demander combien elle considérait avoir besoin de la musique.

Les impasses financières, les salles de concert à court d'argent, les orchestres menaçant de s'éteindre ne dépeignent pas un phénomène exclusif aux États-Unis. Il y est simplement beaucoup plus visible, car les pouvoirs publics ne contribuent que pour une part infime au financement de ces institutions. Tournons-nous vers l'Europe, le berceau de la musique classique. À Vienne, par exemple, un coup de tonnerre a marqué l'inauguration du mandat du nouvel intendant du Konzerthaus. L'institution était en faillite – du moins en déficit récurrent. L'année de son centenaire, cette institution portait le poids d'une dette de sept millions d'euros, sans l'ombre d'une chance qu'elle puisse la rembourser dans un délai prévisible. Le Konzerthaus, où j'aime tant diriger, continue toutefois de vivre. Les pouvoirs publics ont contribué au budget de cette maison de longue tradition à hauteur de treize pour cent. C'est dire que, en Autriche, il est encore permis de se plaindre haut et fort de la gelée de l'apport des collectivités locales et régionales survenues il y a des années, et d'obtenir davantage. C'est chose impossible ou presque aux États-Unis depuis les années 1970.

Les fabuleuses institutions culturelles italiennes, celles qui ont donné le jour à l'opéra, avec Verdi, Puccini,

Rossini, Bellini ou Donizetti, naviguent elles aussi en eaux difficiles. Certaines maisons ne paient presque plus leurs solistes invités, parfois même plus du tout. Un grand nombre d'opéras ferment leurs portes en raison de dettes devenues ingérables. L'Opéra de Rome, à la tradition somptueuse, a renvoyé tous ses musiciens et tous ses chanteurs au printemps 2014 – personne ne sait si le rideau est tombé une fois pour toutes. Le réseau d'opéras, pourtant très dense, se défait peu à peu. Peut-être finira-t-il un jour par quasiment disparaître, peut-être ne restera-t-il alors que les trois maisons les plus renommées, aujourd'hui encore stables financièrement : la Scala de Milan, la Fenice de Venise et le Teatro Regio de Turin. La raison officielle de la mort des maisons d'opéra est le surendettement du pays et de ses collectivités régionales et locales : il n'y a tout simplement plus d'argent pour le financement de la culture. Le budget affecté à la culture est drastiquement réduit dans tout le pays.

Asphyxie au pays des merveilles

En Allemagne, ce pays de merveilles musicales doté de plus de cent trente orchestres symphoniques, cette évolution est tout aussi frappante. Depuis l'an 2000, je suis de près la situation dans ce pays à l'économie la plus forte d'Europe, dans cette nation de poètes, de penseurs et de compositeurs. Et là aussi, des salles et des maisons sont menacées. Ce qu'il y a de fabuleux en Allemagne, dans ce régime fédéral et donc peu centralisé, c'est que les villes moyennes disposent, tout comme les grandes villes, d'un orchestre largement financé par les pouvoirs publics. Or, même là, la situation est loin d'être idéale. Des orchestres sont fusionnés, voire fermés. La question de savoir si des villes de moyenne ou petite taille, telles Recklinghausen, Fribourg, Baden-Baden, Rostock ou Schwerin, ont véritablement besoin de salles de concert et d'orchestres se pose avec toujours plus d'acuité. La pression, dans ces cas-là, ne vient pas de donateurs privés, mais des pouvoirs publics, contraints de réduire leurs dépenses. Ils doivent désormais décider s'ils préfèrent investir dans les infrastructures ou dans l'art.

Je n'ai pas oublié la lutte menée par le Deutsches Symphonie-Orchester, l'Orchestre symphonique allemand de Berlin, lorsque j'en étais chef d'orchestre principal, une lutte dure et constante afin d'obtenir assez d'argent, suffisamment de postes de musiciens et le maintien à part entière de cet orchestre de haute tradition. Des réflexions furent lancées, des doutes soulevés, qui valent encore aujourd'hui : compte tenu de sa situation économique, l'État fédéral allemand pouvait-il se permettre tant d'orchestres de renom ? Ne serait-il pas préférable de concentrer plutôt ses efforts sur un petit nombre d'entre eux ? L'importance et la popularité de cet orchestre, que j'ai dirigé de 2000 à 2006, n'étaient nullement mises en cause. Mais dans un pays où la culture est très subventionnée, la popularité ou la charge de travail n'est pas nécessairement un argument convaincant. La lutte pour la survie de l'orchestre se transformait toujours en un spectacle de discorde que pouvait suivre le public. Jusqu'ici, Berlin a chaque fois pris la décision de favoriser la pluralité dans le domaine du classique – un bonheur qui, je l'espère, ne disparaîtra pas. Berlin, avec ses orchestres et ses opéras, est cependant un cas particulier : la capitale est sous le feu des projecteurs.

Ailleurs, dans d'autres villes allemandes, c'est très en douceur, *pianissimo,* que la musique classique est progressivement écartée. Sans grand éclat, comme ce fut le cas aux États-Unis ; il s'agit plutôt d'une lente asphyxie. Savez-vous que le nombre d'orchestres du si riche paysage musical allemand s'est réduit d'un quart ? Ce plan « d'assainissement du marché », comme le nomment volontiers certains professionnels de la culture, est loin d'être achevé. Plusieurs orchestres de villes moyennes d'Allemagne voient leur existence ou leur autonomie menacées par des mesures d'austérité. Cette réalité n'est pas seulement celle des communes industrielles autrefois florissantes et aujourd'hui vulnérables, mais aussi celle du Sud, pourtant prospère. Qu'est-ce que cela signifie pour le tissu social d'une ville quand, dans le sillage de l'industrie et de l'emploi, les musiciens commencent eux aussi à disparaître, lentement, silencieusement, et que les gens ne se réunissent plus dans les salles de concert ?

Bien sûr, il serait possible d'arguer le contraire : il y a des signes d'espoir. De nouvelles institutions voient le jour. En outre, des orchestres de musique de chambre, des quatuors à cordes et des ensembles très spécialisés insufflent un indéniable dynamisme au monde traditionnel du classique.

Il serait également possible de souhaiter à mon pays, les États-Unis, que, en des temps économiques meilleurs, quand les fonds de dotations seront en augmentation et leurs taux de rendement en croissance, les orchestres se portent également mieux – s'ils n'ont pas disparu entre-temps. On pourrait faire preuve de plus d'audace encore : lorsque mon pays natal aura retrouvé la confiance et l'abondance, les gens pourront se permettre et souhaiteront de nouveau plus de culture. La formation de nouveaux orchestres, la création d'initiatives musicales inédites seront alors possibles. Pourquoi pas ?

Il ne semble pourtant pas que nous en prenions le chemin. En dépit de certains signes d'espoir, la musique classique, comme forme d'art, s'est éloignée de manière inquiétante de la majeure partie de la population des sociétés industrielles ou postindustrielles. Et chaque salle de concert qui ferme l'en éloigne encore davantage. Elle ne fait plus partie de la réalité quotidienne des gens. Les journaux font moins de place aux événements de musique classique. Les programmes classiques à la radio disparaissent ou sont exilés sur Internet, où il faut délibérément vouloir les chercher. Les musiciens ne sont plus considérés comme des membres importants de notre société. Sans la scène, ils n'ont aucune occasion de reconnaissance publique et, dès lors, aucune non plus de gagner les citoyens à leur art, de les convaincre de sa portée, de son sens, de le défendre. Ce n'est pas seulement le cas aux États-Unis, où la musique classique est bien plus dépendante des financements privés qu'en Allemagne, par exemple, où la culture est fortement subventionnée.

La disparition des orchestres, la mort théâtralisée ou silencieuse de chacune de ces institutions est, chaque fois, l'expression répétée d'un choix de société : quelles sont nos priorités ? Qu'est-ce qui est essentiel ? Qu'est-ce qui l'est moins ? Lorsqu'un orchestre doit fermer ou fusionner avec un autre, il est pris position contre la culture. C'est en cela que la disparition d'un seul ensemble est, en soi et chaque fois, si alarmante. Plus particulièrement encore lorsque la raison n'en est pas la mauvaise gestion, mais la perte de commandites ou la décision des pouvoirs publics de suspendre un financement.

Lorsque je considère la manière dont la scène orchestrale s'est transformée ainsi que le déclin de la présence de la musique classique à la radio et à la télévision – chaque cas ayant bien sûr ses particularités –, il est clair que c'est un recul de celle-ci qui se profile. Elle est de toute évidence écartée des priorités actuelles. Bien sûr, sa place n'a jamais été au tout premier plan, surtout là où on la célébrait selon une conception élitiste, dans des maisons d'opéra ou des salles de concert avant tout au service d'un certain prestige social. Peut-être n'avons-nous pas, nous, musiciens, pris conscience de cette perte de sens assez tôt, parce que la musique classique est une constante dans notre vie et que la vie nous est inimaginable sans elle. Doit-on pour autant courir le risque d'abandonner notre art à lui-même, alors que nous savons qu'il est au premier abord plus difficile d'accès que le plaisir d'un match de football ?

Toujours plus gris

Le public vieillit, il grisonne, comme moi, toujours plus, d'année en année – et cela m'inquiète autant que la baisse constante du nombre des orchestres. Où sont les jeunes gens de vingt ou trente ans ? Ceux qui remplissaient les salles de concert il y a tout juste quelques décennies ? La hausse de la moyenne d'âge du public des concerts et de l'opéra est un phénomène général, des deux côtés de l'Atlantique. Dans les États-Unis de ma jeunesse, des personnes de toutes les générations se réunissaient au concert et à l'opéra. Plus tôt encore, dans les années 1940, l'âge médian se situait autour de la trentaine. Vingt ans après, la médiane s'élevait à trente-huit ans – la médiane étant la valeur qui sépare en deux l'ensemble des spectateurs selon le critère de l'âge.

Selon différentes études, cette évolution s'est accentuée dans les années 1980 – période qui correspond assez exactement au recul de l'enseignement de l'art dans les écoles américaines. De nombreux élèves grandissaient alors sans plus côtoyer la musique classique.

Dix ans plus tard, les spectateurs nés entre 1936 et 1945 composaient la plus grande partie du public des salles de concert. La présence des jeunes chutait dramatiquement ; la moyenne d'âge, elle, augmentait avec constance. Par ailleurs, une étude approfondie de l'évolution de l'âge des amateurs d'opéra, publiée aux États-Unis en 1996, témoigne que la situation y était pire encore. Les auteurs ont démontré, chiffres à l'appui, il y a déjà vingt ans de cela, qu'un changement profond s'opérait dans les loisirs des jeunes et que cela pourrait avoir une grave incidence sur la musique classique et l'opéra à l'avenir. L'époque où les stars de l'opéra avaient des fans parmi les adolescents, séduisaient parents et enfants, est révolue. Il sera difficile de la ressusciter.

La question de l'âge du public, qu'il soit assis au parterre ou au balcon, n'est pas plus rassurante en Allemagne qu'aux États-Unis. La moyenne d'âge de l'auditoire des concerts classiques y a également atteint la ligne magique de la soixantaine. Il s'agit bien sûr d'une moyenne, certains orchestres se situent au-dessous et parviennent à attirer de jeunes gens. Cette évolution demeure toutefois peu réjouissante. La moyenne d'âge du public des concerts a augmenté beaucoup plus vite que celle de la population dans son ensemble. Ce ne sont pas des impressions personnelles, mais les évaluations et les constats – à considérer sérieusement – émis par plusieurs instituts de recherche. Devons-nous entériner le fait que, dans trente ans, lorsqu'une bonne partie de nos fidèles spectateurs ne seront plus en vie, une grande partie du public aura alors tout simplement disparu ?

Comme toujours, il est possible de se quereller au sujet d'études et de pronostics. Chaque directeur général ou directeur musical interprétera les chiffres à sa manière. J'observe moi-même cette évolution avec des sentiments partagés. Les chiffres nous révèlent ce que la musique classique signifie pour les groupes de l'âge de nos enfants et de nos petits-enfants. Elle n'a pour eux plus guère de pertinence. Aujourd'hui, c'est surtout par l'intermédiaire des images que les enfants et adolescents interagissent : ils grandissent en regardant des concerts pop et rock dont l'aspect visuel est tout aussi plaisant que la musique. Pourquoi assisteraient-ils à un concert classique, où une musique complexe se déploie de manière tellement plus lente que dans des chansons à l'efficacité pyrotechnique que l'on est prêt à reprendre en chœur au bout de deux minutes à peine ?

Avant d'offrir un sommet d'émotion, la musique classique requiert une longue écoute attentive, un engagement actif. Pour celui qui n'y est pas habitué, cela nécessite un réel effort. En Allemagne, pays où il n'y a plus qu'une personne sur cinq qui assiste à un concert classique par an, nos orchestres n'atteignent les moins de trente ans qu'à hauteur de dix pour cent – une fois par an. Au Canada, se rendre à un concert est, depuis longtemps déjà, loin d'être chose courante chez les jeunes. Ici aussi, le vieillissement du public est perceptible, mais les orchestres y font face de manière différente. Les personnes âgées de 65 à 74 ans fréquentent les concerts en nombre, les 15 à 24 ans ne s'y laissent guère apercevoir. L'accès à la musique classique est de plus tributaire de l'environnement social où grandissent les jeunes, ainsi que de l'importance, très variable selon les provinces, que le système scolaire accorde à l'éducation artistique et musicale.

La signification et la portée de l'augmentation de la moyenne d'âge du public restent controversées. Indiquent-elles que les formats classiques de concerts et d'opéras sont sur le point de disparaître ? Ceux, parmi les directeurs généraux et les directeurs musicaux, qui sont de nature optimiste considèrent qu'il s'agit simplement d'une évolution normale. Lorsqu'on est jeune, on assiste aux concerts pop, on se met des écouteurs sur les oreilles à la première occasion, se balance sur son siège dans le métro ou danse en déambulant dans la rue. Selon cette théorie, une personne en vieillissant se lassera d'une chanson pop dont le refrain se répète six fois en l'espace de trois minutes ; elle la trouvera fade et en perdra le goût. Les concerts rock lui paraîtront trop forts, tout comme les cris perçants des plus jeunes qui s'abandonnent au spectacle avec passion. C'est alors qu'elle découvrira l'art « ancien », la musique classique, plus profonde, plus complexe, désormais plus attirante et peut-être plus satisfaisante. Rendu à un certain âge de la vie, il est certes plus convenable de rester assis sur un siège de concert que de danser sauvagement au milieu d'une foule dont les regards vous font clairement comprendre que vous n'êtes pas à votre place. On peut le voir ainsi. Nombreux sont sûrement ceux, dont je suis, qui souhaiteraient le voir ainsi.

Mais je suis un peu trop réaliste pour cela. Je crois au contraire que beaucoup de ceux qui ne sont jamais allés au concert, qui n'ont jamais pratiqué cette forme exigeante d'écoute de la musique, qui n'en ont pas joué eux-mêmes dans leurs jeunes années, chez leurs parents ou à l'école, mais ont choisi suivant leurs goûts de se consacrer à une forme de divertissement musical plus facilement consommable, ne trouveront plus le chemin des salles de concert et de l'opéra. Ils seront sans doute plus attirés par les concerts d'anciens groupes de rock, de ceux qui firent partie de leur jeunesse. La plupart d'entre eux n'ont sans doute jamais pensé à se rendre plutôt à un concert classique ou à l'opéra.

L'amour de la musique classique et de sa tradition extraordinaire, la possibilité, grâce à cet art, de s'identifier à sa propre culture et à ses origines n'adviennent pas du jour au lendemain. Ce n'est pas non plus nécessairement une question d'âge. Il serait merveilleux de réussir à amener ne serait-ce qu'une fraction des parents, grands-parents et enfants qui remplissaient les stades par milliers pour les concerts de Bruno Mars à se passionner pour nos orchestres. Aussi la question se pose-t-elle maintenant : la musique classique, les grandes symphonies, les fantastiques opéras composés voilà deux cents ans sont-ils encore pertinents, sont-ils modernes ? Et s'ils le sont, comment devraient se transformer les institutions ?

Dans les petits et grands temples de la musique classique, la pertinence de celle-ci semble loin d'être évidente. Lorsque le public n'est pas acquis, qu'il n'a pas appris à comprendre le classique, à l'apprécier comme une forme artistique sublime au-delà des tendances et des modes, c'est à nous de faire preuve d'imagination et de trouver les moyens de convaincre les auditeurs néophytes que cette « vieille » musique a quelque chose à leur dire, aujourd'hui. Le classique se présente à ses auditeurs avec une forte exigence : celle de s'y engager, de s'y laisser entraîner, d'y réfléchir. Peut-être est-ce précisément en raison de cette exigence que la musique classique n'est pas perçue comme actuelle à l'ère de la consommation, où tout doit être léger et immédiatement accessible. Ce qui relance une nouvelle fois la question : sommes-nous, artistes classiques, d'une façon qui nous fut imperceptible, devenus anachroniques ?

Il est courant d'entendre qu'un artiste vivant en Allemagne a choisi le meilleur des mondes. Notons toutefois que l'âge actuel de la génération du baby-boom – celle qui compte un nombre de personnes supérieur à celles qui l'ont précédée et, semble-t-il, à toutes celles qui lui succèdent – se trouve juste au-dessous de la moyenne d'âge des auditeurs de concerts. Cela signifie que les personnes qui fréquentent les concerts et l'opéra ont majoritairement grandi entourées de musique, à l'âge d'or du classique, dans les années 1960 et 1970, et qu'il ne leur est plus nécessaire d'apprendre à la connaître. L'âge toujours croissant du public s'explique donc ainsi, tout autant que les taux encore élevés de fréquentation des salles. Savoir qu'une expérience musicale vécue dès le plus jeune âge aura des répercussions sur la fréquentation du public d'ici deux ou trois décennies, lorsque les enfants seront devenus de jeunes adultes, cela peut-il me rassurer en tant que chef d'orchestre? Le rapport toujours plus ténu des plus jeunes avec la musique classique pourrait signifier qu'il n'y aura plus de mélomanes dans vingt ans, et ce, même en Allemagne.

Trois pour cent ne suffisent pas

On pourrait considérer cette évolution de manière plus sereine si elle ne s'accompagnait d'un recul très conséquent – en valeur absolue – du public traditionnel. Un recul manifeste aux États-Unis. Au cours des dix dernières années, le nombre de personnes allant au théâtre, au concert, à l'opéra, au musée ou dans les galeries d'art est passé de plus de quarante pour cent à un tiers de la population. Quant aux concerts classiques, leur fréquentation est tombée à neuf pour cent à peine, dont une part significative et en augmentation est composée des plus de 65 ans. Les opéras ne sont vus que par deux pour cent de la population, malgré le succès qu'on dit important des retransmissions en direct des représentations du Metropolitan Opera de New York dans les cinémas.

Cette spirale descendante semble, il est vrai, s'être pour l'instant arrêtée en Allemagne. On n'y a toutefois pas retrouvé le niveau de fréquentation d'il y a vingt ans. Cette augmentation du public est là aussi le fait de spectateurs de 65 ans ; les jeunes gens, eux, se tiennent à distance de la musique. L'intérêt pour les arts dépend en outre du niveau d'éducation – en dépit de toutes les ambitions proclamées. Plus le niveau d'éducation est élevé, plus la présence à un concert ou à un opéra est probable. La partie de la population qui se rend au concert trois fois par an, voire plus, n'excède pas trois pour cent. Quant au Canada, selon les résultats du recensement de 2010, douze pour cent de la population du pays fréquente de temps en temps les concerts de musique classique. Le nombre de ceux qui assistent à un concert ou à un opéra plusieurs fois par an représente un pourcentage minime.

Si j'étais le président-directeur général d'une entreprise, je me dirais : il reste des parts de marché à aller chercher. La musique classique n'est cependant pas un article de consommation quelconque ; le public est donc à conquérir avec davantage de ferveur et de conviction.

Comme ma vision personnelle de la culture n'est pas élitiste, que je rêve au contraire depuis toujours que tout un chacun trouve le chemin des arts et de la musique classique, au vu de tels chiffres, je dirais en réalité : travaillons davantage !

Nous autres, artistes, appelons toujours à être soutenus. Nous avons besoin de moyens financiers pour maintenir la qualité d'un orchestre ou d'une maison d'opéra. Il n'y a jamais assez de moyens. Mais aux États-Unis, les donateurs, commanditaires et mécènes s'engagent désormais dans d'autres domaines que la musique. La crise économique et financière incite par ailleurs à plus de sobriété. En Allemagne, un haut fonctionnaire ou un trésorier municipal devant décider de l'attribution de subventions destinées à la musique savante pourrait bien arriver à la conclusion suivante : il faut des opéras aux distributions plus modestes, des concerts symphoniques aux effectifs resserrés. C'est bien sûr possible. Jusqu'à un certain point. Celui où les formations ainsi rétrécies ne peuvent plus se maintenir au même niveau, perdent en excellence et en attractivité, en liberté artistique et en créativité.

Ainsi s'érode lentement la conscience de la présence nécessaire de l'art, non seulement parmi la population, mais aussi chez les individus aux postes de décision. La culture fait de moins en moins consensus au sein de la société. La construction d'un nouveau stationnement devient plus importante que le maintien de l'orchestre de la ville ou que l'investissement dans des cours de musique dignes de ce nom offerts à tous les élèves d'une école. La musique n'est plus la bonne, mais la mauvaise option. Car les gens souhaitent pouvoir garer leur voiture avant de penser à acheter une place de concert. Nous voudrions croire, ou espérer, que cela n'est pas pour demain. Il y a toujours des concerts, des opéras, et des critiques qui en font état dans les journaux. Il existe aussi des fondations qui font face avec force travail et engagement au déclin du consensus autour de la culture. C'est une goutte d'eau dans l'océan – ou comme on dit chez nous : *a drop in the bucket*. Bien des gens s'épuisent en belles professions de foi.

Un monde et des valeurs en mutation

Nonobstant les nombreuses différences entre les institutions musicales d'Europe et d'Amérique du Nord, cette évolution n'en demeure pas moins comparable. Peut-être ne convient-il pas de mettre sans cesse en regard des systèmes aussi différents, pour la simple raison que je suis américain et que je connais bien et le Canada et l'Europe. Mais la tendance à remettre l'art en question est internationale. Les phrases ressassées sur l'importance de l'art et de la musique pour la société sont prononcées pour la forme : les décisions politiques et économiques prennent la direction contraire. Partout dans le monde, un modèle de valeurs s'est imposé ; il place l'économie au-dessus du social, l'utilitaire au-dessus de l'accomplissement par les arts. L'augmentation de la moyenne d'âge du public de la musique classique ou la menace qui pèse sur le paysage orchestral, d'un côté de l'Atlantique comme de l'autre, sont symptômes d'une mutation des valeurs déjà profondément à l'œuvre dans notre société.

Permettez-moi de prendre un seul exemple, provocant et révélateur. Il permet, à lui seul, de mieux saisir cette mutation des valeurs. Il concerne les enfants et les adolescents, qui nous tiennent particulièrement à cœur et auxquels la société a enseigné une tout autre hiérarchie de valeurs dont elle est elle-même l'illustration.

Tous les trois ans, de jeunes gens de quasiment tous les pays voient leurs compétences cognitives évaluées et comparées. Il en résulte un classement des pays participants, censé nous informer sur la qualité de l'enseignement des différents systèmes d'éducation. L'étude, connue sous le nom de PISA, est menée par l'Organisation de coopération et de développement économiques (OCDE). Il n'est pas possible, aujourd'hui, de trouver meilleure indication de la valeur donnée à l'éducation artistique. Elle n'y apparaît en effet nulle part. Le rang d'un pays sera déterminé suivant une série d'évaluations qui ne tiennent aucunement compte de l'efficacité des systèmes d'éducation quand il est question des arts.

Ces tests et leurs résultats ne m'inquiéteraient pas davantage s'ils ne témoignaient de l'importance déclinante de l'art. Que partout dans le monde on s'accorde pour évaluer les savoirs selon ces critères est absolument stupéfiant. Les compétences mathématiques et scientifiques sont examinées, la compréhension écrite est évaluée ainsi que certaines facultés cognitives très précises. Les langues étrangères, elles, semblent insignifiantes. Elles sont pourtant loin d'être négligeables pour la prospérité économique d'un pays dans un monde globalisé et elles mériteraient qu'on leur accorde plus d'importance.

La musique et l'art ne jouent aucun rôle dans cette conception-là de l'éducation. Le message qu'on lance ainsi aux parents, aux enfants et aux adolescents est que les compétences qu'ils acquièrent dans le domaine de l'art et de l'esthétique ne sont tout simplement pas pertinentes. Ce sont des experts internationaux de l'éducation qui ont décidé de ce qu'un adolescent de quinze ans devrait savoir ou maîtriser. On ne peut bien sûr par reprocher aux États de vouloir être les garants des compétences de leurs élèves dans certains domaines. Le Canada obtient d'ailleurs régulièrement des résultats exceptionnels dans ces études. Mais comment peut-on en arriver à laisser la définition de l'éducation et l'évaluation des qualités d'éducation entre les mains d'une organisation économique ?

Les études PISA ont soumis des continents entiers à cette nouvelle conception de l'éducation. En Amérique, en Grande-Bretagne, en Australie, au Japon, au Canada et en Suède, ce sont avant tout les professeurs de mathématiques et des disciplines scientifiques qui ont la lourde responsabilité d'aider leurs élèves à obtenir de meilleurs résultats. L'éducation musicale et artistique est souvent sacrifiée aux exigences dont cette étude est symptomatique ; il ne lui est presque plus réservé de temps d'enseignement à l'école. Car les classements internationaux de l'OCDE sont utilisés tels des étendards dans le jeu de la concurrence économique.

Une éducation limitée

Avec PISA, une théorie à peine remise en question s'est établie partout dans le monde, celle d'un « bon enseignement » et de sa mise en œuvre selon des critères hautement sélectifs. Lorsqu'une conception si limitée de l'éducation, élaborée par une élite internationale de chercheurs en sciences de l'éducation – dont certains portent manifestement des œillères – se concrétisera en une politique d'éducation effective, ce sera alors dévastateur. Les performances dignes, selon ces experts, d'être évaluées ne méritent certainement pas de se voir accoler le terme d'« éducation », car ni les sciences humaines ni la musique ou l'art n'y figurent. De telles évaluations ne peuvent rendre compte de l'état de l'éducation dans une nation. Il ne fait aucun doute que le savoir est un facteur important de production économique, mais un savoir limité à deux ou trois domaines précis ne peut porter le nom d'éducation. C'est ce qui me rend si pessimiste ; la musique classique est ainsi refoulée aux derniers rangs des loisirs, sans qu'une conception si étroite de l'éducation internationale soit remise en cause.

Si l'on en croit les acteurs du système pédagogique musical, que ce soit en Allemagne, au Canada ou aux États-Unis, l'enfant qui n'est pas incité par ses parents, chez lui, à s'intéresser à la musique classique a peu de chance d'y prendre goût dans une école d'enseignement général sans option ou horaire aménagé pour l'enseignement musical. En Allemagne, à l'école primaire, jusqu'à quatre-vingts pour cent des cours de musique ont été supprimés ou répartis dans d'autres matières

– donc enseignés par des pédagogues qui ne sont absolument pas formés à cela.

Le temps accordé à la musique diminue, que ce soit dans des cours particuliers ou à l'école. Partout dans le monde, on observe ce phénomène. Il est particulièrement alarmant que les cours de musique soient négligés durant les premières années d'école. Ce sont les enfants qu'il est le plus facile d'enthousiasmer pour la musique classique, plus que les adolescents, pour qui la musique pop est importante. L'école est, de plus, le seul espace où les enfants de toutes les couches de la société ont accès à la musique, comme ce le fut pour nous, à Morro Bay. C'est l'école qui a ouvert la voie de la musique à la grande majorité d'entre nous.

Kurt Masur, chef d'orchestre que j'admire tant, connaît en profondeur, et bien mieux que moi, l'histoire du système éducatif allemand. Il a très clairement décrit ce qu'il observe depuis des années : « Il faut faire revivre la totalité du système éducatif musical, dit-il. Il est stupéfiant qu'il existe des écoles dans lesquelles on n'enseigne pas la musique, parce qu'on manque d'enseignants. » Sa conclusion est amère : « Certaines choses se sont perdues, qui étaient et demeurent pour nous de grande valeur, comme le sentiment de communauté que donne le fait de jouer ensemble de la musique. »

Sans doute allons-nous vers des temps d'analphabétisme musical. Cet état de fait met à mal les prétentions des mesures de tous les pays en matière d'éducation, lesquels déclarent d'une même voix que l'éducation à la culture est indispensable au développement de la personnalité des jeunes et fait partie intégrante d'un enseignement humaniste. Un consensus international veut en effet qu'une éducation à la culture permette l'acquisition de compétences cognitives et créatives. Dans une étude canadienne sur l'éducation musicale dans les écoles, soixante-seize pour cent des pédagogues interrogés insistent pour dire que l'éducation musicale favorise l'estime de soi des étudiants. Soixante-quatorze pour cent d'entre eux sont convaincus que l'autodiscipline et la créativité des enfants s'en trouvent en outre nettement renforcées. Il existe, dans presque tous les pays, de nombreuses études de la sorte. En Allemagne, sur la page d'accueil du site du ministère de la Culture, on peut lire ces mots : « Une société qui enseigne la culture à ses enfants construit les fondations essentielles à sa survie. » Voilà de la musique à mes oreilles. Mais nous sommes là bien loin de la réalité.

Peut-être est-il impossible de contrer cette évolution, peut-être ne le voulons-nous pas non plus. Il faudrait alors commencer à en mesurer les conséquences. Je préfère y penser de manière positive : quelles seraient les chances d'inverser cette tendance si nous choisissions d'enseigner la musique à de plus nombreux enfants ? Spontanément, les enfants sont fascinés par tous les genres de musique – y compris la musique classique. Les conservatoires et les universités du monde entier regorgent d'élèves passionnés et forment des musiciens d'une qualité jusque-là inégalée – excellents techniciens, engagés, cultivés et déterminés à prendre de vrais risques. Ils sont prêts à tout miser sur une seule carte : la musique. Il s'agit, certes, d'un cercle très réduit. Cela me donne de l'espoir : la musique classique n'a rien perdu de sa force d'attraction sur les jeunes, bien au contraire. Il faut simplement que beaucoup plus d'enfants y aient accès.

Peut-être est-ce précisément pour ces jeunes que j'écris ce livre, afin qu'ils ne se laissent pas décourager dans un contexte où l'avenir de la musique classique paraît peu réjouissant. Je ne me lasserai jamais d'encourager leur passion et leur zèle, leur désir de se consacrer corps et âme à la musique : les arts et la musique ont besoin d'eux, aujourd'hui plus encore qu'hier. Seul l'enthousiasme des jeunes saura en définitive susciter et animer la passion d'autres jeunes pour l'art.

Illusions, espérances

Certes, nos lamentations, nous qui sommes des chevilles ouvrières de l'art, sont prévisibles, les plaintes contre l'utilitarisme croissant, l'économisme, le matérialisme ou contre le capitalisme déchaîné qui fragilisent tant la survie de cet art immatériel qu'est la musique classique sont tout autant rebattues. Je voudrais donc adopter maintenant la perspective de l'utilitariste, du domaine de l'économie, et essayer d'argumenter de ce point de vue. Cet angle ne m'est toutefois pas aisé, car l'art est en premier lieu créé pour lui-même, en soi, et la musique n'est pas composée pour son utilité économique. Elle a vocation de donner corps à nos interrogations sur l'existence.

De quel type d'individus l'économie a-t-elle besoin pour prospérer ? Ne devraient-ils pas être accommo-

dants et doués de grandes compétences en communication, accessibles, réfléchis, possédant une capacité de
réflexion sur soi, éthiques, disciplinés, enthousiastes, à
l'écoute – et capables de jugement aussi bien dans leur
carrière que sur les plans humain et moral ? Pas des
joueurs – comme ceux qui étaient à la tête des établisse-
ments bancaires jusqu'en 2008 et qui les ont précipités
dans le gouffre, et le monde dans la récession. Il n'est pas
nécessaire de savoir jouer du piano, d'avoir été membre
d'un orchestre ou peintre ou danseur pour être une personne pourvue de ces qualités. Or, cette personne doit,
elle aussi, s'être confrontée un jour à des interrogations
existentielles, s'être plongée dans des réflexions sur elle-
même et sur le monde qui l'entoure. Et où développe-
t-on de telles réflexions, si ce n'est précisément dans la
fréquentation constante de la musique, de la littérature,
de la philosophie, de la peinture – de l'art, où ces questions sont traitées, où il est possible de les approfondir
et de gagner en connaissance ? Pourquoi renoncer à tout
cela ? Les coûts sociaux ne seront-ils pas infiniment plus
élevés lorsque les disciplines permettant d'acquérir ces
facultés ne seront plus enseignées ?

Il faudrait ajouter l'ouverture, la créativité, l'inspiration et le courage, qui ne s'apprennent que lorsqu'on est
devant quelque chose de plus grand que soi. Toutes ces
qualités sont laissées pour compte lorsque les enfants et
les adolescents ne s'exercent qu'à ce qui engendre un
rendement tangible et ne sont entraînés à répondre aux
questions que de manière utilitaire. Or c'est ce qui se
passe aujourd'hui. La musique classique a depuis longtemps glissé à la marge. Pourtant, pour que la société

prospère, notamment sur le plan matériel, il ne devrait pas en être ainsi.

Il est difficile de le formuler de manière plus percutante que ne l'a fait Drew Faust, présidente de Harvard : il existe une forte demande pour des résultats concrets et des formations qui répondent aux besoins du marché de l'emploi. « Or une grande partie des tâches que nos étudiants devront accomplir dans leurs fonctions de demain n'ont pas encore été inventées, et les compétences qui seront alors indispensables, pas encore définies. » L'idée n'est pas de préparer les futures générations à répondre un jour aux questions qui nous préoccupent aujourd'hui. « Il nous faut, en réalité, poser les questions qui changeront le monde de demain. » La vision à court terme, que les élites politiques et économiques utilisent pour reléguer les arts aux derniers rangs de cette immense salle de concert qu'est la vie, coûtera à long terme cher à la société. Elle forme de jeunes gens qui ne seront pas en mesure de poser ces questions.

Ce serait une erreur cependant d'être trop pessimiste. Voilà longtemps que de grandes entreprises ont compris la plus-value qu'apportent les arts. Elles favorisent l'engagement musical des enfants, fondent des chœurs et des orchestres pour les adolescents. Aux États-Unis, des multinationales vont jusqu'à créer des orchestres d'entreprise – ce n'est pas par pur altruisme.

Je ne cherche pas à dissimuler que les arts se sont toujours heurtés à des difficultés, leur utilité ne se révèle pas au moyen d'un simple calcul investissement-rendement. Friedrich Schiller, grand poète allemand de la fin du XVIIIe siècle, le déplorait déjà : « L'utilité est la grande idole de l'époque, elle demande que toutes les forces lui soient asservies et que tous les talents lui rendent hommage. Sur cette balance grossière, le mérite spirituel de l'art est sans poids ; privé de tout encouragement, celui-ci se retire de la kermesse bruyante du siècle. » Le pessimisme touchant la culture n'est pas un phénomène récent ; ce sentiment l'accompagne depuis qu'elle existe. Tout ce qui ne porte pas de fruits immédiatement quantifiables ou exploitables reste menacé dans un monde où on a conditionné les hommes et les femmes à penser que la survie physique et l'enrichissement étaient leurs seules priorités.

Permettez-moi de finir ce chapitre, il est vrai largement pessimiste, avec une question provocante, peut-être même sacrilège, et que je ne devrais pas poser en tant que chef d'orchestre : serait-il vraiment si grave que la musique classique, son public vieillissant et ses rituels de concert poussiéreux disparaissent un jour ?

Vous vous doutez de ma réponse. C'est hors de question ! Ce serait une catastrophe, les villes se transformeraient en déserts, la vie deviendrait grise. Elle serait en tout cas privée d'une grande source d'énergie. Il s'agit pour moi d'un scénario inimaginable, même si cette question, posée ici par provocation, se fait entendre toujours plus souvent et se voit déjà âprement discutée par des critiques.

Je m'y oppose : les gens ont besoin des arts. L'histoire le démontre. L'art est une riposte à la crise. Ce n'est pas un hasard si les œuvres les plus progressistes furent créées dans des temps de grands tourments. Beethoven écrivit sa *Troisième Symphonie* lorsque Napoléon menaçait de réduire à néant les acquis citoyens, telles les libertés individuelles. Des formes d'art disparaissent ; d'autres, nouvelles, prennent vie. Dans la crise que traverse la musique classique, peut-être les jeunes seront-ils ceux qui feront éclore des formes entièrement nouvelles – peut-être radicalement différentes de que ce qu'on a imaginé jusqu'à présent. Je leur fais confiance, je compte sur eux et ne les laisserai pas seuls.

La musique ne s'est pas tue à Philadelphie. À Detroit, l'orchestre continue aussi de jouer. À l'issue de négociations laborieuses, les membres de l'orchestre se sont entendus sur un nouveau contrat après des années d'inquiétude. Les lumières de la salle de concert brilleront trente-six semaines par an dans la ville de l'automobile. Detroit n'est aujourd'hui que l'ombre de ce qu'elle était, une ville jadis prospère qui, après avoir accumulé 18,5 milliards de dollars pendant soixante ans, a officiellement déclaré faillite. Le taux de criminalité est élevé, certains quartiers sont abandonnés. Mais la musique classique est toujours là. Comme si les musiciens et l'administration s'étaient au dernier moment souvenus que la musique ne pouvait, elle aussi, être réduite au silence. Notre branche a-t-elle besoin de pareilles crises pour rappeler publiquement le tacite consensus social sur l'importance, pour la survie de notre société, de la musique classique ?

Je montrerai, plus loin dans ce livre, que les choses peuvent être différentes, que le public n'a pas à vieillir ou à se réduire et que les orchestres présentant de nombreux concerts aux programmes exigeants ne sombrent pas inéluctablement dans un engrenage de difficultés financières. Il ne devrait pas y avoir de crise du classique. Je voudrais m'attacher à vous raconter plus précisément le travail que nous faisons à Montréal, vous inviter à venir avec moi dans notre « laboratoire », comme j'aime à décrire la Maison symphonique, où de nombreux jeunes gens se sont retrouvés et, inlassablement, défendent et servent les arts. Où, après des années d'innovations et d'essais, nous vivons maintenant un petit miracle. Auparavant, il me faudra cependant exposer les raisons pour lesquelles la musique classique ne peut ni ne doit disparaître complètement de notre quotidien, mais devrait au contraire en retrouver le chemin : elle, le nôtre, ou nous, le sien.

SCHOENBERG

Abattement et nouveau départ

Arnold Schoenberg était américain, ou plus exactement, californien. Dans ma jeunesse, chaque fois qu'il était question de Schoenberg, cela ne faisait pour moi aucun doute : il était un des nôtres. Tant de gens aux noms à consonance allemande vivaient sur la côte ouest des États-Unis. Enfant, je ne pensais pas à leurs origines. Ernst Krenek, compositeur viennois, vivait à Palm Springs ; Bruno Walter, directeur musical de l'Orchestre philharmonique de New York, résidait à Beverly Hills, tout comme Otto Klemperer, qui avait immigré aux États-Unis en 1933 et dirigé l'Orchestre philharmonique de Los Angeles. Les noms étrangers ou à consonance peu américaine étaient loin d'être rares, encore moins en Californie. Igor Stravinsky, immense compositeur russe, s'y était également établi – il était admiré et aimé des Américains.

Lorsque ma mère, qui m'a tant appris sur la musique, évoquait ces musiciens, elle parlait toujours d'eux comme s'ils étaient américains. Dans les dernières années de sa vie, Schoenberg le fut vraiment, du moins sur papier. Il prit la citoyenneté américaine en 1941. En 1933, le national-socialisme l'avait contraint de s'enfuir de Berlin. Il gagna tout d'abord Paris avant d'émi-grer vers les États-Unis. Il ne remit jamais le pied sur le sol allemand.

Je ne me rappelle plus exactement quelle est la pre-mière œuvre de Schoenberg que j'aie entendue. La musique venait du haut-parleur d'un tourne-disque. Nous étions chez le professeur Korisheli, qui avait mis un disque microsillon. L'étrangeté des sonorités qui me parvenaient m'est restée en mémoire. Quels étaient ces sons ? Les dissonances s'enchaînaient sans aucune struc-ture apparente. Parfois surgissait une image sonore qui, je ne sais pourquoi, me paraissait familière. Mais à peine l'avais-je entendue dans l'imbroglio des sons qu'elle dis-paraissait aussitôt, et l'apparent désordre reprenait le dessus. J'écoutais avec recueillement et fascination – peut-être aussi parce que mon professeur, que j'admi-rais tant, venait de me dire que je devais absolument apprendre à connaître cette musique.

Cette expérience de désorientation est sans doute partagée par beaucoup de ceux qui écoutent pour la première fois la musique de Schoenberg ou de ses épi-gones, Alban Berg, Anton Webern, parmi d'autres. Sa musique est pour moi aujourd'hui tout autre chose : Schoenberg signifie la musique à l'état pur, impression-nante, très singulière, on ne peut plus émouvante. Après avoir étudié ses compositions de façon intense pendant des années, j'ai développé un rapport pour ainsi dire organique avec sa musique. Elle me touche profondé-ment, car ses œuvres et les pensées musicales qui y sont exprimées – dans une langue toute différente de celle de Jean-Sébastien Bach – mettent en équilibre quatre éléments sans lesquels, à mon sens, la musique ne pourrait être : la spiritualité, les sentiments, l'intellect et l'expérience purement physique d'une vibration qui envahit le corps. La musique de Schoenberg s'adresse à la compréhension musicale de l'homme dans son sens le plus large. Elle me vivifie, car elle entre en résonance avec toutes les cordes de mon être – avec « la tête et le cœur », aurait dit Schoenberg – comme seules y parviennent les œuvres des très grands artistes.

Peut-être cela vous surprend-il. Il se peut que les œuvres de ce compositeur exceptionnel vous semblent différentes à chaque écoute : dissonantes, non organisées, peut-être même angoissantes. Pourtant, lorsque je me penche sur Schoenberg et ses œuvres, il demeure pour moi un compositeur du romantisme tardif et du début de l'expressionnisme. Pour en parler de manière visuelle : *Le Cri*, d'Edvard Munch – voilà Schoenberg. Pourquoi ? Ses premières œuvres, encore tonales, sont composées dans un langage musical que nous connaissons bien. En outre, même ses œuvres plus tardives sont écrites selon une structure encore issue du romantisme : les concertos, par exemple, qui nous paraissent si inhabituels, répondent à des formes conventionnelles de trois ou quatre mouvements, où un *allegro* précède l'*andante*. Ses concertos pour solistes furent également conçus pour des formations traditionnelles : le violon ou le piano est accompagné d'un orchestre. Dans son opéra *Moïse et Aaron* se trouvent d'ailleurs toutes les caractéristiques de l'opéra traditionnel. Seul le langage sonore est autre chez Schoenberg, il est nouveau ; mieux : il est hors du commun.

Celui qui entend Schoenberg pour la première fois peut néanmoins être décontenancé, rebuté, parfois découragé ou même frustré. Le degré élevé de dissonances, le rythme difficilement reconnaissable, des mélodies sans but apparent – tout cela peut, au premier abord, paraître d'une exigence insupportable. Depuis Bach, notre oreille s'est habituée à entendre un langage harmonique basé sur les accords parfaits et sur des relations bien définies entre les notes. Nous avons assimilé une hiérarchie dans l'arrangement des sons : dans une mélodie, il y a ce qui est important et ce qui l'est moins, le mouvement de la sensible vers la tonique, sur lequel se construit et s'anime la musique. Instinctivement, nous attendons que des motifs musicaux se développent, que la musique aille vers un point culminant ou la fin d'un mouvement. Nous avons appris ce langage sonore comme un enfant apprend à parler, sans y réfléchir. Il nous est accessible, intelligible. Cette compréhension intuitive entraîne un sentiment de bien-être. Le déroulement des mélodies peut parfois nous surprendre, mais les harmonies nous sont familières. Nous sommes en terrain connu.

Tout paraît étranger dans les œuvres composées par Schoenberg après 1908. Plus rien ou presque n'est familier. L'oreille suit le déroulement du morceau sans le moindre repère ; il ne semble y avoir ni but, ni sens, ni aucune cohérence. Une première expérience de « musique nouvelle » – qui a déjà cent ans – peut en irriter certains au point qu'ils n'iront plus au concert si Schoenberg et sa musique « atonale » ou « dodéca-phonique » se trouvent au programme, au lieu d'une œuvre du romantisme tardif composée dans un langage sonore familier et aimé.

Il y a de cela quelques décennies, lorsque les salles de concert étaient encore très animées, les gens ne restaient pas à distance de la musique mais se mesuraient à elle. Ils protestaient haut et fort au cours des concerts, donnaient libre cours à leurs émotions. Les traditionalistes percevaient les compositions de Schoenberg et de ses élèves comme de la provocation pure ; ses partisans jugeaient en retour leur incompréhension comme une insupportable ignorance. Schoenberg exaspérait les gens, suscitait chez eux de sourdes colères. Des rires fusaient au cours de ses concerts, des sifflements, des huées, des cris – certains en venaient aux mains.

Ce qui se passa au début de l'année 1913 est resté dans les mémoires : Schoenberg dirigeait alors le Wiener Konzert-Verein – l'ensemble qui deviendrait ensuite l'Orchestre symphonique de Vienne. Au programme se trouvaient des œuvres orchestrales de Webern, des lieder d'Alexander Zemlinsky, les *Kindertotenlieder* de Mahler ainsi que la *Symphonie de chambre n° 1*, op. 9, de Schoenberg. Schoenberg dirigeait lui-même l'orchestre. La musique déclencha des ricanements, des protestations et simultanément des applaudissements, cela pendant que les musiciens jouaient. Seule une petite partie des auditeurs comprit que cette œuvre, où la tonalité était suspendue, ne rompait pas encore formellement avec la tradition, mais prenait sa source dans l'esprit et l'esthétique du romantisme. L'atmosphère de la salle de concert était agitée, surchauffée. Une bousculade, puis une empoignade éclatèrent entre opposants

et partisans. La police dut intervenir mais ne put maîtriser le tumulte. Schoenberg interrompit la musique
– sans plus de succès. Au contraire. Une violente dispute
éclata dans le public : une gifle fut lancée, suivie de
quelques secondes d'un silence stupéfait, avant l'émeute
véritable. La représentation fut suspendue.

La gifle fut cause de poursuites ; le concert, lui, entra
dans l'histoire en tant que *Skandalkonzert*. Ce ne fut pas
l'unique moment où on ne laissa aucune chance à cette
musique si différente, si nouvelle. Les critiques, parés de
leur inébranlable assurance, décrièrent les compositions
de Schoenberg pendant des années au prétexte qu'elles
ne pouvaient être de la musique. Schoenberg en souffrit.
Qu'avait-il fait en réalité ?

Il avait précipité le monde florissant de la musique
classique dans une véritable crise de sens. Sa musique
dynamita les frontières du système harmonique et, avec
elles, celles du langage musical à travers lequel aimaient
à s'exprimer Mozart, Beethoven, Strauss et Mahler,
vedettes de la musique classique et romantique. Schoenberg passa pour un destructeur, un apostat démontant
en un rien de temps tout ce qui nous était cher et précieux. Cela commença en 1908. Il avait jusque-là servi
le langage sonore traditionnel, écrit des œuvres comme
les *Gurre-Lieder* ou *Pélleas et Mélisande,* pour lesquelles
il avait été célébré. Or, dans cette musique, déjà, se per-
cevait l'effondrement imminent de la clé de voûte du
système musical traditionnel du point de vue tant de
l'harmonie que de l'orchestration et de la structure des
compositions. Schoenberg avait en effet épuisé les ressources du système traditionnel, déjà tendu à l'extrême

dans ses pièces encore tonales. Il savait que les sonorités nouvelles dont il avait besoin pour donner forme à ses pensées ne pourraient plus provenir du langage musical ou des formes traditionnels.

La révolution eut lieu sur le vaste terrain de l'harmonie. Schoenberg commença à effacer les rapports de tonalité et à rompre avec les formes traditionnelles. L'ancien système tonal, qu'il admirait tant, lui était devenu trop étroit. De nombreux documents attestent combien cette révolution musicale fut difficile, voire douloureuse, pour le public d'alors. Nous en ressentons les effets aujourd'hui encore. Nous avions – et avons toujours – de grandes difficultés avec cette musique « dissonante », qui peut en irriter certains et même les faire défaillir. Pourtant, la musique nouvelle de Schoenberg ne faisait que suivre la logique de ses pensées. Elle est advenue au moment où elle le devait, parce qu'il ne pouvait formuler dans l'ancien langage sonore ce qu'il avait à dire musicalement. Son *Quatuor à cordes n° 2,* composé en 1908, et donc au cœur d'une profonde crise personnelle, est particulièrement révélateur du stupéfiant processus de mutation qu'il imposa à l'histoire de la musique. Ce quatuor en est un véritable condensé. Essayez d'écouter cette œuvre tout en gardant cela à l'esprit, tout en vous souvenant aussi que c'est en tant que romantique que Schoenberg a écrit cette œuvre pionnière.

Les deux premiers mouvements sont composés selon le système de l'harmonie tonale. Mais, au troisième mouvement, le nouveau s'impose, inouï. Ce mouvement, dans lequel une voix soprano s'ajoute au quatuor, marque l'entrée dans un univers sonore radicalement neuf. Schoenberg ouvre les portes d'une tout autre compréhension de la musique. Dans les strophes chantées d'un poème de Stefan George, *Je me dissous en sons,* la voix de la soprano flotte, comme en apesanteur – délivrée de la force de gravité des progressions harmoniques conventionnelles. On pourrait presque croire que ces paroles se réfèrent à Schoenberg. Rien de semblable n'avait jusque-là existé.

Les rapports de tonalité ont dans une large mesure disparu ; le cadre habituel du quatuor à cordes, formation où d'ordinaire seuls les quatre instruments à cordes interviennent, est bouleversé par le chant. La voix de soprano incarne le franchissement des frontières. Les défenseurs des formations traditionnelles n'y virent que pure impudence. C'est beaucoup plus que cela : Schoenberg exprime ses pensées dans une forme radicalement nouvelle. Ainsi, il marquait le siècle à venir d'« harmonies jamais encore entendues », comme le disait son élève Anton Webern.

Mil neuf cent huit fut une année remarquable dans l'histoire de la musique. Gustav Mahler créa *Das Lied von der Erde* ; Richard Strauss composa l'opéra *Elektra,* dans un langage très avant-gardiste auquel il ne devait plus jamais revenir. Max Reger acheva son œuvre peut-être la plus importante, *Symphonischer Prolog zu einer Tragödie,* s'ouvrant sur un psaume et manifestant une approche en quelque sorte métaphysique. Et l'Américain Charles Ives composa *The Unanswered Question.* L'œuvre véritablement novatrice fut écrite en Europe par un autodidacte viennois : Arnold Schoenberg, qui avait créé son *Quatuor à cordes n° 2*. La disparition des limites harmoniques grisa le compositeur : un an plus tard, il créait déjà ses *Cinq pièces pour orchestre*, op. 16, et son monodrame pour soprano et orchestre, *Erwartung*, op. 17, si proche de la nature, franchement expressionniste.

Au cours des périodes de création qui suivirent, le compositeur fit reculer davantage encore les formes harmoniques traditionnelles. Il se débarrassa de ses vêtements harmoniques devenus trop étroits avec une constance implacable et sans égard pour ce que les gens étaient habitués à entendre et qui leur était devenu cher. Sa musique n'était pas encore à la base d'un système cohérent qui pourrait être présenté comme un substitut conséquent au langage musical traditionnel. Ce ne serait le cas qu'en 1921. Schoenberg créa alors la méthode de composition avec douze sons n'ayant de relations que les uns par rapport aux autres, qu'il désignait aussi par le terme de « dodécaphonisme ».

Il peut sembler dès lors paradoxal que je qualifie Schoenberg de conservateur. C'est en raison des nouveaux sons, des sonorités qu'il entendait, qu'il n'eut plus besoin des anciennes harmonies. Toutefois, les formes qu'il privilégiait étaient loin d'être révolutionnaires ; elles restaient fidèles à la structure des mouvements du monde de Brahms ou de Mahler. Son opus 31 me vient ici spontanément à l'esprit : ces *Variations pour orchestre*, dans lesquelles nous entendons un thème que nous pouvons suivre au cours de chaque mouvement – même s'il est exprimé dans un autre langage musical. Non seulement les variations sont l'une des formes les plus tra-

ditionnelles, vieilles de plusieurs siècles, mais Schoenberg jette dans ces variations un regard vers la fameuse
passacaille de la *Symphonie nº 4* de Brahms. S'il a élargi
les possibilités du système tonal, il ne les a pas entièrement abandonnées.

Dans son langage sonore, il n'existe plus de hiérarchie entre les notes ni de structure fondée sur les
accords parfaits. Les douze sons de la gamme chromatique sont traités de manière égale. Schoenberg crée
plutôt des « séries » dans lesquelles on retrouve obligatoirement chacun de ces douze sons. Ils doivent retentir
selon la succession de la série choisie, mais pas nécessairement à la même voix. Ces séries peuvent être utilisées
dans un sens ou l'autre, ou être reflétées suivant une
horizontale imaginaire. Cela ne modifie en effet en rien
le principe de l'égalité des sons.

Schoenberg savait fort bien ce qu'il imposait ainsi à
ses auditeurs. Ce qu'il n'avait peut-être pas prévu, c'est
que la musique savante ne s'est, jusqu'à aujourd'hui, pas
encore entièrement rétablie de sa « crise tonale ». « On
m'a traité de cacophoniste, de Satan de la musique nouvelle », dit-il bien plus tard aux États-Unis – avec le recul
sur le scandale qu'il avait provoqué, à Vienne, au
moment de la création de ses œuvres. « Vous me deman-
derez à bon droit : pourquoi rendez-vous si difficile la
tâche de l'auditeur ? Je puis seulement dire que je n'ai
pas décidé *a priori* d'écrire ainsi. Je fus poussé dans cette
direction par une nécessité intérieure, une nécessité plus
puissante que toute éducation. »

Encore aujourd'hui, de nombreux auditeurs trouvent ces œuvres d'une exigence excessive. J'en ai souvent

fait l'expérience. Cela témoigne du fait que nous ne sommes pas encore parvenus, nous musiciens, à leur transmettre l'aspect romantique de ce compositeur, qui se manifeste malgré la méthode sérielle, ou dodéca-phonique, qu'il emploie. Lorsque l'auditeur ne perçoit plus la tonalité, l'interprète doit souligner les éléments formels que l'auditeur connaît, afin qu'il ne se perde pas complètement dans la musique – ainsi, par exemple, la vibration naturelle d'une œuvre et la tension orga-nique de ses intervalles. Essayez d'entendre le soupir de la musique de Schoenberg. Vous le trouverez à maintes reprises.

Le compositeur ne parvint jamais vraiment à sur-monter les réactions haineuses, les refus, les critiques caustiques que provoquaient ses nouvelles œuvres. « Beaucoup voulaient me voir sombrer, résuma-t-il quelques années avant sa mort. Peut-être souhaitaient-ils mettre fin à ce cauchemar, à ce manque d'harmonie digne d'une torture, à ces idées incompréhensibles, à cette folie systématique. » Les controverses qu'il déclen-chait l'ont parfois mené au bord du désespoir : « Je n'ai jamais compris ce que je leur avais fait pour les rendre si malveillants, si furieux, accusateurs, agressifs. Je suis certain de ne rien leur avoir enlevé qui leur appartienne. Je ne les ai pas blessés dans leurs droits, ne leur ai jamais rien volé. »

Entièrement convaincu de la justesse de la voie qu'il avait prise, Schoenberg a toujours espéré recevoir, même de manière posthume, la reconnaissance qui aurait dû, selon lui, lui revenir de son vivant – en l'occurrence, la reconnaissance de son génie musical qui, loin de faire table rase de l'ancien, le porte au contraire plus avant et le perfectionne, car c'est pour lui la seule voie possible. Aussi ne se voyait-il pas en destructeur qui, par provocation ou goût du démantèlement, aurait fait violence au langage musical si abouti de Bach. Il voyait dans l'effondrement du système tonal traditionnel l'inéluctable continuation de la musique classique, dont il maîtrisait les règles à la perfection. Les œuvres majeures de l'histoire de la musique demeurent, dans ses livres et ses essais, les références constantes de ses propres créations.

Schoenberg n'a pas simplement composé, il a également peint et écrit – poussé constamment par la nécessité intérieure de donner forme et expression à ses pensées. Abstrait dans sa musique, plus concret dans sa peinture, précis dans ses écrits, il s'est penché dans ses essais sur des aspects de la musique qui m'ont toujours donné à penser. Il a notamment réfléchi à la signification de l'expression « musique nouvelle » – dont il faudrait sans doute user pour qualifier toutes les compositions contemporaines qui ne respectent pas les règles de l'harmonie traditionnelle. Schoenberg s'est toujours refusé à concevoir cette musique comme « nouvelle », tandis que l'autre serait « ancienne » – ce qui coïncide tant avec ma propre conception de l'art. On relèvera toujours ce caractère de nouveauté dans toutes les œuvres de grands maîtres, écrit-il, c'est pour cette raison qu'« art égale art nouveau ».

Comment pourrait-on envisager les œuvres de Bach comme faisant partie d'une musique du passé ? Elles me sont toujours nouvelles, tournées vers l'avenir, presque progressistes. Schoenberg n'envisage pas la musique de

Bach comme vieille ou vieillie, ou la sienne comme nouvelle, mais plutôt tels des témoignages différents, exprimés par le truchement de langages sonores différents : « Bach travailla avec les douze sons de telle manière, parfois, qu'on pourrait être tenté de le désigner comme le premier compositeur de musique dodécaphonique. »

Les critiques ont laminé Schoenberg durant des décennies. On a décrié son usage de la tonalité suspendue puis l'émergence de la musique dodécaphonique, allant jusqu'à remettre en question ses qualités d'artiste majeur. Et aujourd'hui encore, sa musique est discutée avec force controverses. Schoenberg serait un constructeur, un ingénieur, voire un mathématicien pour qui le cœur aurait moins d'importance que l'esprit – sachant que tous, nous désirons que la musique nous aille droit au cœur, nous touche, nous berce ou nous fasse vibrer d'émotions. Schoenberg avait beaucoup à dire à ce sujet. Il a toujours plaidé pour le recours à l'intelligence dans l'élaboration des œuvres, afin de faire aboutir la pensée musicale. Et cela, même au risque de perdre une certaine beauté superficielle. Il s'insurgeait contre la superficialité, sous toutes ses formes, contre une musique sans brillance intellectuelle, contre un pathos trop grossier, contre des modes musicales, des styles ou attitudes répondant au goût du public ou à l'esprit du temps. Peut-être est-ce cette intransigeance qui me fascine tant dans les créations de Schoenberg.

Mais il n'était en rien au service de la seule intelligence. Il écrivit certaines pièces rapidement, d'autres plus lentement. Nombre d'entre elles furent le résultat d'une inspiration spontanée, d'autres en revanche celui d'une mûre réflexion et d'un exigeant travail intellectuel. Certaines ont vu la raison laisser place à l'intuition. Raison et sentiments, intellect et émotions, esprit et cœur allaient, selon Schoenberg, de concert, s'appuyaient mutuellement. « Ce n'est pas le cœur à lui seul qui crée ce qui est beau, émouvant, pathétique, tendre, charmant », écrivit-il. Tout ce qui a une valeur artistique doit combiner raison et sentiments. « Un génie, un véritable créateur n'a aucune peine à soumettre ses sentiments au contrôle de son intelligence » et réciproquement – car la raison risque parfois de corrompre la logique d'une pièce et de ne produire alors que « sécheresse et fadeur ».

Il éprouvait une profonde défiance à l'égard de toute œuvre qui « mettait son cœur à nu », qui invitait à la complaisance, à la sentimentalité. Il était impossible, selon lui, que pareille musique appartienne aux chefs-d'œuvre de l'histoire ou contiennent une pensée musicale qui résisterait à l'épreuve du temps. Pareille musique ne saurait demeurer nouvelle et être ainsi intemporelle.

Cette position est saisissante, et un musicien comme moi la comprend tout à fait. Schoenberg refuse catégoriquement le pathos pur : « Nous exigeons aujourd'hui une musique qui vive de l'idée et non des sentiments. » Les œuvres des grands compositeurs des quatre cents dernières années vivent des idées musicales qui les fondent. Ce qu'écrit Schoenberg dans ses essais est l'essence, me semble-t-il, de ce que nous, musiciens, ressentons – le désir de l'équilibre idéal entre « esprit et cœur ».

Lorsque nous cherchons à interpréter une œuvre de manière à faire entendre les idées qui la fondent, le cœur est loin de rester insensible. C'est alors que la musique peut être expérimentée dans son intégralité : dans son émotion, sa spiritualité, son intellectualité, son caractère physique. Je sais qu'il n'est pas toujours simple pour le public d'atteindre cette expérience totale dans le cas de Schoenberg et de ses élèves.

Aujourd'hui encore, il est difficile pour un grand nombre de gens de s'orienter dans ces œuvres. Schoenberg n'aura peut-être jamais compris à quel point notre conception courante du beau dépend de ce qu'on connaît déjà. Il y a deux versants à la personnalité de ce compositeur, la passion et la rationalité, que lui-même ne parvint pas toujours à réconcilier. Tous deux traversent toute sa musique, lui posant l'immense défi de les mettre en valeur et de les faire se rejoindre.

Il se peut que l'auditeur ne comprenne pas immédiatement la profondeur de la pensée musicale de Schoenberg, mais, pour peu qu'il reste ouvert, il sera possible pour lui de faire l'expérience intégrale de sa musique. Il se laissera gagner par l'entrain des grands chœurs de l'opéra *Moïse et Aaron*. Il y fera l'expérience du profond conflit qui tourmente Schoenberg, reconnaîtra le côté romantique du prétendu intellectuel qui utilise une forme traditionnelle, par exemple des passages choraux poignants. Il ressentira aussi le drame et le désespoir de celui qui fut poussé à l'exil – son opéra, commencé en Allemagne, fut achevé aux États-Unis. Il éprouvera l'apesanteur tout simplement joyeuse de sa pièce orchestrale *La Nuit transfigurée*. L'auditeur se laissera inspirer et animer. Cette inspiration accentuera sa perception, affinera ses sens, et elle l'emportera.

Dans ces moments-là, un silence tendu s'empare
du public – moments que j'ai également vécus lors de
représentations d'œuvres « atonales » de Schoenberg.
Plus rien ne se fait alors entendre, aucun chuchotement,
aucune feuille du programme qu'on froisse, plus rien
que la musique dont la force nous saisit, nous, les musiciens, tout autant que le public. Les frontières entre
acteurs, sur la scène, et auditeurs disparaissent. Tout
devient un, la musique s'écoule à travers moi, et le public
se fige dans une tension, un état de vigilance extrême.

La pensée musicale elle-même, son interprétation,
qui parvient à la porter au public, à la lui transmettre
– tout cela confère à de tels moments un sens profond.
Esprit et cœur, raison et sentiments sont en résonance,
en accord parfait. Une joie intense est libérée, peut-être
est-ce aussi du bonheur, un état d'émotion que nous,
aux États-Unis, décririons par *joy* et qui ne peut que
naître de l'intérieur. Il arrive qu'on y parvienne au cours
d'un concert, d'autres fois non. Lorsqu'on y parvient,
la tension ne s'évanouit qu'avec hésitation à la fin du
concert. Le public a besoin de quelques instants pour
sortir de son intense vigilance. À un moment donné,
quelqu'un commence timidement à applaudir, d'autres
suivent. Et lorsque le public comprend ce que nous
venons de vivre ensemble, l'enthousiasme se déchaîne.

On peut sans doute qualifier Schoenberg d'intellectuel de la musique ou, mieux, de philosophe de la
musique. Il stimulait en effet continuellement son
esprit. Il pensait la musique, se questionnait à son sujet,
réfléchissait à la signification des pensées musicales, qui
n'en sont pas moins valides quand elles bousculent nos

habitudes, notre vision du monde, nos valeurs. Il était aussi un homme de sentiments, quelqu'un qui devait sans cesse discipliner ses émotions afin de ne pas se laisser emporter par les états d'âme que le dénigrement et l'hostilité suscitaient en lui.

La question de savoir si l'on peut comprendre la musique de Schoenberg sans connaître son langage harmonique demeure : dans pareil cas, sa musique a-t-elle quelque chose à offrir ? Oui, j'en suis profondément convaincu. L'homme peut saisir une réalité, la comprendre, sans nécessairement la maîtriser intellectuellement. En d'autres termes, je peux apprécier ma nouvelle voiture sans pour autant savoir très exactement comment elle fonctionne. Certains, en revanche, doivent en comprendre les mécanismes pour faire en sorte qu'elle roule.

Anton Webern, élève de Schoenberg, proposait une réponse bien plus juste, plus touchante et tellement vraie : « La théorie ne suffit pas pour approcher ses œuvres. Une seule chose est nécessaire : il faut ouvrir son cœur. Lorsqu'on est sans réserves, sans préjugés de quelque sorte, on entend alors la musique de Schoenberg. Laissons la théorie et la philosophie de côté. Il n'y a que musique dans les œuvres de Schoenberg, de la musique comme chez Beethoven ou Mahler. Les expériences intimes qu'il a vécues se sont transformées en sons. » Cela vaut la peine d'essayer.

Dans un discours au National Institute of Arts and Letters de New York, Schoenberg évoqua le violent effet qu'eurent sur lui les critiques dont il avait été l'objet. En phrases courtes, empreintes d'émotion, il décrivit quel était son état intérieur lorsque toute reconnaissance lui était refusée. « J'avais l'impression d'être tombé dans un océan d'eau bouillante, sans savoir nager, sans savoir comment je pouvais en sortir. J'essayais du mieux que je pouvais, avec mes bras et mes jambes. Je ne sais pas ce qui m'a sauvé, pourquoi je ne me suis pas noyé, pourquoi je n'ai pas été ébouillanté vivant. Mon mérite est peut-être seulement celui-ci : je n'ai jamais abandonné. »

Il a suivi son chemin, inébranlable, sans compromis, comme tous les grands artistes. Il a plongé la musique classique dans une véritable crise d'identité. Il ne pouvait faire autrement, il lui fallait le faire.

CHAPITRE 3

Le classique en réponse à la crise

L'art est de l'eau, et tout comme les humains sont toujours proches de l'eau, pour des raisons de nécessité (boire et se laver et nettoyer et arroser) autant que pour des raisons de plaisir (y jouer, y nager, se reposer sur la rive, y naviguer, y goûter quand elle est gelée, colorée et sucrée), les humains doivent toujours être proches de l'art sous toutes ses formes, du frivole à l'essentiel. Sinon, ils se dessèchent.

YANN MARTEL, *Mais que lit Stephen Harper ?*, 2009

Tout commence par l'indignation

À Paris, sur mon bureau, se trouve encore un petit livre à l'apparence pourtant discrète. Peut-être n'aurait-il pas fait tant fureur, il y a quelques années, si son auteur n'avait été pareille figure et son titre n'avait lancé pareil défi. *Indignez-vous!* L'écrit polémique de Stéphane Hessel, résistant français puis diplomate aux Nations unies, parut en octobre 2010. L'homme de quatre-vingt-treize ans, essayiste, militant, optimiste invétéré, s'était une nouvelle fois assis à sa table de travail et avait rédigé ce court essai bientôt devenu la référence d'une vague de mouvements de protestation aux quatre coins du monde.

J'ai vécu en direct, à Paris, l'engouement provoqué par cet opuscule de quelque vingt pages à la colère sourde. En l'espace de quelques mois, ce pamphlet fut vendu à plus d'un million d'exemplaires, et je fus de ceux qui l'achetèrent. Si l'on peut certes discuter la qualité du texte, deux éléments restent incontestables : voilà un homme d'un âge respectable, qui se trouve donc à la toute dernière étape de sa vie – « La fin n'est plus bien loin », écrit-il – et qui, riche du trésor d'expérience d'une vie mouvementée, longue de près d'un siècle, livre sa colère et sa vision des choses, publiquement, une fois encore. Cette démarche était déjà, à mes yeux, saisissante. Hessel dénonce une évolution qui nous est contemporaine et ne laisse personne indifférent : « Le pouvoir de l'argent n'a jamais été aussi grand, insolent, égoïste », s'indigne-t-il. Or l'indignation est la condition de base de l'engagement, qui y trouve son élan. Son livre est toujours devant moi et ses mots me poursuivent : Indignez-vous !

Quel rapport toutefois entre son appel à l'engagement, l'indignation des Français en révolte, la musique classique et moi-même ? Il est étroit, plus que je ne croyais au début, plus peut-être que vous n'imaginez. Je me demande, en effet, pourquoi nous ne nous indignons pas davantage.

Pour ma part, je m'indigne de la manière dont nous traitons la musique classique, de l'indifférence avec laquelle nous laissons cet art d'une force inouïe devenir trop souvent l'expression d'une société élitiste, qui n'atteint ni n'intéresse plus la majorité de la population.

 Je m'indigne de l'orientation dictée par le matérialisme, le consumérisme et l'utilitarisme de nos sociétés occidentales industrialisées. Notre société fait face à une véritable crise de sens. Nous sommes-nous tous résignés en silence à cette situation ? Ou n'avons-nous pas voulu, ne voulons-nous pas en prendre conscience ?

Grâce à la force qui est la sienne, la musique classique pourrait jouer aujourd'hui un rôle déterminant. La crise de nos sociétés occidentales, dont témoigne aussi la perte d'importance manifeste de l'art, pourrait paradoxalement être un formidable atout pour la musique savante : un éveil, une revitalisation. Il suffit que nous l'envisagions de manière différente : le classique en réponse à la crise.

Entre analphabètes

L'analphabétisme musical est un affreux concept. Pourtant, si on se fie aux statistiques actuelles, tout laisse à penser que ce concept décrit néanmoins un avenir vers lequel nous nous dirigeons. Il est possible que la musique classique, complexe à plus d'un titre, ne soit un jour plus comprise, et dès lors plus aimée. Elle ne sera plus essentielle aux gens, ils ne la percevront plus comme une expression de la beauté et de l'humanité. Le public sera moins nombreux dans les salles de concert, les moyens dévolus à la musique seront réduits. L'industrie de la musique classique, comme nous l'appelons aujourd'hui, et ses institutions, qui essaient de transmettre cet art au plus grand nombre, péricliteront. Certes, les compositions intemporelles demeureront. Les œuvres de Bach, de Mozart, de Tchaïkovski ou de Stravinsky ne disparaîtront pas en tant qu'idées musicales. Que les gens écoutent de la musique, que les décideurs reconnaissent ou non en elle une valeur à encourager, à soutenir, ne changera rien au fait que ces œuvres existent.

Les idées musicales créées, écrites, imprimées, numérisées, enregistrées de multiples fois, sont précieusement conservées dans les archives. La musique est préservée dans les meilleures conditions, prête à affronter l'éternité. Mais qu'est-elle vraiment si les notes ne résonnent pas, si elles ne sont ni jouées ni entendues ?

Bien sûr, il restera toujours quelques passionnés ou quelques originaux cherchant à composer et à exprimer de nouvelles idées musicales ; il y aura toujours des musiciens virtuoses. Certains îlots du classique ne disparaîtront pas de sitôt, car les élites – comme l'affirma Adorno – ont vu dans la musique un merveilleux moyen de confondre haute culture et statut social. Le philosophe allemand décria haut et fort les consommateurs privilégiés de la culture, et plus particulièrement les événements élitistes, comme le Festival de Salzbourg, par exemple, qui rassemble tous les ans, dans la petite ville autrichienne, la fine fleur de la société : « Si la vie musicale officielle subsiste avec une telle ténacité, c'est peut-être aussi parce qu'elle permet l'ostentation sans que le public, qui se déclare cultivé du fait justement qu'il est présent à Salzbourg, s'expose au reproche de la débauche ou de l'orgueil du parvenu. »

Si, cependant, la musique savante est de moins en moins jouée, de moins en moins enseignée, si on ne la voit presque plus à la télévision, si on ne l'entend plus à la radio, si les salles de concert ferment, il y aura toujours moins de personnes qui la connaîtront. Sa place décline dans les consciences. Et ce dont nous n'avons pas conscience n'a pas d'existence. Les lois du commerce s'appliquent alors, comme au bazar ou au supermarché : si la demande diminue, l'offre disparaît. Si plus personne ne fait la promotion du bon vin, que les bouteilles sont remisées, puis reléguées tout au fond de la cave, personne ne songera plus à le boire.

Ce ne serait certes pas une première dans l'histoire de la musique. De grandes compositions ont disparu un temps, quand les modes et les goûts ont changé. Les œuvres de Bach, par exemple, sont tombées dans l'oubli après sa mort, des décennies durant. Elles n'étaient quasiment plus jouées en public. C'est en 1829 seulement, grâce à la représentation de sa *Passion selon saint Matthieu*, sous la direction de Félix Mendelssohn, qu'ont été redécouvertes les œuvres de ce génie. Les opéras baroques avaient eux aussi disparu des programmes des opéras, relégués aux archives jusqu'à tout récemment. Il en fut de même pour Beethoven, qui déjà à la fin de sa vie avait vu pâlir sa popularité. Les gens désiraient alors une musique plus romantique dont ils pourraient se délecter. Sa musique avait cependant encore infiniment de choses à leur transmettre.

Et pour autant, la manière dont nous traitons aujourd'hui cet art m'indigne, notamment cette tendance à le réserver à une sphère exclusive de la société ou, comme dirait Adorno, de l'esprit, inaccessible à la majorité de la population en raison de la perception du prix pour elle trop élevé des places de concert, ou parce que la musique classique, qui nécessite une certaine expérience de l'écoute, n'est plus comprise d'un grand nombre. Les programmes scolaires n'accordent quasiment plus aucune place à la musique savante. Souvent, l'industrie du classique elle-même présente cet art de telle manière qu'il apparaît à ceux qui lui demeurent extérieurs comme une pièce de musée, laquée, vieille de plusieurs siècles, qui ne peut attirer que les passionnés ou les spécialistes : décalé, de l'art pour l'art, déconnecté de la réalité, commenté par des critiques à un niveau intellectuel des plus brillants, totalement désincarné.

C'est exactement ce qu'il faut éviter. Mon indignation ne serait pas si grande si je n'étais à ce point convaincu que la musique classique peut, aujourd'hui précisément, nous apporter des choses essentielles, renforcer la cohésion sociale, améliorer notre qualité de vie. La musique est là, tous les sons nous entourent. Il faut simplement veiller à ce qu'elle soit beaucoup plus entendue et bien mieux comprise. Il est vrai que les compositeurs avaient jadis tout autre chose à l'esprit. Ils écrivaient leur musique pour le peuple et aussi – certes pas seulement – pour le divertir. Ils composaient pour des gens qui ne faisaient pas qu'écouter leur musique, mais qui souhaitaient également la jouer. Assister à un opéra italien était alors un événement social. Au temps du baroque, aucun compositeur ne songeait à l'immortalité de son œuvre. Pendant la majeure partie de l'époque classique, les compositeurs écrivaient avant tout des œuvres de commande à l'occasion d'événements précis – une musique utilitaire, en quelque sorte. Composer pour la postérité, créer des œuvres éternelles, cela ne correspondait pas à la perception que les artistes avaient alors d'eux-mêmes.

Mozart lui-même était encore étranger à une telle démarche. C'est avec Beethoven que les choses ont changé progressivement, lui qui a soigneusement établi le catalogue de son œuvre pour la postérité, pleinement conscient de la qualité supérieure de son art. Jouer de la musique était un passe-temps, une merveilleuse manière de s'occuper seul ou avec un autre, voire plusieurs autres instrumentistes. Interpréter une pièce en faisant la course jusqu'à ce que l'un trébuche, ou jouer en duo et s'imiter avec toute l'ironie de l'exagération : tout cela n'est qu'un pur plaisir, une façon de découvrir l'autre – et pour la plupart des gens d'aujourd'hui, c'est une image du temps passé. Ce qui faisait la normalité de mon quotidien a disparu à une vitesse qui me trouble et ne laisse pas de m'indigner. Il n'a même pas fallu une génération. Qui joue encore de la musique en famille aujourd'hui ?

En outre, les compositeurs abordent des thèmes qui concernent chacun de nous, dépeignent ce qui se cache dans chaque individu, soulignent ses inquiétudes, ses peurs, ses douleurs, sa joie, sa quête de dépassement. À mon sens, il n'y a rien qui justifie une conception élitiste de cette haute culture. La haute culture ne se définit pas au travers d'une seule classe de la société qui en serait dépositaire. Elle représente, selon moi, la forme d'art la plus proche de l'idéal démocratique : la forme d'expression humaine la plus pure, qui sonde l'essence des choses et les décrit dans leur vérité. Chacun devrait avoir la possibilité d'y accéder.

Pas le monopole de l'élite

Les défenseurs d'une conception plus élitiste de l'art pourraient y voir une provocation. Le Prix Nobel Mario Vargas Llosa déplore amèrement les conséquences de l'apparent échec de la démocratisation de la culture. Certes, une société démocratique et libre a l'obligation morale de mettre la culture à la portée de tous grâce à l'éducation, à la promotion et à la subvention des arts, mais « cette philosophie louable a eu pour effet indésirable de banaliser, de vulgariser la vie culturelle », écrit-il dans *La Civilisation du spectacle*. La haute culture serait réservée à une minorité en raison de sa complexité et de l'hermétisme de ses codes, ou elle serait condamnée à verser dans le spectacle. Elle se dénaturerait et se déprécierait dès lors qu'un opéra de Verdi, la philosophie de Kant et un concert de rock seraient considérés comme équivalents – ou dès lors, aimerais-je ajouter, que des entreprises de divertissement telle Sony Music, usant d'un raccourci réducteur, distribueraient des musiques de film sous l'étiquette de « musique classique ».

La musique que nous appelons aujourd'hui « musique savante » ne fut-elle pas toujours réservée à des couches privilégiées de la société ? Je connais cet argument et l'entends souvent suivi d'une question posée presque incidemment : pourquoi donc ne pas laisser la musique savante là où elle est née voilà quelques siècles, à savoir dans les églises, parmi l'aristocratie, au cœur de la bourgeoisie cultivée ? La plus grande partie de la population n'a jamais vraiment goûté au plaisir de cette musique du temps de Bach, de Mozart ou même de Beethoven. Non pas que les gens n'en ressentaient pas l'envie, ils n'y avaient tout simplement pas accès. Ce n'est que grâce au développement des salles de concert que la musique a connu une lente diffusion. Lire la musique passait pour un art supérieur, et tandis que le monde de la musique commençait à s'ouvrir à des femmes, telles Clara Schumann, Fanny Mendelssohn ou Alma Mahler, par exemple, il demeurait quasiment inaccessible aux masses.

Ce sont les circonstances historiques qui expliquent le caractère exclusif de la musique classique. Les rapports sociaux ne sont plus les mêmes aujourd'hui. La diffusion de la musique classique devrait en principe être plus facile – grâce aux cours de musique à l'école, aux innombrables enregistrements, aux médias de masse et même aux réseaux sociaux. Désormais, tout le monde a accès aux œuvres classiques et à leurs grandes interprétations sur YouTube ou au moyen de services en ligne, tels Spotify, Rdio, Deezer, SoundCloud, iTunes et tant d'autres.

C'est un motif de réjouissance compte tenu des possibilités et des succès ponctuels mais de grande ampleur que permettent les nouveaux médias. Il n'y aurait donc plus de raison pour que la musique classique ne soit pas diffusée bien plus largement et ne suscite pas plus de passion dans toutes les couches de la société. Certains critiques laissent pourtant entendre que la présence réduite de la musique classique au quotidien importe peu. Selon eux, ce déclin est justement la preuve que cette musique n'a pas été composée pour satisfaire la majorité de la population. À les croire, la démocratisation de cet art serait un échec, peut-être pour le meilleur : si tout le monde y prenait plaisir, il courrait le risque d'être banalisé.

Mon opinion est diamétralement opposée. Une conception si élitiste de l'art est pour moi une provocation. Mon indignation à l'égard de notre attitude devant la musique classique ne prend pas sa source dans une crainte pour la survie d'une industrie, particulièrement pas de celle du cirque classique aux petites et grandes étoiles. Le spectacle et le plaisir visuel ont toujours fait partie de notre art et de sa puissance d'attraction. Mon indignation trouve son origine dans le fait que nous privions un nombre de gens toujours plus grand de cette musique. Pour user d'un vocabulaire sportif, je ne parle pas ici d'un sport de compétition, mais d'un sport populaire. Et cette privation commence chez les petits et les plus jeunes, dès lors que la musique ne se trouve plus dans les écoles, n'est plus jouée à la maison ni donnée en concert par les ensembles locaux.

Dans de telles circonstances, les gens n'ont plus aucune chance de goûter le plaisir de la musique classique et de faire l'expérience de ce qu'elle est vraiment : un élargissement de l'horizon, une source de force et d'inspiration qui nous interpelle sur le plan tant des émotions que de la spiritualité et de l'intellect. La remarque répétée qu'il n'en était pas autrement il y a de cela des siècles ne se justifie pas à mon sens, car les conditions actuelles sont complètement différentes. Lorsque des collègues de l'orchestre symphonique du Minnesota ne donnent plus de concerts pendant 448 jours, soit 15 mois, à cause d'une situation financière critique qui a débouché sur une dispute salariale, et qu'ils n'ont littéralement plus accès à la salle, les 5,3 millions d'habitants de la ville n'ont plus la possibilité d'entendre de musique classique jouée au plus haut niveau par « leur orchestre ». Il n'y a plus de programmes d'éducation, de matinées ou de concerts pour enfants, de jeunes musiciens qui transmettent leur enthousiasme au public. Seule reste aux habitants de la ville la possibilité d'observer le démantèlement de leur orchestre, de s'en inquiéter quelques semaines jusqu'à ce que, un jour, ils finissent par trouver normal qu'on ne joue plus de musique.

« L'indifférence : la pire des attitudes », écrit Stéphane Hessel en tête d'un des chapitres de son essai. La posture du « je n'y peux rien » est ce qu'on peut infliger de pire au monde et à soi-même. Savoir s'indigner et s'engager, voilà des traits essentiels qui font défaut aux indifférents. C'est en ce sens que je m'indigne dans mon domaine. La pensée que de très nombreuses personnes sont privées de musique classique m'est insupportable précisément parce que la musique m'a tant donné tout au long de ma vie, bien au-delà du cadre des concerts, et parce qu'elle a tant à nous dire maintenant, au moment où notre société traverse cette crise soulignée par Stéphane Hessel. Renversons la formule : de la crise du classique au classique en réponse à la crise. Peut-être ces temps de bouleversement représentent-ils véritablement sa plus grande chance. Pourquoi ?

À la recherche d'un sens

De toute évidence, le monde occidental traverse une période charnière. Nous l'éprouvons tous. La vie s'accélère, la concurrence se fait toujours plus impitoyable, le risque d'échec augmente et la cohésion sociale s'affaiblit de manière significative. Les décisions que nous devons prendre ont atteint un tel degré de complexité qu'elles nous laissent souvent désemparés. Les cabinets des thérapeutes, censés aider les gens à surmonter de tels changements dans leur vie, débordent. Je ne pense pas exagérer lorsque j'affirme ici que notre société a glissé dans une profonde crise de sens.

L'ordre démocratique qui, sous la primauté du politique, s'appuyait jusqu'aux années 1980 sur le droit, les lois et les principes moraux de cohésion sociale, est fortement ébranlé. D'un côté de l'Atlantique comme de l'autre, on s'inquiète de ce qu'est devenue la société « juste » dans laquelle nous vivions : une démocratie sociale centrée sur la classe moyenne, avec une économie de marché, que nous considérions comme égalitaire et relativement ouverte. Le tandem que formaient la démocratie et l'économie de marché avait apporté prospérité, sécurité et, par-dessus tout, une immense liberté aux populations d'Europe et d'Amérique du Nord. De profondes brèches se sont depuis ouvertes. Le ciment social, un consensus minimum, une entente de base sur lesquels s'épanouit la pluralité des individualités font défaut.

La question fondamentale de savoir où et comment les citoyens se réuniront à l'avenir, de quelle manière ils vivront ensemble et comment ils voudront organiser leur vie en collectivité reste absolument sans réponse. Le vœu que les sociétés puissent se renouveler sur les plans démocratique, social et, surtout, moral ne fut pas seulement proclamé et répété dans mon pays, mais tout autant en Europe. Les citoyens ont manifesté en nombre, farouchement et à de multiples reprises, et pas uniquement dans les rues de New York, à Wall Street et dans les capitales européennes des pays durement touchés par la crise.

Au début de ce millénaire, le risque que quelque chose se démantèle à long terme n'était clair qu'aux yeux d'un petit nombre. Il y eut néanmoins quelques signes avant-coureurs de profonds changements sociaux qu'il aurait peut-être fallu prendre au sérieux. David Shipler, par exemple, Prix Pulitzer, publia en 2004 un livre sur l'état du marché du travail américain dans lequel il mettait au jour les symptômes de la mutation déjà engagée vers une économie nouvelle, sans pitié, ajustée aux marchés financiers et orientée vers le rendement, qui conduisait par millions des gens travaillant dur vers l'impasse de secteurs à faibles revenus. La disparition de l'ascenseur social, une société au point mort, c'est le contraire du rêve américain. Pourquoi les gens se sont-ils laissé électriser par la première campagne présidentielle de Barack Obama, dont le message central était adroitement condensé en un seul mot clé : *change* ? Dans notre désir de renouveau, nous n'étions pas les seuls, nous autres Américains, à nous rassembler en masse derrière lui ; la population de toute l'Europe épousait ce mouvement. Il a beaucoup promis. Mon impression est que le président n'a pu pourtant concrétiser que peu de ses promesses avant la fin de son mandat. La société américaine n'est pas devenue l'atelier d'un processus de renouvellement social à partir duquel on aurait pu préparer l'avenir. Elle s'est figée.

Quelques années plus tôt, en l'an 2000, le milliardaire et spéculateur George Soros avait attiré l'attention par un livre dans lequel il mettait en garde contre les dérives d'un capitalisme débridé. L'un des plus grands profiteurs du système fut ainsi parmi les premiers à se pencher sur les revers dudit système, alors que personne n'imaginait encore que tout ne continuerait pas éternellement à s'accélérer. Les scientifiques de Harvard, de Stanford et de Princeton débattent aujourd'hui avec d'illustres collègues d'autres pays pour savoir si les pays industrialisés ne sont pas depuis longtemps engagés dans une crise permanente, oscillant entre dépression et bulle financière, tout en ayant pleinement conscience que cette évolution fatale plongerait des milliards de gens dans la pauvreté et minerait dangereusement la confiance d'un grand nombre dans les acquis démocratiques et les valeurs humanistes.

Cette possibilité me préoccupe singulièrement. Je ne pourrais bien sûr pas prédire à quoi pourrait ressembler une société postindustrielle, ce qui la constituerait, ce qui en ferait la cohésion, la définirait, et comment pourrait s'élaborer un nouveau sens civique. Je ne sais pas davantage comment il faudrait protéger les droits civiques afin qu'ils ne nous soient pas tout simplement confisqués, à nous leurs bénéficiaires, dans un temps de mondialisation et de conquêtes technologiques toujours nouvelles. Pour utiliser un terme technique, aucune vision sociétale n'émerge. C'est ce vide qui inquiète de nombreux individus, dans lequel ils voient les signes avant-coureurs d'une désagrégation de nos sociétés et de l'amenuisement de leurs libertés. La situation est à peu près la même aux États-Unis et en Europe. La toute-puissance si souvent décrite des sociétés de surveillance d'État et des grandes multinationales du web – tels Google, Amazon, Facebook – m'alarme. Et je ne suis pas le seul.

Que vois-je, concrètement ? Le monde est plongé dans une crise financière permanente doublée d'une crise de la dette souveraine, procédant d'un échec accablant des élites du monde politique et du secteur des finances qui ont endetté les États-Unis et les États européens, sans état d'âme, et de manière irresponsable. Ce sont des dettes que rien n'empêche d'augmenter et qui résultent de guerres dénuées de sens, des gigantesques pertes du secteur financier et de programmes de relance douteux devenus nécessaires après que les banques d'investissement et les assurances eurent poussé le monde de l'économie au bord du gouffre.

Il aurait été possible de prévoir la crise récente, qui débuta dans mon pays en 2008 avant de conduire le système financier mondial au bord de l'implosion et de plonger l'économie mondiale dans la récession. Il y avait des signes avant-coureurs : le fossé toujours plus grand entre les pauvres et les riches, l'amenuisement de la classe moyenne – phénomène constaté par le Prix Nobel Paul Krugman dans un long article publié dans le *New York Times* au début de ce siècle –, l'augmentation astronomique de la rémunération des dirigeants, les réactions franchement euphoriques des marchés boursiers lorsqu'une multinationale annonçait qu'elle licenciait vingt mille personnes, comme s'il y avait là de quoi se réjouir, ou lorsqu'elle amassait des bénéfices de plusieurs millions quasiment non imposables, alors que nombre de ses employés travaillaient pour un salaire de misère. Une petite frange de la société s'était engagée dans une ruée vers l'or, la majorité, elle, avait été largement distancée. Rien de cela n'a changé depuis.

Hostile à l'homme

La nocivité de ce système et son caractère inhumain me hantent. Au cours des siècles, les arts se sont épanouis en s'appuyant sur la base d'un capitalisme sain. Mais, dans sa forme débridée, celui-ci n'est plus au service de l'individu, bien au contraire. Déferlant sur tous les domaines de la société, il se mue en idéologie. On nous a convaincus, d'une manière ou d'une autre, que non seulement le système économique devait moins se préoccuper de questions sociales, mais que chacun de nous devait adopter un comportement capitaliste. Les gens se sentent astreints à adopter une mentalité capitaliste eux aussi, à être toujours à l'affût, ambitieux et motivés par le profit. Je sais par des conversations avec des personnes venant d'horizons divers combien cela a affecté les gens ces dernières années, et ce, dans le monde entier.

Depuis toujours, l'idée que chacun est l'artisan de son bonheur a été plus forte dans mon pays natal, les États-Unis, qu'en Europe ; elle allait toutefois de pair avec une grande responsabilité envers la société. Or, même dans ce pays aux possibilités apparemment infinies, que des idéalistes et des aventuriers comme mes grands-parents ont peuplé, on perçoit un glissement des valeurs, qui s'est révélé un véritable changement de paradigme. En voici une esquisse à l'aide de mots simples : l'égoïsme en lieu et place de la responsabilité sociale ; l'individualisme au lieu du sens civique. Aux États-Unis, les tensions sociales inquiètent un nombre croissant de gens.

En conséquence, notre conception de ce qui constitue une bonne vie a changé, notamment en ce qui a trait à l'acceptation des responsabilités sociales qui nous incombe, à la satisfaction que chacun en retire, à notre engagement envers la communauté et, bien sûr, à notre relation à l'art, lequel forge notre pensée. Nous avons, sans le savoir, fait l'erreur de croire que ce ne sont pas les expériences enrichissantes et jubilatoires qui rendent la vie digne d'être vécue, mais celles qui s'avèrent immédiatement rentables. Ce que les petits et grands capitalistes ont assimilé, c'est le goût du risque, le calcul à long terme des ressources nécessaires et des probabilités de succès, des coûts et des bénéfices. Le capitalisme a le pouvoir de détruire des communautés. Nous savons désormais qu'il peut se révéler une force destructrice. Une vie accomplie nécessite qu'on mette de côté ce jeu risqué qui ne vise que les gains et les bénéfices. Notre impuissance nous a laissés sans voix. Comment voulons-nous vivre notre avenir ? Qu'est-ce qui est important pour nous ?

Je vois dans la crise de sens de nos sociétés l'occasion d'un retour aux arts et à la musique classique. Les expériences esthétiques, qui ont le pouvoir de nous bouleverser totalement, sont vitales. Il nous faut juste prendre un peu plus conscience de leur force. Les grandes symphonies de Haydn, de Mozart, de Beethoven ou de Brahms et de Mahler ne sont pas des pièces d'exposition que nous n'écoutons que lorsque nous désirons avoir un aperçu de l'histoire de la musique. Ce sont des compositions intemporelles qui ont le pouvoir de nous toucher et de nous inspirer aujourd'hui. Je suis convaincu qu'elles peuvent contribuer à notre quête de sens. Nous autres, musiciens, devons faire quelque chose pour cela. Aussi nous faut-il clarifier deux questions importantes. Tout d'abord : comment la musique déploie-t-elle sa force ? Et ensuite : quels en sont vraiment les effets ?

Du pouvoir des expériences esthétiques

Voilà plus de deux mille ans que les grands penseurs s'interrogent sur le sens et l'importance des expériences esthétiques. Platon et Aristote, tout comme Luther, Kant, Schopenhauer, Rousseau, Schiller, Nietzsche et Adorno, se sont penchés sur la question. Ils ont défendu des approches différentes et abordé les arts et la musique selon des perspectives philosophiques distinctes. Jamais ils n'ont remis en question l'importance des expériences esthétiques pour l'existence humaine, et ils semblaient également s'accorder sur une idée fondamentale qui, pour ce qui me concerne, demeurera toujours vraie : les expériences esthétiques accroissent notre connaissance dès lors qu'on est ouvert à y réfléchir. Elles peuvent même contribuer à forger le caractère.

Toutefois, la manière dont l'esthétique conduit à ce gain de connaissance prête à différentes interprétations. Il peut être transmis par l'affect, auquel Platon accorde une place essentielle dans sa philosophie. L'éducation par la musique est d'autant plus importante que « le nombre et l'harmonie, s'insinuant de bonne heure dans l'âme, s'en emparent et y font entrer à leur suite la grâce et le beau », écrit le philosophe de la Grèce antique. On peut également obtenir ce gain cognitif par une appréhension intellectuelle de l'esthétique, comme l'exigeait Nietzsche, qui refusait de voir dans la musique et son pouvoir d'idéalisation le langage immédiat des sentiments. Avoir des larmes dès lors qu'on est ému ou attendri ne suffit pas.

Quelle que soit la manière dont on conçoit la question, il en est différemment pour chacun – même si ce chemin va le plus souvent du cœur vers la tête. La musique nous touche et mobilise notre esprit et nos sens de sorte que nous sommes mystérieusement renvoyés à nous-mêmes. Étonnamment, les compositeurs eux-mêmes n'ont pas fait valoir le pouvoir de la musique. Peut-être n'en étaient-ils pas conscients, ils étaient trop occupés à donner vie à leurs idées musicales. Ce furent les penseurs, les écrivains et les poètes qui cherchèrent à approfondir et à s'approcher de différentes manières du pouvoir que recèle la musique.

Personne n'est jusqu'ici parvenu à trouver le fin mot de cette énigme. Cependant, chaque tentative apporte quelque chose d'intéressant. « La musique, écrivait E. T. A. Hoffmann en 1810 à propos de la *Cinquième Symphonie* de Beethoven, ouvre à l'homme un royaume inconnu totalement étranger au monde sensible qui l'entoure, et où il se dépouille de tous les sentiments qu'on peut nommer pour plonger dans l'indicible. » Que la puissance de la musique puisse résider dans son caractère abstrait, voilà ce que nous disait le poète il y a déjà deux cents ans. Ce qu'elle figure, poursuivait-il, n'est pas déterminé : pas de joie ou d'affliction spécifiques, de douleur, d'effroi, d'enjouement ou de sérénité identifiables de manière univoque, mais le sentiment en soi, mieux encore : l'essence de ce sentiment.

Faisons appel à quelques autres témoignages. Friedrich Schiller a réfléchi à la puissance des arts dans ses *Lettres sur l'éducation esthétique de l'homme*. « L'art est fils de la liberté », écrivit-il en juillet 1793 au duc Frédéric Christian Ier d'Augustenburg. Aussi, c'est au moyen de l'art seul qu'on s'achemine vers la liberté. L'art, poursuivait-il, jouit d'une immunité à l'égard de l'arbitraire humain, il ne s'aligne pas sur les conventions des hommes et ne peut être assujetti. Le législateur peut en interdire l'expression ; il ne peut le dominer. Il peut accabler l'artiste ; il ne peut trahir l'art.

Les lettres de Schiller témoignent de son vif intérêt pour la Révolution française, dont l'issue le déçut profondément. Il ne traite pas seulement de l'arbitraire d'un État aristocratique, mais également du pouvoir d'un peuple qui devait se briser devant les exigences élevées du concept de raison politique postulée par les Lumières. La Révolution française n'avait, selon lui, pas apporté plus d'humanité aux hommes, bien au contraire. À l'immaturité humaine, de toute évidence capable de fouler au pied les conquêtes des hommes, il oppose l'éducation esthétique.

Il n'existe guère en littérature de plaidoyer pour l'art plus passionné et convaincu que celui de cet immense poète allemand. Les arts sont une condition nécessaire à l'humanité – mais, hélas, insuffisante, comme en témoigne l'histoire, encore et toujours. La beauté, dit Schiller, ménage à l'homme un passage de la sensibilité vers la pensée. Le chemin qui mène à l'esprit passe par le cœur. Schiller attribue à la formation du sentiment une importance de premier plan, « non seulement parce [que cette formation] devient un moyen de rendre efficace pour la vie une compréhension meilleure de la vérité, mais aussi parce qu'elle stimule l'intelligence à améliorer ses vues ».

Jean-Jacques Rousseau était déjà convaincu que l'homme était modifié par les sens. « Personne n'en doute ; mais faute de distinguer les modifications, nous en confondons les causes », écrit le philosophe dans son essai *Sur l'origine des langues, où il est parlé de la mélodie, et de l'imitation musicale*. De la perception sensorielle découle un effet moral. Mais « il faut en avoir une longue habitude pour la sentir et pour la goûter », soit précisément ce que Schiller nommait la formation du sentiment, cette éducation esthétique que le professeur Korisheli nous enseignait, à nous, enfants, sans relâche. En art, rares sont les choses immédiatement données. L'accomplissement exige, d'une manière ou d'une autre, un réel effort de ceux qui créent les œuvres, tout autant que de ceux qui les reçoivent.

Martin Luther a rendu un vibrant hommage au pouvoir de la musique, dont il ne pouvait pourtant pas encore connaître le couronnement baroque : « Qui donc a plus qu'elle le pouvoir de consoler les affligés, de faire tomber l'excitation des esprits trop joyeux, de donner du courage aux pusillanimes, d'abattre les orgueilleux, de calmer les accès de colère, d'apaiser les esprits haineux ? » Le don de Dieu le plus beau et le plus précieux est à ses yeux celui de la musique, le plus grand de tous les arts. « Elle chasse le fantôme de la tristesse, comme l'illustre l'exemple du roi Saül. »

Une question de survie pour la société

Depuis toujours, dans leurs œuvres, peintres, sculpteurs, écrivains et compositeurs traitent des questions fondamentales de l'humanité ; ces champs d'expériences esthétiques que sont les beaux-arts, la littérature, la poésie, la musique peuvent exercer une influence formatrice, favorable tout au long de la vie. Un enfant ne le sait pas ; je suis cependant convaincu qu'il en a l'intuition. Il n'est bien sûr pas nécessaire que ce soit au contact de la musique classique, simplement parce que ce fut mon cas et que cela continue d'être mon expérience. La musique classique s'inscrit toutefois dans le canon des arts qui ont bien plus à offrir qu'un divertissement quotidien ou qu'une carrière d'interprète superficiellement brillante.

Elle nous renvoie toujours à nous-mêmes, à la question de l'origine et du sens, à celle de qui nous sommes, nous, humains, ou de qui je suis vraiment. Elle transforme la perception que l'on a de soi et, par là, notre rapport aux autres. Elle ne laisse pas de répit. On peut s'installer confortablement dans sa vie avec quelques réponses rudimentaires, mais les questions demeurent en vérité sans réponse. Ce ne sont pas pour autant des réponses que les grands compositeurs classiques nous offrent ou que nous proposent les peintres, les sculpteurs, les écrivains et les penseurs dans leurs œuvres

– leurs tableaux et sculptures, leurs textes, leurs poèmes. Ils y posent des questions, ces questions que nous rencontrons inéluctablement dans nos vies, de manière sans cesse renouvelée.

Les arts sont plus qu'un accessoire, un ornement ou une forme de détente dans la vie trépidante du monde adulte. Ils sont plus que ce que promet le slogan de la radio classique de San Francisco : « La musique classique – ton îlot de bien-être ». Faire que son enfant joue de la musique avec d'autres ne devrait pas être motivé par le seul désir de favoriser ses capacités de concentration, ses compétences sociales et son aptitude à la vie en société. La musique favorise bien sûr tout cela, mais elle n'existe pas pour cela, j'en suis profondément convaincu. La musique est là pour que nous en fassions l'expérience. Elle nous accompagne, nous touche, nous transforme et bien plus encore. Les expériences esthétiques sont indispensables à la vie. Elles font partie intégrante de notre identité : elles nous relient à notre passé, à nos traditions, et nous offre une orientation vers l'avenir.

Je sais aujourd'hui que c'est cette connaissance-là que m'a donnée mon enfance. Les arts ont toujours eu la vie difficile. Il n'a jamais été nécessaire, pour survivre, de se livrer à des interrogations esthétiques. L'homme a avant tout besoin d'eau, de pain et d'un toit au-dessus de sa tête. Il lui faut un revenu pour assurer sa subsistance. Les contacts sociaux viennent ensuite. Mais l'art ne vient-il pas juste après les besoins matériels fondamentaux ? N'est-il pas une condition de base de notre survie en tant que société ?

Peut-être direz-vous que ce ne sont que des mots,

une tentative d'exhortation de plus – « tentative » est le mot approprié, car la musique, bien que puissante, reste indéterminée, imprévisible et non mesurable dans ses effets sur chacun de nous. Nous ne savons pas quand ni où elle déploiera son pouvoir, nous frappera, nous bouleversera. Nous ne savons pas si la solution à un conflit avec notre employeur n'est pas apparue au cours du récital de la veille, où le pianiste et la violoniste nous ont emportés dans un voyage musical.

 La musique est différente des autres arts. Elle est abstraite et éphémère, ce qui lui confère un caractère unique. Elle est indéterminée du point de vue sémantique ; son langage n'est pas figuratif. Et parce qu'elle est abstraite, elle ne crée pas de représentation directe du monde, contrairement aux autres arts. Elle vise l'essence des choses, le métaniveau. C'est là que réside sa beauté, c'est à cela que tient sa force d'attraction.

« La musique exprime ce qui ne peut être dit et sur quoi il est impossible de rester silencieux. » Il existe une multitude de citations sur la musique qui ne sont pas reprises dans ce livre. Cette dernière, de Victor Hugo, est l'une des plus belles. L'abstraction, bien sûr, n'est pas exclusivement musicale ; elle trouve par exemple toute sa place dans le domaine des beaux-arts : la peinture et la sculpture ne sont pas toujours figuratives ou concrètes. En musique, cependant, l'abstraction se conjugue à l'éphémère. La musique ne peut être saisie dans sa totalité en un instant. Elle s'écoule, elle advient grâce au temps qui passe. Chaque nouvelle note qui résonne éveille dans l'instant même l'attente de la suivante. C'est aussi en cela qu'elle est irrésistible.

L'origine du pouvoir de la musique reste néanmoins un mystère. Je ne sais pas ce qui fait qu'elle nous subjugue et nous engage dans son sillage. Si on tente de définir ce pouvoir par la négative, il est, par exemple, possible de dire de manière intuitive et précise ce qui est perdu lorsqu'on prive un enfant de musique. Il lui est alors enlevé un moyen d'expression supplémentaire, autrement dit, un atout : il perd la possibilité de réussir dans ce domaine, de donner du plaisir aux autres, de briller. On le prive d'un jeu, d'une source de bonheur et de quantité de découvertes qu'il aurait ainsi pu faire.

Les expériences esthétiques permettent de voir le monde sous un jour différent, un jour neuf. J'en développerai le mécanisme caché au chapitre 5 de ce livre, mais il est déjà possible d'affirmer que les expériences esthétiques sont en mesure de transformer les gens. Elles conduisent parfois ceux qui sont prêts, et surtout disposés à s'y engager, à d'autres projets de vie. Chacune de ces expériences sensorielles n'est pas nécessairement positive. Un concert peut également ébranler et susciter des images qui dérangent. Quoi qu'il en soit, seul celui qui a accès au monde de l'esthétique peut faire ces expériences. Sans une éducation artistique, cet accès est compromis. Sans une formation de la sensibilité esthétique ouvrant le champ de telles expériences, une personne reste en quelque sorte incomplète, peinant à se repérer ou à s'orienter dans un monde qui s'est tant complexifié. Il lui manquera une faculté de discernement essentielle, débordant de loin les questions d'ordre esthétique.

De quoi notre esprit est-il fait ?

Le bruit du quotidien, la précipitation, les échanges numériques incessants s'éloignent instantanément lorsqu'on écoute de la musique classique. À peine la musique résonne-t-elle que nous nous trouvons dans un autre monde, que commence ce jeu d'expectative et ce dialogue intérieur, conscient ou inconscient : nous écoutons, apprécions, nous attendons le prochain accord, le déroulement de la mélodie qui finalement prendra peut-être une tout autre tournure. Nous sommes agacés, nous réfléchissons au sens de la musique et à la raison pour laquelle elle nous touche, nous enflamme de ses rythmes sauvages, nous frustre éventuellement par son atonalité, ou nous nous demandons simplement pourquoi elle nous porte vers un état de vigilance acoustique aigu, hors de l'environnement quotidien du nécessaire et de l'utile. Nous sommes aux aguets d'une musique qu'un étranger a écrite sur un feuillet et que d'autres interprètent maintenant devant nous. La musique crée un espace singulier à l'intérieur de nous-mêmes, là où se déroulent des expériences sensibles, intellectuelles et spirituelles qui ne peuvent naître de notre cadre de vie : elles sont exclusivement créées par l'art. Dans cet espace, chacun est face à soi-même.

Permettez-moi de reposer la question : pourquoi donc est-ce si important d'écouter de la musique classique ? Pourquoi devons-nous faire des efforts particuliers pour cela ? Nous offre-t-elle la chance d'approfondir notre discernement, de développer notre palette sensorielle, de vivre plus comblés que si elle n'existait pas ? Peut-elle avoir une influence sur nos opinions politiques, sur nos interactions avec nos semblables, peut-être même sur notre perception de nous-mêmes ? De toute évidence, ces questions sont rhétoriques, et chacune de mes réponses positive. Ce sont des objectifs que j'ai à l'esprit lorsque je conçois les programmes des concerts. Je voudrais que la musique que nous présentons engage le public à répondre positivement à chacune de ces questions. À long terme, la musique doit devenir une dimension indispensable à la vie des auditeurs. Mais pourquoi la musique classique, et pas seulement celle qui fut écrite dans le style des plus belles heures du classicisme du XIXe siècle, a-t-elle pareille influence ?

Différentes disciplines nous proposent de multiples faisceaux d'explications. Cela ne concerne pas uniquement les philosophes, poètes, penseurs et musiciens eux-mêmes, qui se penchent depuis des siècles sur l'ascendant qu'exerce l'art le plus mystérieux, car le plus abstrait. Des hommes de lettres, des neurologues et des psychologues cherchent à expliquer ses qualités si singulières. À ce jour, personne n'a percé son secret. Peut-être restera-t-il hors d'atteinte, quel que soit le nombre de réponses que nous apporterons.

Je souhaiterais vous présenter une dernière idée, car elle est d'une logique implacable et propose une solution à la question implicite soulevée par le titre de ce chapitre : le classique en réponse la crise. Le Canadien Northrop Frye a abordé la signification de l'art sous un angle différent. En tant que critique littéraire, il avait principalement le monde des lettres à l'esprit. Ce qu'il écrit sur le mode opératoire de la littérature se laisse néanmoins merveilleusement transposer au domaine de la musique. Son approche souligne la différence entre le monde dans lequel vit l'homme et celui dans lequel il souhaiterait vivre – le premier étant la réalité, le second appartenant à l'univers de l'imagination.

Les sciences nous expliquent le monde en tant qu'environnement immédiat de l'homme ; elles ne se préoccupent pas du monde de nos représentations. Sur ce plan-là, c'est l'art qui entre en jeu : la littérature, la peinture, la musique. « L'art commence à la frontière du monde que nous imaginons, celui que nous construisons en pensée, et non celui que nous voyons directement. » Les arts imprègnent ainsi nos représentations d'un monde dans lequel nous voudrions vivre. Ils agissent plus ou moins directement sur elles, la littérature peut-être plus que la musique, qui emprunte d'autres voies, plus abstraites. C'est ce qui confère à l'art une telle importance, notamment aujourd'hui, dans cette période historique charnière, cette crise de sens que traversent nos sociétés, où il nous faut imaginer des représentations d'un monde futur dans lequel nous souhaitons vivre.

Frye a développé cette idée dans un essai intitulé *The Educated Imagination,* publié en 1964, dans lequel il cherche à souligner la pertinence de la littérature ainsi que l'importance de l'art, dont l'influence sur la pensée est si profonde. La littérature serait là pour « éduquer » la force de représentation des hommes, la former et l'entraîner à imaginer des choses possibles. Aurait-il pu écrire pareil essai, si éclairé, sur la musique classique ?

Elle provoque des effets semblables : elle forme nos facultés de représentation. « L'imagination, la fantaisie, la capacité à se représenter les choses ne sont pas le monopole de l'écrivain », écrit Frye, mais le bien de chacun. « Le devoir de base de l'imagination est de se représenter, à partir de la nôtre, une société dans laquelle nous souhaiterions vivre. » Or c'est justement ce que nous recherchons : c'est très précisément notre propos. *This is what it is all about.*

L'art possède un pouvoir de mobilisation immense dont l'énigme ne fut jamais vraiment résolue. C'est peut-être la raison pour laquelle l'homme, depuis plus de deux mille ans, ne fait pas que créer et expérimenter l'art, mais philosophe aussi sans cesse sur ses effets. Dans la mythologie grecque, déjà, la puissance de la musique est mise en scène lorsque Orphée se saisit de la lyre et parvient à attendrir le cœur du maître des Enfers. Ce passage est l'archétype de la représentation du pouvoir de la musique, l'origine de la réflexion sur la musique. Ou, exemple bien plus funeste, lorsque les sirènes envoûtent de leurs chants magiques les compagnons d'Ulysse qu'elles entraînent ensuite dans les profondeurs.

L'expérience de la musique donne forme à une sensibilité cognitive particulière. Les tyrans se laissent émouvoir et fléchissent – pas toujours, il est vrai. Les esprits malins, dont le roi Saül était possédé, prennent la fuite au son de la harpe de David. La musique stimule l'imagination de Saül et éveille en lui l'idée d'un monde différent. La musique et le chant le portent à plus de discernement, lui font prendre conscience que Dieu protège David, le conduisent ainsi sur un chemin meilleur.

Dans une de ses œuvres, Rembrandt a capté de manière saisissante cet instant où Saül fait l'expérience esthétique qui bouleversera son existence. Le tyran est ébranlé, en larmes, son regard est tourné vers l'intérieur. Son revirement se reflète dans ses traits encore marqués par la haine.

Le milieu de la musique classique a-t-il besoin de traverser une crise existentielle pour pousser la société à l'éveil, pour lui rappeler le consensus tacite qui régnait autrefois sur le caractère essentiel de cet art ? La fin du chapitre précédent posait déjà cette question, nous avons depuis franchi une étape. Aussi, je voudrais la reformuler. Une crise de sens majeure au sein de la société est-elle nécessaire pour nous faire prendre conscience que les arts, et avant tout la musique savante, ont tant à nous offrir ?

Les promesses de la musique

Je vois dans la situation actuelle une chance extraordinaire pour la musique savante, pour le classique, pour les œuvres intemporelles qui furent écrites voilà des siècles. Une chance aussi pour les nouvelles compositions, qui n'ont pas encore pu prouver leur valeur intemporelle, elles qui cherchent à exprimer les frémissements, les balbutiements, les questions et les incertitudes de notre époque charnière et, peut-être même, de celle qui suivra.

La musique classique recèle d'infinies promesses. Enfant, je ne le savais ni ne le comprenais. Mais, comme beaucoup d'autres, je le ressentais. Ce sont des promesses d'énergie, de force, de connaissance, d'inspiration, de consolation et de bonheur, d'une liberté spirituelle au-delà des conventions sociales. Toutefois, il faut se donner un peu de peine pour les concrétiser. Cela vaut pour les enfants comme pour les adultes. L'accès à la musique est sans doute plus facile pour les enfants qui fréquentent l'école primaire. Le professeur Korisheli le savait. Ce n'était pas par hasard qu'il s'était engagé à enseigner aux plus jeunes. Par son propre exemple, il nous a montré que cela valait la peine de s'engager dans la musique, d'apprendre toujours plus sur elle et de rechercher des choses bien plus puissantes et plus grandes que nous-mêmes, et auxquelles lui non plus n'avait pas de réponse. Dans ses cours, nous sautions d'une marche à l'autre dans cet escalier de douze degrés qu'il avait fait aménager afin de comprendre, en en faisant l'expérience, la gamme chromatique et les intervalles. Nous avons tambouriné sur les tables pour apprendre le rythme et la mesure. Nous nous sommes amusés, mais pas pour le plaisir seul. Ces petits et grands moments de bonheur nous permettaient d'acquérir une meilleure compréhension et un plus grand savoir-faire ; ils renforçaient également notre intuition que quelque chose de bien plus grand habitait la musique.

La musique nous promet en outre que nous serons partie prenante, que nous participerons – mot qui a pris non sans raison de l'importance au cours de la dernière décennie. La musique ne devient musique que par le processus interactif qui engage son créateur, ses interprètes et ses auditeurs. À quoi servent les notes dans les partitions si elles ne résonnent pas ? Dès le moment de la création, les musiciens et les auditeurs sont donc de la partie. Les musiciens participent à la création de l'œuvre lorsqu'ils en jouent les notes. Chaque exécution ne conçoit pas l'œuvre de manière entièrement neuve, mais elle se forme pourtant à nouveau, chaque fois – et toujours différemment. Les auditeurs contribuent à ce que la musique soit bien davantage que le résultat d'ondes sonores et de bonheurs acoustiques. La musique prend forme dans leur tête.

La musique nous promet également autre chose : l'égalité. La musique classique n'a rien d'exclusif. Elle appartient à tous, mais à personne en particulier, et certainement pas à une classe de la société qui se décrirait comme la bourgeoisie cultivée ou l'élite. Lors d'une expérience musicale, les individus se rencontrent sur un pied d'égalité. Dans *La Flûte enchantée* de Mozart, par exemple, l'opéra réunit tout le monde, indépendamment de son âge et de son statut social. Nous ne pouvons pas tous devenir joueurs de basketball ou golfeurs, grands entrepreneurs ou banquiers, milliardaires de l'économie numérique, chefs d'État ou solistes renommés. Mais nous pouvons tous faire la même expérience lorsque nous allons au concert ou à l'opéra. Ou lorsque nous jouons de la musique ensemble. C'est une expérience esthétique où ni la renommée ni la prospérité ne comptent. Les différences de classes sociales disparaissent.

Au moment d'expériences sensorielles, les brèches

profondes qui se sont ouvertes dans notre société se referment. Et les frontières s'ouvrent. Les clivages disparaissent. Au cours de mon voyage avec l'Orchestre symphonique de Montréal dans le Grand Nord du Québec, les Inuits ont été touchés par la *Sérénade (Eine kleine Nachtmusik)* de Mozart. Ils n'avaient pourtant jamais rien entendu de semblable auparavant. Partager une expérience musicale signifie nous rencontrer en tant qu'humains, indépendamment de notre rang, de notre origine ou de notre nationalité. On ne ressent cela nulle part avec tant d'acuité qu'en tant que chef d'orchestre, lorsque la musique envahit le public et emplit la salle jusqu'aux dernières rangées et lorsque nous sommes tous, les musiciens et le public, transportés par le flot des sonorités.

La plus belle promesse de la musique réside cependant dans son caractère infini. De même qu'il ne nous sera jamais possible d'élucider l'énigme du pouvoir de la musique, nous ne trouverons pas non plus de fin à la profondeur musicale, pas de réponse définitive aux questions que sondent les œuvres majeures des grands compositeurs. Il me serait impossible de prétendre que j'arriverais à faire le tour d'une œuvre. Celui qui approche la musique avec cet état d'esprit s'en éloigne. Les œuvres majeures sont inépuisables. Elles démasquent la folie utilitariste de notre temps, sa pure démesure. Dans ces chefs-d'œuvre, j'entends chaque fois des nuances nouvelles, des questions nouvelles, qui arrivent encore aujourd'hui à me bouleverser.

BEETHOVEN

Superstar

Dans la forêt, au loin, les coups de hache résonnent sans répit. Les chênes et les hêtres ploient. Les bûcherons travaillent dur et avec entrain. Une atmosphère de renouveau règne : Napoléon est vaincu. Les premiers signes annonciateurs de la révolution industrielle ont déjà réveillé l'économie jusque-là somnolente de Vienne. La ville s'étend ; elle a besoin de bois en quantité infinie pour la construction et pour le chauffage. La forêt de Vienne en donne à profusion. La cité respire l'allégresse et l'optimisme.

C'est avec une légèreté merveilleuse, presque avec douceur, que s'avance alors le deuxième mouvement de la *Huitième Symphonie* de Beethoven, l'*allegretto scherzando,* comme si tout allait pour le mieux dans le meilleur des mondes. Les bûcherons, infatigables, sifflent le petit thème mélodique en travaillant. Les habitants de la métropole musicale de l'Autriche sont portés par l'espérance d'un temps meilleur. Un temps qui leur apportera des machines et, avec elles, un horizon de nouveaux possibles.

Les instruments à vent et leur *staccato* impriment leur rythme à l'*allegretto.* L'espace de quelques mesures, le monde de Vienne paraît se porter au mieux si ce n'est le rythme soutenu des accords des vents, dont l'auditeur prend peu à peu conscience et qui, inflexibles, propulsent en avant la joyeuse mélodie. Sans relâche, les hommes frappent de leur hache les troncs d'arbres jeunes et anciens. Ils ne s'arrêtent pas. Le *staccato* des vents domine, s'impose au premier plan : tout le monde perçoit désormais que l'univers décrit par Beethoven n'est pas parfaitement serein. Une menace plane. Le cœur de la merveilleuse forêt viennoise est maintenant en péril. Combien de temps se dressera-t-elle encore dans toute la beauté qu'exalte Beethoven dans la « Pastorale », son élégiaque *Sixième Symphonie* ?

La musique de Ludwig van Beethoven évoque des images – comme celles-ci, par exemple. Les idées de ses symphonies se transforment en tableaux dans lesquels se reflète l'histoire captivante de la fin du XVIIIᵉ et du début du XIXᵉ siècle. Beethoven insuffle quelque chose d'inquiétant, de pressant, de presque impitoyable à l'*allegretto scherzando* si provocant de sa *Huitième Symphonie.* Le *staccato* des vents talonne les cordes – évoquant des machines en marche, implacables, qui imposent leur cadence aux hommes. Il faudra quand même du temps avant que ceux-ci se rendent compte qu'ils sont désormais les esclaves de leurs propres conquêtes techniques – ironie de l'histoire industrielle qui prend son essor au début du XIXᵉ siècle. Les Viennois ne sont pas les seuls à s'inscrire avec enthousiasme dans cette croissance économique. Le monde occidental tout entier s'est lancé dans une production frénétique. Dès les débuts de l'industrialisation, Beethoven a, semble-t-il, questionné les effets de son évolution à long terme. Le *staccato* provocateur s'interrompt puis reprend, avant de s'éteindre définitivement. Le péril a disparu.

Lorsque je lis les partitions de Beethoven, que je joue sa musique au piano ou que je la dirige, je pense souvent en images. Des images qui se sont transformées au fil des ans, comme ma perception de sa musique. Beethoven est sans conteste le compositeur classique dont la musique a exercé la plus grande influence sur son temps et sur l'histoire des idées. Il n'est pas surprenant qu'il ait grandi à une époque de profonds bouleversements politiques, sociaux et intellectuels : du point de vue historique, Beethoven est le compositeur phare d'une période charnière au cours de laquelle les anciens systèmes sociaux se sont désagrégés et ont fait place à une représentation entièrement nouvelle de la société. Il a vécu la Révolution française, l'abolition des privilèges et droits féodaux, et l'émergence des droits de l'homme.

Lui-même était irrésistiblement attiré par la philosophie du siècle des Lumières. Il admira tout d'abord Napoléon, le soldat de la Révolution, puis le général des armées victorieux, pour ensuite mépriser le souverain despotique de l'Europe qui trahissait les valeurs de la Révolution et, avec elles, le droit à la liberté gagné par les citoyens au prix de leur vie. Beethoven célébra la victoire de Wellington sur Napoléon, suivit le congrès de Vienne et la réorganisation de l'Europe. Il vécut les débuts de la révolution industrielle qui allait, à peine quelques décennies plus tard, faire émerger une nouvelle société de classes. Sa musique témoigne de sa volonté de se confronter aux grandes questions de son temps.

Beethoven est pour moi un compagnon de route, celui de toute une vie ; ses compositions m'accompagnent partout où je vais. Depuis des décennies, j'inscris régulièrement ses symphonies au programme de mes concerts. La raison de cette constance se trouve sans doute dans le pouvoir qu'a sa musique de susciter des images et des pensées – nouvelles à chaque fois, sans que les précédentes perdent pour autant de leur signification. De nouvelles significations s'y ajoutent simplement. C'est au cours de ma jeunesse que j'ai découvert les convictions humanistes de Beethoven, par la suite sa vision de l'homme en tant qu'individu. Qu'en est-il aujourd'hui ? Depuis quelque temps, son énigmatique *Huitième Symphonie* me touche de plus en plus et de manière très différente qu'auparavant.

Enfant, c'est tout d'abord cette profusion de notes et de sonorités qui m'a impressionné dans la musique de Beethoven. Petit altiste dans notre orchestre de Morro Bay, je n'ai naturellement pas immédiatement demandé ce que voulait dire le compositeur avec tous ses sons. Je me souviens de nos répétitions de sa *Troisième Symphonie*, l'« Héroïque », dans laquelle résonne l'idéal de liberté de la Révolution française. Je me rappelle encore exactement comment j'étais, avec mon alto, assis au centre de ce grand ensemble d'enfants et de jeunes d'âges différents. Lorsqu'on fait partie d'un orchestre et qu'en tant qu'altiste on est placé en son cœur, on ne peut que se laisser emporter par le mouvement de la musique. Mon bras déplaçait l'archet parallèlement à ceux des instrumentistes qui m'entouraient, mon corps se balançait au même rythme que le leur, les vibrations m'atteignaient de toutes parts : les sons graves des violoncelles sur la gauche, ceux des vents derrière moi, ceux, plus aigus, des violons sur la droite.

Tous les musiciens d'orchestre connaissent le sentiment de se fondre dans un grand tout lorsque, absorbés par le flux de la musique, rien d'autre n'a plus d'importance. Jouer de la musique dans un ensemble est une expérience des plus marquantes – plus intense encore que celle de l'écoute. C'est avec la musique de Beethoven que j'ai fait pour la première fois l'expérience d'appartenir à une collectivité dans laquelle chacun se vouait corps et âme au même but. Nous étions tous animés du désir de faire de cette symphonie une expérience merveilleuse pour nos auditeurs. La musique de Beethoven a été une partie constituante et constante de mon enfance et de ma jeunesse musicale.

Elle m'a touché différemment en tant que jeune auditeur. L'un des deux grands orchestres de la côte Ouest a donné un concert à l'école secondaire de Morro Bay – ce devait être le San Francisco Symphony ou bien le LA Philharmonic. Le gymnase était comble. J'avais trouvé une petite place derrière le timbalier et j'étais donc juste entre les instrumentistes et le chœur. L'orchestre avait mis au programme la *Neuvième Symphonie* de Beethoven, et aucun élève ne voulait manquer ça. Cette fois, je n'étais pas concentré sur l'interprétation de la musique, mais absorbé par l'écoute – là où j'étais, je me trouvais au centre de l'orchestre, où la température semblait monter continuellement au cours de la *Neuvième* – jusqu'à l'intervention du chœur au dernier mouvement.

Lorsque les chanteurs firent résonner avec toute leur ferveur la grande utopie d'un vivre-ensemble, où régneraient la fraternité, la paix et l'universalité des droits, j'en perdis le souffle. La timbale martelait ce message dans mon oreille. Je pressentais en même temps combien le monde était loin de cette utopie. À cette époque, à la veille de la crise des missiles cubains, la guerre froide atteignait un nouveau sommet. Le public suivait l'évolution de cette crise avec un intérêt doublé d'une inquiétude croissante. Chaque famille était invitée à construire un bunker sur son lopin de terre. Au cœur de l'Amérique, Martin Luther King se battait pour son rêve – l'égalité des droits pour tous les Américains indépendamment de leur origine ou de la couleur de leur peau.

Pour de jeunes gens qui n'ont pas encore atteint l'adolescence, une telle expérience peut être très marquante : l'utopie de la paix et de l'égalité des droits, dont le roi David parlait déjà dans ses psaumes, mille ans avant Jésus-Christ. Mais l'homme n'est pas pacifique ; j'avais bien sûr déjà ressenti et compris que le désir de fraternité n'advenait pas de lui-même, je savais aussi qu'il ne fallait jamais renoncer à l'espoir de la paix. Ce moment dans le gymnase de notre école ne marque peut-être pas le début de mon étude des symphonies de Beethoven et de mes recherches sur ce qu'il cherchait à transmettre à l'humanité, mais il s'agissait de ma première prise de conscience que des idées étaient au fondement de sa musique. Plus tard, celle-ci m'a entraîné dans l'Europe du XIXe siècle et m'a porté à approfondir l'étude de l'histoire et de la vision de l'homme qui a pris forme à cette époque.

Qu'entend-on par l'homme ? Que signifie la dignité humaine ? Et dans quelle société devrait-il vivre ? Beethoven traite de toutes ces questions dans son œuvre. Les idées portées par l'esprit des Lumières, l'insistance sur l'autodétermination et l'exigence de liberté, avaient pour moi une signification fabuleuse. Peut-être était-ce dû en partie aux temps troublés dans lesquels étaient plongés les États-Unis, à la fin des années 1960, et aux débats sociopolitiques extrêmement tendus qui dominaient les années 1970. Les grandes symphonies de Beethoven, en particulier la *Troisième,* la *Cinquième,* la *Septième* et, bien sûr, la *Neuvième,* traitent de ces pensées humanistes capitales. Ce que Beethoven affirme dans sa musique est intemporel. Je pressentais alors, pour la première fois, que la liberté de l'homme et son droit à l'autodétermination, loin d'être garantis, étaient un combat de tous les instants contre ceux qui les menacent.

Dans une phase ultérieure de mon étude des symphonies de Beethoven, ce furent sa vision de l'homme et l'individualisme qui la sous-tend qui m'ont fasciné. Il était l'un des premiers compositeurs mus par la conviction que l'homme disposait de tous les moyens nécessaires pour s'améliorer, se transformer, qu'il pouvait travailler à grandir et à faire prospérer sa vie grâce à l'éducation, à l'expérience et à l'effort – sans négliger celui du renoncement. Voilà pourquoi l'espérance habite le cœur de la musique de Beethoven, pourquoi nous pouvons nous laisser entraîner par elle et croire en nous-mêmes. C'est l'idée d'évolution, et non celle d'un résultat quelconque, qui se trouve au premier plan de sa musique. Sa musique devrait mener les gens plus loin, les rendre meilleurs. Malgré la puissance et la richesse sonore de ses symphonies, s'y trouve aussi l'invitation aux auditeurs de se servir de leur entendement, de se remettre en question et de réfléchir sur leurs actions.

Ce qui m'est apparu dans mes jeunes années électrisait déjà les gens du temps de Beethoven. Le besoin de liberté et d'autodétermination était trop impérieux pour que sa musique les laisse indifférents. Les changements étaient dans l'air, la musique de Beethoven donnait expression à ce climat. Elle était nouvelle, autre, géniale. Cela explique en partie le phénomène Beethoven : il était une vedette à son époque et il a bouleversé en profondeur l'univers musical européen. Après lui, rien ou presque n'était plus comme avant. Il a établi avec ses symphonies les fondations d'une tradition orchestrale, d'une tradition de concerts qui nourrit la vie musicale aujourd'hui encore.

Avec lui, le compositeur s'établit comme artiste indépendant. Il n'est plus employé comme maître de chapelle dans une église ou au service d'un aristocrate, mais il peut, s'il le désire, mener une vie indépendante – avec tous les risques que cela comporte. La musique prévalait bien sûr pour Beethoven, elle était cependant aussi une sorte d'entreprise, dans laquelle il cherchait toujours à négocier les meilleures conditions possible – il négociait avec les éditeurs, bataillait pour faire augmenter le prix des places, investissait son argent dans des actions. Il a obtenu de mécènes fortunés une sorte de rente viagère en les menaçant de quitter Vienne et il est mort, malgré des périodes de vie précaires, dans une relative aisance. Il a été ainsi le premier à vivre une vie d'artiste moderne.

De toute évidence, sa vie ne se résume pas à cela. Beethoven a élevé l'art de la composition à une forme artistique autonome. La détérioration de son ouïe s'étant muée bien avant sa mort en surdité complète, il n'était plus question pour lui, qui était pourtant l'un des plus grands pianistes virtuoses de son temps, de jouer ni de diriger ses œuvres. Il dut laisser cela à d'autres.

L'évolution à mes yeux la plus fascinante se trouve dans l'ampleur toute nouvelle du public qu'il a touché : ce n'était plus seulement, désormais, une petite élite de la société qui se réunissait pour le plaisir de la musique classique, mais une nouvelle classe moyenne bourgeoise, apparue pendant ces années charnières de l'histoire européenne. Les concerts viennois de Beethoven étaient – pour reprendre une expression d'aujourd'hui – de véritables événements. Deux mille personnes se rendaient aux académies qu'il organisait. Il en allait alors comme des concerts pop : le public était parfois si enthousiaste qu'il commençait à applaudir frénétiquement dès le deuxième mouvement d'une symphonie.

Beethoven n'entendait rien de tout cela. Les gens ont commencé pour cette raison à agiter les bras, leurs chapeaux, leurs mouchoirs. On parlait des concerts dans les journaux, parfois plusieurs jours d'affilée. Beethoven a été célébré, parfois critiqué, mais rarement violemment.

Près de 20 000 personnes ont suivi son cortège funèbre, dans une ville comptant environ 400 000 habitants. Beaucoup étaient en larmes. On imagine combien de gens de nos villes de plusieurs millions d'habitants suivraient pareil cortège aujourd'hui si une star de la pop était ainsi portée en terre. Beethoven n'était pas simplement devenu immortel grâce à son art, il avait aussi profondément bouleversé le monde de la musique. Par-dessus tout, ses pensées et ses idées musicales avaient immédiatement conquis un très grand nombre de gens.

C'est certainement la raison pour laquelle on doit essentiellement à ses symphonies et à *La Victoire de Wellington* – œuvre orchestrale moins souvent jouée aujourd'hui – le développement d'une nouvelle forme de culture du concert. Sa musique touchait les gens en cette époque d'évolution vers une société moderne, ouverte et moins fondée sur les privilèges. Elle véhiculait les valeurs modernes de son temps, la liberté et l'égalité, les droits de l'homme, la cohésion sociale. Beethoven exprime, par son langage sonore, un nouveau consensus social – celui selon lequel l'individu, indépendamment de sa naissance et de son statut, a droit à la dignité, à prendre part à la société, à réussir et à tracer son propre chemin.

Beethoven était le compositeur de la bourgeoisie, un protagoniste important de cette nouvelle conscience bourgeoise. Qu'il y soit parvenu de manière aussi extraordinaire, que sa musique ait si directement parlé aux gens, est sûrement l'une des raisons pour lesquelles est née, grâce à lui, une tradition de concerts d'orchestre entièrement nouvelle. Des individus de toutes les classes sociales purent se côtoyer ; ils trouvèrent dans les salles de concert un espace partagé, et dans la musique la possibilité de rêver. Personne n'avait plus que Beethoven conscience de cette nécessité – et de la possibilité de rendre la musique accessible à des couches plus larges de la population.

Peut-on entendre tout cela aujourd'hui, quand un concert propose une symphonie de Beethoven ? Je le crois, absolument. Et cela, peu importe le degré de compréhension musicale de l'auditeur. Peut-être connaît-il la structure d'une sonate ou les bases de l'orchestration et sait-il quelles conventions musicales Beethoven a jetées par-dessus bord pour donner à sa musique ce son si nouveau. Peut-être s'est-il déjà penché de près sur la technique de composition que pratiquait cet exceptionnel artiste pour faire valoir le sens et l'importance de chaque instrument, ou sur la manière dont il joue avec la dynamique et le tempo, dont il interrompt soudain les thèmes afin de faire place à des idées ? Peut-être l'auditeur sait-il déjà tout cela, ou peut-être pas. À chaque concert, il y a de nombreux auditeurs qui n'ont jamais étudié de partition. La plupart, sans doute, ne savent pas lire la musique. Mais tout cela n'est en aucun cas nécessaire. On peut tout de même entendre les idées de Beethoven dans sa musique, les ressentir, les éprouver dans tout leur drame, leur légèreté chatoyante, leur provocation et leur ironie – chacun des auditeurs donnera alors libre cours à des idées nouvelles.

La provocation et l'ironie s'imposent dans la *Huitième Symphonie,* qui me préoccupe tant ces temps-ci. Cette œuvre, qui déjà lors de sa création à Vienne a eu un effet bien moindre sur l'auditoire et sur les critiques que la *Septième*, a longtemps fait figure de poids plume parmi les neuf symphonies. Toutes les autres semblaient plus importantes. La *Huitième* fut toujours la petite symphonie, une œuvre sereine, avant que l'auditeur ne se laisse emporter par la *Neuvième*. On peut chantonner les mélodies de la *Huitième*, surtout celle de l'*allegretto scherzando*. Jusqu'à aujourd'hui, la petite symphonie est celle qui suscite le moins d'intérêt dans la documentation pourtant foisonnante sur Beethoven.

J'ai longtemps considéré la *Symphonie nº 8* comme une sorte de rétrospective ou de retour sur les symphonies précédentes et sur l'art de la composition qui s'y déploie, peut-être même comme un hommage à Haydn, que Beethoven admirait tant, ou tout du moins à son style. Il me semblait que Beethoven reculait cette fois devant sa propre modernité, sa force d'expression. La *Huitième Symphonie* est écrite pour un orchestre plus modeste ; elle est de forme plus classique et plus courte. Je percevais les *Septième* et *Huitième* comme une paire de contraires : d'un côté, la grande symphonie dramatique, celle de la libération de l'Europe du joug de Napoléon ; de l'autre, une œuvre pleine d'allégresse.

Aujourd'hui, la *Huitième Symphonie* ne m'apparaît plus comme un recul, mais au contraire comme une avancée d'une grande force musicale. Je la découvre sous un jour nouveau et en fais l'expérience tout différemment. C'est une nouvelle phase de mon étude de l'œuvre de Beethoven. Je soutiens désormais que la *Huitième* est l'une de ses symphonies les plus combatives. Terriblement hardie, elle nous somme d'affronter le temps et les perceptions que nous en avons. Au début de la révolution industrielle, Beethoven semble déjà pressentir que, avec la modernité, d'autres « temps », au sens propre du mot, se préparent, qui apporteront l'agitation aux hommes, les condamneront à travailler, à réagir et à décider toujours plus vite. Si Beethoven a jamais saisi l'instant de cette accélération dans sa musique, c'est dans la *Huitième*. Dès lors, elle est plus actuelle que jamais. L'histoire de la modernité est une histoire d'accélération permanente, dans laquelle le temps gagné grâce aux progrès techniques stupéfiants de l'homme ne contribue plus à le libérer mais, paradoxalement, le force à aller toujours plus de l'avant. Au XXIe siècle, dans les sociétés libres, la question de l'autodétermination et celle de l'assujettissement sont d'une brûlante actualité.

Mais comment au juste le compositeur s'exprime-t-il ici ? Par quels moyens musicaux parvient-il à mettre au premier plan la question du temps et la manière dont chacun le perçoit ? C'est dans sa symphonie apparemment la plus classique, où l'allégresse et la joie de vivre dominent au premier abord, que Beethoven compose à rebours de tous les usages. Il prescrit au premier mouvement, l'*allegro vivace con brio,* une progression dynamique qui n'a aucun équivalent dans l'histoire de la musique : il indique un *forte* continu pour cinquante mesures, mais ce n'est qu'ensuite que commencent les choses sérieuses. Beethoven exige que ce soit encore plus fort, il requiert des musiciens un double, puis un triple *forte.* Dans le mouvement qui suit, où le tempo est indiqué de manière très précise, il travaille avec le *staccato* des vents, presque agaçant, mentionné plus haut. Le troisième mouvement foisonne de *sforzati,* donc de fortes accentuations de notes seules ou d'accords, qu'il a disposés de manière qu'ils contrarient la métrique fondamentale qui, elle, nous paraît si claire. Il en use de façon prodigue : plus de vingt accents de la sorte se trouvent dans la seule introduction du mouvement. Une fois qu'on les a remarqués, on ne parvient plus à se les enlever de l'esprit. Ne s'agit-il là vraiment que d'une farce, de rien d'autre que de l'enjouement, de l'humour, une petite satire musicale divertissante ?

Il n'est bien sûr pas nécessaire de penser à la disparition de la forêt viennoise en écoutant la *Symphonie n° 8,* comme je l'ai fait en début de chapitre. L'œuvre de Beethoven peut être entendue à un autre niveau, plus abstrait : le compositeur s'intéresse aux manifestations du temps et à la façon dont les individus l'appréhendent et le ressentent. Le temps est décrit comme lent ou rapide, calme ou frénétique, continu ou discontinu. Impitoyable, parfois. Si l'on porte son regard sur les profonds bouleversements qui ont marqué la fin du XVIIIe et le début du XIXe siècle, le désir radical d'un changement de société était manifeste – il trouva expression dans la musique. On peut aussi rapporter la musique de Beethoven à une dimension strictement individuelle – chacun fait face, dans des périodes de bouleversements, à la question de la continuité et de la discontinuité. Cette inquiétude latente trouve son expression suprême dans la *Huitième Symphonie.* Elle parcourt l'œuvre entière. Très différemment d'ailleurs que ne le fait la *Septième Symphonie,* qui se rapporte concrètement au moment de la libération de l'Europe.

L'idée du temps et de ses multiples perceptions m'interpellent. Peut-être est-ce la raison pour laquelle je suis revenu à la *Symphonie n° 8*. Ou inversement : peut-être la symphonie m'a-t-elle rapproché de cette idée. Il est possible que mon désir de me plonger à nouveau dans cette œuvre, dont j'ai déjà lu et analysé la partition un nombre incalculable de fois, ne soit pas une décision simplement aléatoire. Ma propre perception du temps se transforme tout autant que la compréhension que j'en ai. L'âge invite à méditer sur la signification du temps, réflexion qui revêt moins d'importance dans les jeunes années. Les idées, la raison, le cœur et l'esprit sont alors au premier plan. Aujourd'hui, pour moi, la question du temps domine.

Peut-être l'énigme de la *Huitième Symphonie* se trouve-t-elle précisément ici, dans ce jeu déroutant du temps et des perceptions que nous en avons. L'étude de la symphonie me force à m'interroger sur ma propre perception du temps, dont l'accélération ne semble pas s'accorder avec ma mesure, avec mon rythme en tant qu'artiste. En outre, dans cette petite symphonie, au premier regard plus ordinaire, Beethoven met le moment vécu en contraste avec le progrès inexorable du temps purement physique et avec notre impuissance à le suspendre et à préserver ainsi certains moments. Il n'est nulle part aussi clair que dans cette symphonie que la musique – contrairement à la peinture – s'écoule dans le temps. Le temps lui-même devient thème de la symphonie. La musique est le temps. Elle s'écoule, comme la vie.

Les idées de Beethoven sont, en revanche, intemporelles : l'homme lutte contre la technique, il prend un jour conscience de sa naïveté à s'être fait esclave de ses propres inventions – et il ne parvient pourtant plus à se passer d'elles. Le *scherzo* de cette *Huitième Symphonie* : quelle raillerie de notre dépendance aux téléphones intelligents, qui ont encore accru le rythme effréné de nos vies !

La fin de la *Huitième Symphonie* est le contraire de ce qui est apparu précédemment. Beethoven prend soudain tout son temps. Après un *vivace* sans répit, la coda met cinquante mesures pour atteindre l'accord final. Cette différence spectaculaire montre une certaine impertinence, même si elle est due, en partie aussi, à l'évolution harmonique. Que cherche à dire Beethoven par cette variation nouvelle du jeu avec le temps ? Raille-t-il les traditionalistes lorsqu'il confère un tempo endiablé et une bonne dose d'ironie à sa symphonie aux allures classiques ? S'amuse-t-il de ceux qui n'ont pas encore compris qu'une ère nouvelle a commencé ? Non seulement dans l'art de la musique, mais à Vienne, en Europe, dans toute l'histoire de la civilisation ?

Nous ne le savons pas vraiment, car la plus énigmatique de ses symphonies est bien la *Huitième*. D'un point de vue purement musical, elle est, à sa manière, révolutionnaire. Dans cette œuvre, Beethoven s'est une fois encore retourné, il a jeté un dernier regard sur l'ancien ordre du monde, s'en est moqué, en a cassé les formes et les a recomposées. À l'instant où retentit le dernier accord, les temps anciens sont révolus, terminés, achevés. La voie est libre pour la *Neuvième* – nouvelle, tout autre, remarquable. C'est une symphonie qui relègue dans l'ombre toutes celles qui l'ont précédée. Une césure dans l'histoire de la musique. Après la *Huitième,* d'une hardiesse extrême, la voie de la musique nouvelle est ouverte. Le temps des grandes utopies est advenu.

« L'art exige de nous que nous ne restions pas immobiles », dit Beethoven. C'est précisément ainsi que le compositeur a vécu. Il a exploré, transformé, révolutionné les formes musicales et composé de manière si moderne et si dissonante dans ses œuvres tardives de musique de chambre que sa musique n'était plus comprise de certains de ses contemporains. Celui qui se penche sur la musique de Beethoven s'aventure tout près du cratère d'un volcan. Le sol est trop brûlant pour qu'on y demeure indéfiniment. Les tempi rapides, les idées musicales toujours changeantes, les dynamiques qui nous réservent des surprises, la profusion explosive de ces traits de génie – tout cela pousse l'auditeur vers l'avant. « L'art exige de nous que nous ne restions pas immobiles » – ce n'est pas l'art seul, mais Beethoven qui l'exige de nous. Il ne nous permet pas de nous arrêter, sa musique nous invite toujours à quelque chose d'autre et de nouveau.

Il en va ainsi de bien des gens, pas simplement de moi. On ne peut savoir quand et comment la violence de sa créativité nous frappera et nous fera tourner le regard dans une nouvelle direction. C'est le secret de Beethoven. On ne peut prévoir laquelle de ses œuvres déploiera soudain une puissance inouïe et nous conduira à une pensée neuve sur la musique, sur le temps, sur les êtres humains qui nous entourent ou, enfin, sur nous-mêmes.

CHAPITRE 4

Des héros, des patins
et jamais de compromis

Il sera [...] impossible d'éluder la question de savoir si ce qui arrive aujourd'hui à la culture, selon une tendance générale, n'est pas le prix à payer pour ses propres errements, n'est pas dû à ce qu'elle a provoqué en se repliant sur elle-même, telle une sphère privilégiée de l'esprit, au lieu de s'épanouir par un ancrage dans la société.

THEODOR ADORNO dans les derniers essais publiés de son vivant, *Wissenschaftliche Erfahrungen in Amerika* (recherches expérimentales en Amérique), 1969

Une musique décalée pour les jeunes

Les sept violoncellistes de l'Orchestre symphonique de Montréal n'ont pas manqué leur entrée. Ils ont été acclamés dès leur apparition sur scène, tels des stars de la pop, accueillis par des applaudissements frénétiques avant même que la première note de *Messagesquisse,* de Pierre Boulez, n'ait été jouée. Cette composition pour violoncelle solo et six violoncelles, que j'avais mise au programme, est difficile d'accès, surtout pour des oreilles peu entraînées.

Le caractère statique du début de l'œuvre ressemble à une provocation et requiert toute la patience de l'auditeur au cours des premières minutes. La suite est franchement dissonante, puis la mélodie se fait plus vivante et enfin virtuose. Or rien de cela n'a posé de difficultés au jeune public. Loin d'être intimidé, il a fait corps avec la musique dès les premiers instants. À aucun moment nous n'avons perçu le malaise que nous redoutions. À peine les musiciens avaient-ils joué la dernière note qu'ils ont été ovationnés avec effusion – comme c'est le cas dans les concerts d'un tout autre type de musique. Sur scène, les violoncellistes ont d'abord semblé assez surpris, presque déroutés – en une soirée, ils étaient devenus des vedettes à Montréal.

C'est ainsi qu'en octobre 2010 *Messagesquisse* de Pierre Boulez a inauguré ce concert un peu particulier, premier rendez-vous d'une nouvelle série pour le moins extravagante que nous avions nommée « OSM éclaté » – non sans raison. Nous avions en effet conçu cette série pour un public un peu différent : des adolescents et de jeunes adultes à la recherche d'autres expériences que celle d'un concert traditionnel de musique classique, et à des heures différentes. Les concerts de cette série commencent à 21 heures, donc nettement plus tard que ceux des séries régulières. Le coup d'envoi d'« OSM éclaté » n'a pas eu lieu dans notre salle de concert, comme à l'accoutumée, mais dans l'entrepôt de la brasserie Molson. La *Première Symphonie* de Mahler était programmée après Boulez, et pour la fin du concert nous avions invité, avec la collaboration de l'organisation Mutek, le musicien Thomas Fehlmann, une quasi-icône de la scène électronique montréalaise.

Pour intéresser la jeune génération à la musique classique, me disais-je alors, il nous faudrait la lui présenter dans un cadre et un contexte qui lui soient plus familiers que ceux d'une salle de concert, avant qu'elle en trouve le chemin par elle-même. Autrement dit, nous allions devoir remettre en question tous les aspects d'une présentation de concert traditionnelle.

L'idée était simple : offrir aux jeunes la possibilité d'entendre une musique introuvable sur YouTube et impossible à télécharger sur une plateforme. Et afin de les convaincre, il nous fallait la mener à eux plutôt que d'attendre qu'ils se retrouvent un jour – par mégarde, pour ainsi dire – dans notre salle de concert.

Molson dispose, près du Vieux-Port, d'un superbe entrepôt de brique construit au début du XXe siècle. Cet endroit inusité et décalé correspondait exactement à ce que nous recherchions. Cependant, nous ne savions pas si la jeunesse allait s'enthousiasmer pour le concert ni, du reste, combien de personnes s'aventureraient jusque-là. En fin de compte, l'entrepôt fut plein à craquer ; un tout nouveau public s'était pressé aux portes : beaucoup de jeunes ainsi qu'un certain nombre d'adultes curieux. Le concert affichait complet.

L'engouement des jeunes lors de notre premier concert « éclaté » à la brasserie Molson m'a surpris moi-même. J'ai été particulièrement impressionné par la concentration et le sérieux avec lesquels ils se sont laissé entraîner dans la *Première Symphonie* de Mahler. Cette œuvre complexe ne rend pas la tâche aisée aux auditeurs – surtout s'ils se rendent pour la première fois à un concert classique et que la symphonie s'étire sur plus d'une heure. Pourtant, nous n'avons vu ni désintérêt ni lassitude chez le public, qui n'a jamais senti que cette musique lui échappait. Le lieu avait certes été choisi pour son accessibilité, et c'est peut-être ce qui a permis aux jeunes de surmonter leurs réticences. Sans doute la participation d'une star de la scène électronique mont-réalaise explique-t-elle aussi cet enthousiasme. On pourrait d'ailleurs objecter que nous avons cherché à nous faire bien voir d'une jeunesse au fond peu intéres-sée par la musique classique. Mais à mes yeux, le pro-gramme exigeait beaucoup d'eux. Nous n'avons pas joué de symphonies de Mozart ou de Beethoven, des pièces qu'ils avaient peut-être eu l'occasion d'entendre ailleurs – notamment dans une de ces innombrables publicités pour des voitures, de la bière ou de la nourriture pour chats. Ce fut le premier concert de cette série. Et ce fut le plus excitant.

J'étais alors directeur musical de l'Orchestre symphonique de Montréal depuis déjà quelques années. J'avais pris la direction de cet ensemble autrefois renommé à l'échelle internationale, en 2006, une période délicate marquée par de nombreux défis. Les conditions que j'avais trouvées à mon arrivée laissaient penser qu'il n'y aurait pas de succès facile et que le travail ne manquerait pas. Mais c'était une situation stimulante parce qu'elle nous offrait la chance de replacer l'orchestre, composé de tant de musiciens d'excellence, au cœur de la vie culturelle de la ville et de lui redonner un rayonnement mondial.

L'OSM était un merveilleux défi. Nous souhaitions multiplier les expériences, faire de la maison symphonique un « laboratoire », la métamorphoser en atelier et voir ce que nous pourrions offrir avec des moyens financiers limités. Le devoir d'optimisation était clair : sans accroître le budget, je voulais que le taux de fréquentation augmente et, par-dessus tout, que la moyenne d'âge du public baisse. L'auditoire devait être à l'image de la population de Montréal. De la même manière, je tenais à ce que le son de l'orchestre, ses apparitions sur scène et son répertoire reflètent la singularité de la ville, les idées et les valeurs de ses habitants ; il fallait que l'orchestre entre en résonance avec la perception que les Montréalais ont d'eux-mêmes. Il se devait d'être à la hauteur de l'offre culturelle particulièrement riche de cette métropole si singulière, afin que le plus grand nombre de personnes possible le considèrent comme une priorité. L'année 2006 avait quelque chose d'expérimental ; une certaine tension régnait, propre à la magie des débuts. Parviendrions-nous à convaincre les gens de la pertinence de la musique classique dans le monde actuel ?

Un orchestre sans chef

Depuis sa fondation en 1934, l'Orchestre symphonique de Montréal a été dirigé par de nombreuses personnalités, dont Wilfrid Pelletier, Igor Markevitch, Zubin Mehta et Rafael Frühbeck de Burgos. Il semble cependant, indépendamment de son excellence, qu'il ait mis plusieurs décennies à atteindre la renommée internationale des « Big Five » nord-américains. Grâce aux progrès économiques fulgurants du Québec et de l'importance nouvelle que la province accordait aux arts, une période réellement extraordinaire débuta. Puis l'orchestre, sous la direction du chef d'orchestre suisse Charles Dutoit, atteignit une célébrité mondiale.

Charles Dutoit prit ses fonctions de directeur musical de l'OSM en 1977. Au cours des presque vingt-cinq années où il occupa ce poste, l'orchestre acquit un son unique et un prestige international. Je me souviens encore de l'intérêt croissant, doublé d'une vraie fascination, que suscitaient chez moi ses nombreuses réussites.

Dutoit était jeune, il avait à peine quarante ans lorsqu'il prit la direction de l'OSM. Avec lui, l'orchestre

partit en tournée, joua dans les salles les plus presti-
gieuses et signa, en 1980, un contrat à long terme avec
Decca London, chez qui il fit paraître près de quatre-
vingts enregistrements qui connurent un prodigieux
succès. *Daphnis et Chloé* de Ravel, qui inaugura cette
collaboration, fut aussitôt distingué. L'enregistrement
du *Boléro* de Ravel reçut, lui, un disque de platine : on
en vendit plus de cent mille exemplaires au Canada seulement. Couverts de prix et d'honneurs, l'orchestre et
Charles Dutoit se tenaient, dans les années 1980, au premier plan de la scène classique internationale. Ils avaient
acquis, aux yeux des musiciens plus jeunes et de la
population, le statut de stars. À l'occasion des cinquante
ans de l'orchestre, le gouvernement canadien émit
même un timbre-poste en l'honneur de l'OSM. Lors
d'une invitation de l'orchestre, j'avais rencontré Dutoit
et je m'étais pris d'amitié pour cet homme dont j'admi-
rais le travail artistique.

Or ces moments de gloire cédèrent la place à une
période plus sombre dans les années 1990. Le contrat
d'exclusivité avec Decca prit fin en 1997 ; le label britannique, qui se trouvait dans une phase de restructuration,
ne conserva à l'orchestre que quelques contrats d'enregistrement jusqu'en 2002. L'ère d'Internet avait alors à
peine commencé, et il demeurait essentiel de tenir à jour
sa discographie, non seulement pour les solistes, mais
aussi pour les orchestres. Par ailleurs, la fréquentation
des concerts baissait, l'orchestre perdait des abonnés, le
public vieillissait et les dettes croissantes réduisaient
toujours plus la marge de manœuvre de l'institution.

Dans ce contexte difficile, les tensions s'accrurent ;

le fossé grandissant entre l'orchestre, le chef et l'administration était affaire publique – ce qui est préjudiciable dans une ville où la diversité et la qualité de l'offre culturelle sont fabuleuses. En effet, on trouve à Montréal rien de moins qu'une grande troupe de ballet, une compagnie d'opéra, plusieurs musées extraordinaires, deux orchestres symphoniques, une scène électronique réputée et des festivals de renom. Le sport y joue également un rôle prépondérant, notamment les matchs de hockey, qui prennent bien souvent le pas sur les soirées de concert.

En avril 2002, cette période délicate s'acheva avec perte et fracas. À la suite d'un conflit public éprouvant, le maestro et l'Orchestre se séparèrent subitement. La saison 2002-2003, celle du jubilé d'argent de Dutoit, avait été organisée avec une méticulosité toute particulière. Il devait s'agir d'une grande célébration qui permettrait à l'orchestre de se produire de nouveau à l'international. On m'avait d'ailleurs engagé à y prendre part en tant que chef invité. Au lieu d'une saison brillante, l'ère Dutoit prit fin sur un coup d'éclat. Il se retira. Personne ne savait ce qui allait se passer ensuite.

L'administration parvint à maintenir une certaine stabilité dans les années qui suivirent et à assurer la survie de l'orchestre sans directeur musical. Mais l'année 2005 fut marquée par de nouvelles difficultés. En 2003, un an après le départ de Dutoit, les musiciens avaient entamé des négociations salariales, et au bout de deux ans, celles-ci n'avaient toujours pas abouti. Le conflit avec l'administration semblait désormais sans issue. De nombreux Montréalais se rappellent sans doute le dernier concert de la saison 2004-2005, au cours duquel les musiciens portaient un t-shirt rouge au lieu de leur habit traditionnel. La grève commença peu après – une des plus longues qu'un orchestre nord-américain se fût risqué à mener jusque-là. Pas une note ne fut jouée pendant plus de cinq mois. J'ai même eu vent de la situation, malgré la distance qui me séparait de Montréal à l'époque : l'opinion publique commençait à se demander si l'orchestre remonterait un jour sur scène. Depuis sa fondation, cet ensemble si prestigieux ne s'était jamais trouvé en situation si périlleuse.

C'est dans ce contexte que j'ai pris mes fonctions de directeur musical en 2006. Certains collègues m'avaient conseillé de renoncer, m'avaient averti que l'orchestre serait ingérable. En réalité, ils n'en savaient rien ; ils s'étaient contentés de lire la presse et d'en tirer des conclusions. Pour ma part, je l'avais déjà dirigé et je savais que ses musiciens pouvaient montrer une expressivité exceptionnelle. Et cela rendait l'orchestre infiniment séduisant.

J'étais par ailleurs captivé par la spécificité de Montréal, l'une des plus grandes villes francophones de la planète. J'aimais cette métropole, avec ses 1,6 million d'habitants, qui – je le ressens ainsi aujourd'hui encore – étaient résolument attachés à l'Europe. Le charme français y est, pour moi, évident. Mais j'y ai découvert beaucoup plus, et notamment le Québec et la manière tout à fait fascinante dont la province se perçoit. Avec sa langue, sa culture et ses institutions, elle représente au Canada une communauté à part entière revêtant les attributs d'une nation. Fière, tournée vers l'Europe, combative, aux élans nationalistes, généreuse, novatrice et passionnée – c'est ainsi que je perçois la ville et que je décrirais, de façon peut-être un peu générale, le caractère de ses habitants. À ces qualités se combine le mode de vie caractéristique d'une société d'immigrants en Amérique du Nord, qui est très familier au Californien que je suis. Montréal est une ville internationale, tolérante, ouverte aux autres langues et aux autres cultures. Ce n'est pas sans raison que la ville est dotée d'une scène culturelle très jeune et avant-gardiste. En somme, Montréal est un lieu où, comme je me le dis souvent, je respire bien.

Avant d'accepter ce poste, je m'étais informé de la manière la plus exhaustive possible. Il est vrai que la ville n'est pas riche. La question de la souveraineté avait, par le passé, suscité l'inquiétude de bien des entreprises et investisseurs. Dès les années 1970, Montréal avait perdu sa position dominante au profit de Toronto, lorsque les échanges intercontinentaux avaient pris le pas sur les échanges transatlantiques. Deux conséquences en résultaient dont j'avais pleinement conscience : l'OSM recevait moins de subventions publiques que les orchestres d'autres métropoles où la culture avait une structure financière analogue ; et comme le budget des auditeurs n'était pas inépuisable, le prix des places devait en tenir compte.

J'ai pris mes fonctions à l'été 2006, au moment même où je commençais mon mandat à l'Opéra d'État de Bavière, à Munich. Le défi était cependant infiniment plus grand à Montréal. Il allait falloir surmonter de nombreuses difficultés, et la priorité était de renouveler le public. L'orchestre aspirait à la stabilité, à de nouvelles idées, à un leadership. Je connaissais bien les musiciens et savais qu'ils étaient ambitieux et prêts à prendre des risques. Considéré dans son ensemble, tout cela était bien loin de ne constituer que des obstacles : en pareilles circonstances, il est souvent possible de faire évoluer les choses de manière étonnante.

Une maison en conflit et au budget limité, une population ouverte d'esprit sans être particulièrement riche, un public vieillissant – comment parvient-on à tirer le meilleur parti d'une telle situation ? Ma réponse est sans doute plus simple que vous ne l'imaginez. L'orchestre doit créer une proximité, permettre à la musique de se rapprocher des gens – sur le plan des idées, mais aussi au sens littéral : se rapprocher de leur espace de vie. Il faut donc une vision d'ensemble propre à susciter l'engagement des auditeurs ainsi que des références concrètes pour chacun des programmes. Il est également nécessaire de descendre de sa tour d'ivoire pour jouer là où se trouve le public. Tout cela exige de la créativité et une prise de risque afin de rompre avec certaines conventions. Je savais pertinemment qu'un échec était possible.

Un nouvel élan

Mon équipe et moi avons pris notre courage à deux mains et décidé de redéfinir l'approche de l'orchestre. Il est crucial que les auditeurs considèrent leur orchestre comme unique, voire irremplaçable. Pour ce faire, il faut que la musique qu'il interprète soit le reflet de l'histoire du pays, des habitants de la ville et de l'orchestre lui-même. En d'autres termes, on ne peut pas présenter Beethoven dans la ville francophone de Montréal de la même façon qu'à Berlin, à Munich, à New York ou même à Vancouver. Quand nous le jouons à Montréal, Beethoven résonne alors de manière unique.

Pourquoi est-ce si important ? Permettez-moi d'avancer quatre raisons : tout d'abord, je cherche à établir des rapports privilégiés avec la région, à créer un lien durable entre la musique et les habitants de la ville où l'orchestre est établi, afin que celui-ci en devienne une partie constitutive et que les gens aient la possibilité de s'y identifier. Plus les particularités d'une société se retrouvent dans un orchestre, se reflètent dans son répertoire, dans le son qu'il produit, plus la singularité de l'ensemble et l'identification du public sont fortes. Et progressivement, ce sont de nouveaux auditeurs, plus jeunes et plus divers, qui viennent assister aux représentations. Chaque fois que nous sommes sur scène, il faut que notre public ressente l'estime que nous avons pour lui et l'importance que nous lui accordons. Sans lui, notre salle se viderait, nous ne pourrions plus justifier du soutien des pouvoirs publics, qui représentent quarante pour cent du budget global de l'orchestre, et rapidement nous n'aurions plus l'occasion de jouer ensemble. Ce lien profond avec les auditeurs locaux, cet ancrage dans la communauté est la base d'un rayonnement régional, national et, enfin, international.

Deuxièmement, je ne connais pas de meilleure façon d'illustrer la pertinence actuelle d'une œuvre de deux ou trois cents ans – une symphonie ou un oratorio, par exemple –, de montrer qu'elle n'a rien d'un artefact de musée. Si un jour je ne parviens plus à relier une composition au cadre de la vie quotidienne de ceux qui achètent les places de concert, et qui soutiennent l'orchestre par leurs impôts, la musique perdra pour eux toute résonance particulière. Et je perdrai assez rapidement ma légitimité en tant que chef d'orchestre.

3 – Troisièmement, la singularité du son d'un orchestre est le fruit du contexte. Ce son prend forme grâce au contenu des programmes, à l'engagement des différents acteurs, au rapport privilégié de l'orchestre avec la région, donc, grâce à toute la palette des expériences offertes au public. C'est ainsi qu'au fil des ans l'orchestre deviendra irremplaçable, qu'il se transformera – pour user du jargon économique qui a cours depuis longtemps déjà dans notre industrie – en une marque de référence.

4 – Quatrièmement, nous gagnons par là la confiance du public, essentielle pour s'engager ensemble dans de nouvelles œuvres, pour que de nouvelles compositions ou un répertoire qui n'était pas souvent interprété auparavant puissent trouver leur place dans notre programmation.

Si vous me demandiez de décrire le son de l'Orchestre symphonique de Montréal aujourd'hui, je répondrais sans doute : « québécois », c'est-à-dire brillant, chaud, svelte, élégant, pas très américain, mais pas strictement européen non plus. Ou mieux : « C'est l'effet recherché. » L'expérience du concert est incontournable pour qualifier le caractère propre, différent de l'orchestre. Pour différencier le son des grands ensembles internationaux, qui, tous sans exception, s'appuient sur les mêmes fonds de répertoire et des musiciens à la formation similaire, il faut s'attarder aux nuances. Aussi, l'approche, la conception d'un programme sont d'une importance capitale, puisque c'est le contexte dans lequel l'orchestre présente ses œuvres qui définit la singularité de celui-ci.

Strauss, ou comment bâtir une programmation

Comment prend forme une idée de programme ? En d'autres termes : comment créer un lien entre la musique et la vie des gens, et par là, cette proximité qui m'est si chère ? Nous avons programmé *Ein Heldenleben (Une vie de héros)* de Richard Strauss peu de temps après mon embauche. L'Orchestre avait déjà joué ce poème symphonique extraordinaire mais ne l'avait pas encore étudié en détail. Sous la direction de Dutoit, il avait avant tout soigné et cultivé son interprétation des grands compositeurs français. Il jouait de manière saisissante, mémorable, tant Ravel que Debussy, Berlioz que Bizet ainsi que Poulenc, Saint-Saëns, Franck, Fauré et bien d'autres encore. Les compositeurs russes occupaient également une place importante – Stravinsky, Moussorgski, Tchaïkovski, Chostakovitch – de même que les symphonies du compositeur tchèque Antonín Dvořák. Mais durant des décennies, les œuvres de Beethoven, Mendelssohn, Schumann, Schubert, Bruckner, Brahms, Wagner et Richard Strauss avaient rarement eu les faveurs de l'OSM.

Sous ma direction, il était important que l'orchestre s'ouvre à de nouvelles expériences musicales afin d'élargir le répertoire, de l'équilibrer en quelque sorte. Mais comment réagirait le public à ce changement de cap? C'était un pari risqué. Je voulais absolument montrer, tout d'abord à ces prodigieux musiciens, et ensuite aux auditeurs, combien la musique des grands compositeurs d'autres cercles culturels, et particulièrement ceux du monde germanophone, avait de choses à leur dire, combien elle témoignait d'une vision nouvelle et avant-gardiste.

Dès sa création, en 1899, *Ein Heldenleben* de Strauss divisa les auditeurs et les critiques. Les uns considérèrent la symphonie comme le summum de l'art de la composition. Les autres la virent comme une forme exacerbée de la représentation de soi, un autoportrait arrogant, sorte d'épopée dans laquelle l'artiste combat ses détracteurs avec ardeur. De tels jugements n'avaient rien de surprenant à la fin du XIXe siècle. En effet, puisque le poème symphonique n'était accompagné d'aucun programme écrit, toutes les lectures étaient permises. Et le compositeur avait lui-même nourri la controverse en multipliant les allusions dans son œuvre.

Strauss finit par réfuter cette interprétation si directe et personnelle qui allait à l'encontre de l'esprit de son poème. Celui-ci ne traitait pas de la vie héroïque d'un artiste ou d'un personnage historique précis, mais de l'héroïsme de manière plus générale et abstraite. Strauss souhaitait, en traçant les grandes lignes d'un « héroïsme grandiose et viril », représenter une certaine attitude face aux « combats intérieurs de la vie, qui, au prix d'efforts et de sacrifices, tend à élever l'âme ». Sa musique énonçait une vérité valable aujourd'hui encore : l'héroïsme est loin d'être simple. Généralement, l'histoire d'un héros est parsemée d'épreuves, de moments de vulnérabilité et d'échecs.

Je tenais beaucoup à ce que nous fassions découvrir au public, sous un angle neuf et moderne, cette composition on ne peut plus en phase avec notre époque, où nous persistons à chercher des héros qui nous inspirent. Mais qu'est-ce qu'un vrai héros ?

Comme si souvent avec les membres de mon équipe canadienne, j'ai lancé la discussion sur cette idée de programme en leur posant quelques questions. « Quels sont vos héros ? ai-je demandé en réunion. Qui admirez-vous ? » Quels sont les personnages marquants de l'histoire du Canada, du Québec, de Montréal ? Qui serait une source d'inspiration, qui accepterait-on de suivre ? À ma grande surprise, mes collègues m'ont regardé sans bien comprendre. J'ai continué de parler, mais les réponses se faisaient rares : « Ici, au Canada, nous n'avons pas vraiment de héros. » « *Come on !* » Je n'ai pas lâché prise. « Vous avez forcément des héros, comme George Washington pour nous, les Américains, comme Abraham Lincoln ou l'astronaute John Glenn. » Une légère perplexité se lisait sur les visages. J'ai insisté, mais les réponses demeuraient étrangement vagues. « Qu'en est-il de chefs militaires, de généraux ? » Ils ont secoué la tête : « Nous sommes une nation pacifique. » Avec une certaine surprise, j'ai donc appris ce jour-là que les Québécois n'étaient peut-être pas habitués à penser selon de telles catégories. « Nous n'admirons pas les gens de cette manière », ont-ils ajouté.

Quelques jours plus tard, je suis revenu sur le sujet, mais cette fois-ci, je leur ai posé des questions sur le sport – le football, le basketball, il devait tout de même bien y avoir une icône ou une star. Et soudain, les réponses ont fusé : le hockey sur glace. Il y avait parmi les joueurs de très grands noms, admirés du plus grand nombre. Et presque instantanément, j'ai été témoin d'une discussion passionnée sur un sport qui, manifestement, joue un rôle très particulier dans l'imaginaire québécois. Mon équipe était plongée dans une partie de son histoire et de son héritage culturel. J'ai de nouveau appris quelque chose : à Montréal, le hockey est bien plus qu'un simple sport ; c'est une vision du monde, une philosophie.

Avant de poursuivre notre discussion sur les héros, ils ont décidé de m'emmener voir un match pour que je fasse en direct l'expérience du hockey. Dans l'aréna, à chaud, la logique du jeu m'est apparue tout autant que la passion des habitants de la ville pour ce sport dont la majeure partie de la saison se déroule au cœur de l'hiver. Plusieurs noms ont surgi ensuite au cours de nos discussions, ceux de héros contemporains et d'anciens hockeyeurs qui avaient marqué plusieurs générations. Les joueurs actuels sont de toute évidence de vraies stars ; les légendes du passé, elles, sont des icônes. J'ai alors compris : à Montréal, l'interprétation d'*Ein Heldenleben* de Strauss côtoierait le hockey.

Nous avons commandé une œuvre qui devait se pencher sur la question. Dans le cadre de cette création, les joueurs de hockey réciteraient des textes portant sur le sport et ses héros. Le compositeur canadien François Dompierre et l'écrivain Georges-Hébert Germain se sont joints à notre projet. Ils ont créé *Les Glorieux,* œuvre que nous avons présentée avec *Ein Heldenleben* et quelques courtes compositions d'Erik Satie, en février 2008. Satie s'accordait à merveille au programme – n'avait-il pas intitulé ses miniatures *Sports et Divertissements*?

Les auditeurs de Montréal ont entendu *Ein Heldenleben,* puis les voix de leurs héros : celle d'Yvan Cournoyer, par exemple, le joueur le plus rapide qu'ait jamais connu une équipe, membre depuis plus de trente ans du Temple de la renommée du hockey, celle d'Henri Richard, qui avait alors plus de soixante-dix ans, ou de l'ailier droit Guy Lafleur, surnommé le « Démon blond ». Lafleur était un héros dont tout le monde parlait alors, car lui et sa famille traversaient une crise profonde. Un héros vulnérable. « *It ain't gonna be easy* », disait le texte ; ce ne sera pas facile, ni sur la glace, ni dans la peau d'un héros, ni dans la vraie vie.

Ce fut un concert poignant au cours duquel le public a écouté la musique de Strauss dans un contexte inhabituel. Les gens étaient visiblement émus lorsqu'ils ont quitté la salle Wilfrid-Pelletier, où nous jouions alors, avant d'emménager en 2011 dans notre nouvelle salle de concert à l'acoustique exceptionnelle. J'ai souvent entendu dire que ce concert avait brièvement transformé la manière dont les auditeurs percevaient et jugeaient leurs héros. Le poème symphonique leur avait manifestement offert cette chance.

L'OSM hors de ses murs

Un an plus tard, c'est au Centre Bell que la musique a retenti. Nous avions intitulé l'événement « La Rencontre du siècle » : le Canadien de Montréal célébrait son centenaire, et l'OSM fêtait ses soixante-quinze ans d'existence. Je n'oublierai jamais le bouillonnement qui régnait dans l'aréna. Lorsque les stars du Canadien sont montées sur scène, les quinze mille spectateurs ont hurlé d'enthousiasme. Nous avons joué un programme haut en couleur : Beethoven, Rossini, Respighi, ainsi que *Les Glorieux,* la composition créée l'année précédente. Les gens, debout, applaudissaient, nous ovationnaient. J'étais touché. À ce moment-là, l'orchestre comptait autant dans leur vie que le sport. Une grande partie d'entre eux n'avaient sans doute jamais entendu de concert de musique classique auparavant, et nous avions la chance exceptionnelle de les y initier.

Les idées sont une chose, mais elles ne peuvent à elles seules attirer les gens. Il m'a toujours paru important de porter la musique aux habitants d'une ville. Au lieu d'attendre que les gens viennent à lui, un artiste classique se doit d'aller vers eux, de leur tendre une invitation, rien de plus. C'est d'ailleurs une tradition que l'OSM cultive depuis des décennies : il organise tous les ans une série de concerts en plein air à Montréal. Cette série, « L'OSM dans les parcs », est un événement très attendu chaque été. La population se trouve toujours au rendez-vous pour écouter son orchestre. Et ce n'est pas la pluie qui l'en dissuade.

Pour la plupart des musiciens, jouer dans des stades

pleins à craquer ou dans des parcs est un exercice des plus agréables. Ces représentations apportent de l'éclat et de la joie. Ce sont des moments de plaisir au cours desquels aucun de nous n'est confronté aux côtés sombres de l'existence humaine : la maladie, la mort, la violence, la discrimination. Mais je mets un point d'honneur à organiser également des concerts dans des lieux où les musiciens et moi sommes véritablement utiles et où la musique contribuera peut-être à illuminer un moment le quotidien des gens : dans les services d'oncologie des hôpitaux, dans les jardins d'enfants et les écoles des quartiers défavorisés. Nous prenons le temps de le faire régulièrement.

J'ai été particulièrement touché, il y a quelques années, par une prestation de notre orchestre devant la mairie de Montréal-Nord : un arrondissement hétérogène, dont certaines quartiers pourraient être décrites comme sensibles. De nombreux immigrés y vivent, le chômage y est élevé parmi les jeunes tout comme le taux de criminalité : la présence de bandes et de clans, le trafic de drogue et la violence font partie de la réalité du quotidien de ses habitants. Certains coins de l'arrondissement ont la réputation d'être parmi les plus dangereux de la ville. Quelques semaines avant notre concert gratuit, des émeutes avaient eu lieu à Montréal-Nord. La police avait abattu, dans des circonstances alors non élucidées, un jeune homme de dix-huit ans, originaire du Honduras, Fredy Villanueva. Il s'était trouvé, apparemment par hasard, sur les lieux où son grand frère et quatre autres jeunes jouaient à un jeu d'argent interdit. Cela s'est passé selon un scénario trop bien connu : la police les avait surpris et avait exigé qu'ils déclinent leur identité. L'un d'eux avait refusé, des coups de feu avaient éclaté et coûté la vie au jeune homme.

Les protestations de la population ne s'étaient pas fait attendre : elles avaient commencé pacifiquement, par une marche silencieuse, avant de s'amplifier et de provoquer quelques violents débordements. On avait brûlé des voitures, pillé des magasins. Les Montréalais observaient, décontenancés, la manière dont un de leurs quartiers à la composition ethnique très mélangée menaçait d'exploser.

Si je peux faire quoi que ce soit, ai-je dit à Gérald Tremblay, alors maire de Montréal, n'hésitez pas à me le dire. « Pourriez-vous y donner un concert ? me demanda-t-il. Au cœur même de Montréal-Nord, si possible. » C'est ce que nous avons fait. J'ai néanmoins laissé à chaque musicien le choix d'y participer. Après les émeutes qui avaient eu lieu dans ce quartier, il leur revenait de décider s'ils voulaient y jouer sur une scène ouverte. Le désir de contribuer des musiciens fut très impressionnant. Les jeunes tout comme les plus anciens de l'orchestre ont répondu à l'appel. Nous nous sommes produits devant plusieurs milliers de personnes, dont probablement une fraction seulement avait déjà entendu de la musique classique. L'atmosphère resta paisible ; les gens étaient calmes, concentrés.

Quel objectif visions-nous en jouant là ? Je ne le sais pas. Peut-être était-ce en signe de compassion : une mère avait perdu son fils de manière tragique, une famille était en deuil. Peut-être était-ce un geste de respect vis-à-vis d'un quartier où la jeunesse semble presque dépourvue de perspective d'avenir ; ou simplement une tentative de focaliser une nouvelle fois l'attention sur cette partie de Montréal, quatre semaines après les émeutes, afin qu'elle ne tombe pas dans l'oubli une fois le calme revenu. En définitive, je souhaitais que nous affirmions notre engagement : celui de faire découvrir notre musique à tous les habitants de Montréal, ce qui implique de jouer dans des lieux où l'objectif premier n'est pas de gagner de futurs auditeurs.

Nous avons toujours la volonté de nous produire ailleurs que dans notre salle de concert, dans toutes sortes de lieux. Pas seulement dans des quartiers sensibles, mais aussi là où les chances de conquérir le cœur des gens sont plus grandes. J'aime particulièrement l'enthousiasme avec lequel les musiciens les plus expérimentés de l'orchestre s'impliquent dans nos initiatives peu conventionnelles, sont prêts à tenter des expériences, à les mener à bien, et réfléchissent à la manière d'initier les gens, et notamment les jeunes, à notre musique.

Rien n'est éternel

Nous ne pouvons pas nous reposer : le renouvellement est loin d'être fini. Il ne le sera jamais. L'exigence que j'ai de donner un nouvel éclairage à la musique classique, dans un contexte nouveau qui touche au moins partiellement la réalité de la vie des gens, nous engage à évoluer et à nous adapter constamment, car la société se transforme, elle aussi. Puisque je définis, certes avec un certain pathos, l'orchestre comme une métaphore de la société, comme son reflet, il est nécessaire qu'il se transforme tout autant qu'elle et porte son héritage culturel vers l'avenir. À Montréal, nous disposons d'une grande liberté ; nous avons une équipe et un orchestre ouverts à la discussion et à l'expérimentation. Nos programmes, au-delà des concerts traditionnels, sont présentés dans des formats très variés : des représentations à la sortie du bureau (« Métro, boulot, concerto »), aux « Matins symphoniques » en passant par les « Dimanches en musique », les récitals et les concerts hors série. Un bal ainsi que la série « Jeux d'enfants » s'adressent aux plus petits. Et bien sûr, il y a les concerts « OSM éclaté ».

Cette diversité fonctionne. Lentement, mais de manière continue, nous retenons l'attention des jeunes et nous faisons tout pour que cette tendance s'amplifie. Parmi les abonnés, plus de mille ont désormais moins de trente-quatre ans, et tous réservent des billets pour plusieurs concerts par an ; il y a huit ans, ils étaient bien moins nombreux.

La situation financière de l'orchestre s'est également améliorée. L'endettement est descendu à 2,6 millions de dollars. Avec un budget annuel d'environ 27 millions, nous ne réalisons certes pas de gros bénéfices, mais nous nous trouvons dans une position plus favorable. L'administration suit une ligne très stricte : tout, y compris les grandes tournées, doit être autofinancé. Il nous est purement et simplement défendu de contracter de nouvelles dettes.

Nous continuons donc à faire tourner à plein régime notre « laboratoire d'idées ». L'équipe travaille avec ardeur et enthousiasme pour trouver de nouveaux élans, élaborer nos apparitions, accentuer notre présence médiatique et – pour le dire de façon moderne – mettre en valeur les qualités de notre marque : un orchestre de renommée mondiale à la fois accueillant, dévoué et sans prétentions élitistes. Bientôt, nous franchirons deux nouvelles étapes. Nous fonderons tout d'abord une académie orchestrale d'été pour la relève artistique. Les prochaines générations de musiciens y acquerront de l'expérience et prendront part à des classes de maître. On les préparera également à la possibilité que leurs études aboutissent à une vie professionnelle sans lien avec la musique.

Quant au second projet, il me tient particulièrement à cœur : il s'agit d'une prématernelle et maternelle à vocation musicale que nous ouvrirons à Montréal-Nord, là où la pauvreté, le manque de ressources culturelles et la diversité ethnique composent le terreau social d'une population dont les chances de prendre part pleinement à notre société sont restreintes. Les enfants y seront bienvenus six jours par semaine, du matin au soir. Ma jeunesse a grandement influencé ce projet, financé exclusivement par des dons. Mon rêve est de permettre à ces enfants d'accéder à ce monde dont le professeur Korisheli nous avait ouvert grand les portes, à mes camarades et à moi. Le projet débutera en 2016, et deux ans plus tard, c'est-à-dire lorsque les premiers enfants seront en âge d'entrer à l'école primaire, une autre école de musique leur donnera la possibilité de continuer l'apprentissage d'un instrument, et ainsi de poursuivre leur découverte de cet art.

Notre travail est laborieux, composite, accaparant.

Il consiste en une promotion constante auprès du public, en des efforts toujours renouvelés pour capter son attention, car il existe bien d'autres divertissements plus accessibles, superficiels et confortables que les concerts de musique classique. À cela s'ajoute notre mission particulière auprès des jeunes générations. Nous ne sommes pas des génies, à Montréal. Nous sommes peut-être d'excellents artisans, et nous réussissons pour l'instant ce que nous entreprenons. Nous voulons renforcer encore davantage notre engagement vis-à-vis de la société, élaborer de nouveaux projets, de nouveaux programmes et concepts. Il nous faut le faire, car le passé nous a appris que dans ce monde toujours changeant, un triomphe ou une réputation ne dure pas. Les recettes du succès sont éphémères. Celui qui ne s'adapte pas glisse aussitôt dans l'oubli.

Berlin : vers où ?

Serait-il possible de transposer un programme comme celui des légendes du hockey en Allemagne ? Certainement pas. N'y pensez pas ! Cela ne fonctionnerait pas, même pas avec les stars du soccer. La critique accueillerait avec dédain une telle initiative, qu'elle jugerait kitsch, saugrenue – ce qui, assurément, n'a pas été le cas au Canada. Il faut prendre d'autres voies en Allemagne pour tenter de convaincre le public de la pertinence de la musique classique. Les références à la cité, à l'histoire et aux traditions sont, à mon sens, une voie à explorer. Accompagnez-moi pendant quelques pages à Berlin et à Munich, les villes où j'ai été directeur musical et où j'aime encore tant diriger aujourd'hui. Je voudrais chercher à expliquer les idées qui m'habitaient, dans la capitale tout d'abord, et ensuite à Munich, à l'Opéra d'État de Bavière, dont j'ai pris la direction musicale en même temps que celle de l'OSM, dans des conditions radicalement différentes.

Je suis arrivé à Berlin en l'an 2000 ; je passais alors pour un artiste « moderne » et un chef d'orchestre qui se consacrait avant tout à la musique contemporaine. Cette réputation résultait de mes précédents engagements à l'Opéra de Lyon et à celui de Manchester et m'a suivi jusqu'au Deutsches Symphonie-Orchester, où je devais donner une série de concerts au festival Berliner Festwochen. Pour les programmes, mon choix s'est porté sur des œuvres de compositeurs du XXe siècle : Alban Berg, Karlheinz Stockhausen et Wolfgang Rihm. J'ai commencé par un concert entièrement consacré à Berg, suivi, le lendemain, d'une soirée Stockhausen, au cours de laquelle le compositeur en personne se tenait à la table de mixage. Le troisième soir, j'ai dirigé une symphonie de Rihm. Ces décisions pouvaient être perçues comme une bravade aux yeux d'un public berlinois alors habitué à un cadre plutôt traditionnel. Les programmes ont eu l'effet d'une déclaration de ma part : en tant qu'artiste moderne, mon approche de l'histoire berlinoise et de la tradition orchestrale est tout aussi moderne. Des chefs d'orchestre de très grande envergure œuvraient alors à Berlin : Claudio Abbado dirigeait l'Orchestre philharmonique – il était respecté, acclamé, adulé – et Daniel Barenboim se tenait au pupitre de l'Opéra. Pour se faire une place, il n'existait donc pas vraiment d'autre solution que d'adopter une perspective tout autre, entièrement nouvelle.

En réalité, les choses ne sont jamais simples quand on n'a pas de vedettes ou que la soirée ne constitue pas un « événement », mais il est essentiel de ne pas sous-estimer son public. Lorsque les concerts se transforment en shows, l'intérêt des auditeurs se dissipe rapidement. D'expérience, je savais que ces derniers étaient tout à fait capables de relever des défis d'envergure, d'être à la hauteur des exigences. Ils ont un sens infaillible pour évaluer la profondeur, la richesse et la qualité du contenu ; ils font très bien la différence entre les concerts qui provoquent en eux une émotion passagère et ceux dont les effets débordent le cadre de la soirée, les portent à réfléchir, suscitent un autre éclairage, un nouveau regard sur les choses, font naître en eux le désir d'accroître leurs connaissances musicales. C'était précisément mon objectif à Berlin.

Berg, Stockhausen, Rihm : ce genre de programme était très inhabituel, particulièrement hors du cadre du festival Berliner Festwochen, connu aujourd'hui sous le nom de Musikfest Berlin. Nous avons ensuite ouvert la saison régulière du Deutsches Symphonie-Orchester avec *Missa Au travail suis* de Johannes Ockeghem, la *Passacaille* d'Anton Webern et la *Symphonie n⁰ 9* de Mahler. Au cours de la même saison, je me suis également risqué à proposer au public un marathon audacieux : les *Variations Goldberg* au complet, jouées par András Schiff, suivies après l'entracte de la *Cinquième Symphonie* de Bruckner. Avec le recul, je trouve cette soirée originale dans sa composition – et d'une durée presque insolente. Un souffle de spiritualité planait, pourtant, dans la grande salle comble de la Philharmonie de Berlin. Qu'aurait-il pu y avoir de mieux que les *Variations Goldberg* avant la *Cinquième* de Bruckner ?

Le public de la capitale allemande avait-il compris mes intentions après seulement quelques concerts ? Je ne le sais pas. C'est la tension entre la tradition de la ville et la réalité que je voulais mettre au jour – ce devait être le fil rouge de la première année de mon engagement au Deutsches Symphonie-Orchester. Berlin, ville jadis divisée, avait été touchée de plein fouet, dix ans après le début de *Die Wende* (« le Tournant »), par les changements géopolitiques advenus en 1989-1990. Les profondes déchirures que le mur avait causées dans la société s'étaient alors fait jour dans toute leur horreur. L'euphorie et le choc de la réunification s'étaient dissipés dix ans plus tard. La misère de l'ancienne Allemagne de l'Est, due à la mauvaise gestion de la RDA, était manifeste. Des entreprises dépérissaient, le chômage atteignait des records. La capitale, doublement équipée dans tous les domaines en raison de sa division passée, luttait contre des dettes de plusieurs milliards.

La situation n'était pas moins critique pour nous, artistes. De trop nombreux orchestres, plusieurs théâtres, trois opéras, dont deux à l'Est, promettaient une querelle âpre sur la question de savoir qui, au juste, avait besoin d'une telle opulence culturelle et, surtout, qui devait la financer. On s'apprêtait à prendre des décisions, à mon sens, essentielles pour l'avenir de cette ville. Assumerait-elle vraiment le rôle d'une capitale – brillante, à la manière de Paris, ou colorée et décalée à la manière de Londres ? C'était loin d'être certain ; personne en effet ne savait à quoi ressemblerait le Berlin de demain. La vision de la ville qu'on présentait alors se résumait à un constat aussi direct que peu original : « Pauvre, mais sexy. » Il était temps pour la ville de se réinventer. J'étais persuadé que Berlin devrait pour cela se confronter à son passé et à ses traditions. Des débats enflammés éclataient régulièrement à ce sujet. Si seulement on parvenait, me disais-je alors, à encourager par la musique les gens à participer à la discussion, à les toucher, à les inspirer, à les aider. Jusqu'où irait Berlin ?

Aussi ai-je pris le risque de programmer la musique de notre époque avant de remonter progressivement le temps : des œuvres modernes d'une part, les grandes œuvres classiques de l'autre. Je voulais présenter le répertoire classique dans un contexte qui défierait, sur tous les plans, la sensibilité musicale des auditeurs. C'est à partir de cette idée de base que nous avons élaboré des soirées audacieuses et exigeantes pour l'auditoire, l'orchestre et moi-même. Un soir, nous avons joué la *Neuvième Symphonie* de Bruckner, une œuvre restée inachevée qui offre un regard très singulier sur l'avenir de la musique. Entre le deuxième et le troisième mouvement de la symphonie, j'ai intercalé *Erwartung* de Schoenberg – ce monodrame musical dans lequel le compositeur fait fi de la tonalité. Le troisième mouvement de la *Neuvième* de Bruckner suivait alors, avec son fameux *adagio*, le grand adieu : tour à tour inquiétant, terrible et passionné. Tout s'est parfaitement déroulé, pour nous comme pour les auditeurs.

Il était toujours un peu risqué de proposer des programmes inhabituels ou à la dramaturgie forte à Berlin, avec ses salles de concert traditionnelles et les habitudes bien ancrées des auditeurs. L'époque plaidait pourtant pour la nouveauté, pour un nouveau départ – et le Deutsches Symphonie-Orchester y était prêt. Les Berlinois ont accueilli notre concert avec reconnaissance et enthousiasme et ont laissé émerger leurs propres idées. D'autres programmes d'alors nous ont confortés dans notre approche : nous avons par exemple associé *Les Quatre Saisons* de Vivaldi, qui se tiennent pour moi au début de la tradition symphonique, à *Three Places in New England* de Charles Ives, car en Nouvelle-Angleterre – contrairement au sud des États-Unis –, les quatre saisons sont perçues comme un éternel recommencement du cycle de la vie. Nous avons placé deux orchestres sur la scène de la Philharmonie : le grand orchestre symphonique à l'arrière, et un orchestre de musique de chambre baroque à l'avant. Nous avons entrelacé ces deux œuvres aux antipodes l'une de l'autre, mais qui partageaient le même thème fondamental : le temps. Après l'entracte, nous avons interprété la symphonie dite *L'Horloge,* dans laquelle Haydn se penche de manière très personnelle sur la question du temps et des cycles de la vie.

Mes concerts étaient bien accueillis ; les auditeurs manifestaient de l'intérêt pour les idées qui les soustendaient et, souvent, les comprenaient même parfaitement. Pour autant, faire s'affronter l'ancien et le nouveau, le classique et le moderne, revient à marcher sur la corde raide. Il ne s'agit pas seulement de toucher un public autre que les auditeurs fidèles mais vieillissants, il est tout aussi essentiel de convaincre et de ne pas froisser les plus traditionalistes d'entre eux.

L'exemple suivant témoigne du caractère périlleux que représente parfois cet exercice. Je prévoyais la représentation d'*Un requiem allemand* de Brahms – une œuvre très souvent interprétée, peut-être même trop souvent. Je souhaitais donc séparer les mouvements en insérant, entre chacun d'eux, des intermezzos contemporains. Déjà lors de la première, en 1868, les mouvements n'avaient pas été enchaînés immédiatement les uns à la suite des autres.

À cette occasion, j'ai confié la composition de quatre intermèdes à Wolfgang Rihm ; je souhaitais placer chacun d'eux entre des mouvements choisis du requiem. Il les a intitulés *Das Lesen der Schrift* (lire l'Écriture), en allusion aux extraits des Écritures sur lesquels Brahms s'était appuyé pour écrire son œuvre. Des idées trop hardies peuvent, il est vrai, heurter la sensibilité du public, mais parfois aussi celle de l'orchestre. Six semaines avant la représentation, le comité de l'orchestre a soudain exprimé de sérieux doutes : cette mise en regard des deux œuvres ne portait-elle pas atteinte à l'œuvre de Brahms ? Quoi qu'il en soit, l'orchestre refusait de jouer un tel programme.

J'ai pris ces réserves très à cœur ; mon but n'était ni de brusquer l'orchestre dans son sérieux, ni le public dans son amour du classique. Il n'empêche qu'au moment de la création du *Requiem,* à la cathédrale Saint-Pierre de Brême, les mouvements avaient été interprétés en alternance avec d'autres compositions :

un lied de Schumann et des arias du *Messie* de Händel. Lors d'une représentation ultérieure, Brahms avait laissé son ami Joseph Joachim jouer des mouvements lents tirés des concertos pour violon de Bach entre ceux de son requiem. Brahms, par ce procédé, faisait référence au passé. Pourquoi alors ne pourrions-nous montrer la pertinence actuelle de ce requiem par des références au temps présent et, ce faisant, souligner l'art de la composition contemporaine ? Notre démarche était loin d'être insolente. Le concert a finalement eu lieu, et le souvenir de cette soirée est encore vif dans la mémoire de nombreuses personnes : la musique avait électrisé les auditeurs.

Les traditionalistes de Munich

Au fil des ans, le public berlinois s'était habitué à mes programmes audacieux ; je rencontrais un accord et un appui qui perdurent encore aujourd'hui. Il m'arrivait d'entendre que mes soirées de concert étaient empreintes d'une certaine spiritualité. La raison en revenait aux liens tissés entre les concerts et la situation dans laquelle se trouvait Berlin. J'avais conscience du fait que Munich exigerait tout autre chose. Avant de prendre mes fonctions de directeur musical général de l'Opéra d'État de Bavière – simultanément à mon engagement à l'Orchestre symphonique de Montréal –, il m'a fallu changer radicalement de perspective. J'ai dû, comme je le ferais pour Montréal, étudier l'histoire de la ville, de son opéra et de ses traditions.

Munich est – si vous me permettez de reprendre quelques attributs que l'on entend souvent à son sujet – une ville riche, baroque, ayant une conscience aiguë des traditions, un brin présomptueuse et légèrement éprise d'elle-même. À mes yeux, une telle description a des airs de provocation, quoiqu'elle ne soit pas entièrement infondée si on considère la richesse de l'histoire de la ville, les performances de l'économie bavaroise et la manière dont elle s'est développée après la Deuxième Guerre mondiale. L'Opéra d'État de Bavière, quant à lui, possède une tradition fascinante, dont témoignent l'édifice et l'orchestre. Ce qui, pour les Munichois, est presque une évidence saisit d'emblée lorsqu'on est un chef d'orchestre californien. C'est à couper le souffle : on se tient dans un lieu où d'immenses compositeurs ont vu le jour. Il fallait que l'idée qui caractériserait mon mandat à Munich trouve sa source dans cette tradition, celle d'un orchestre qui, jamais par le passé, ne s'était lassé de présenter des créations pionnières, de les encourager. Les avant-gardes de la musique classique se sont réunies à Munich, tout au long des siècles.

De Roland de Lassus à Mozart, en passant par Agostino Steffani, les compositeurs modernes marquèrent de leur empreinte la vie musicale munichoise. Mozart, par exemple, créa *Idoménée* sous le mécénat de Charles Théodore, prince-électeur de Bavière. À l'époque, la bourgeoisie munichoise songea même à utiliser ses propres deniers pour faire rester à Munich les compositeurs particulièrement modernes que Charles Théodore refusait à la Cour. C'est là que les opéras de Wagner *Tristan et Isolde, La Walkyrie, Les Maîtres chanteurs de*

Nuremberg et *L'Or du Rhin* furent entendus pour la première fois. Plus tard vint Richard Strauss, l'un des compositeurs les plus importants du tournant du siècle. Carl Orff, qui conçut une forme de théâtre musical, était profondément bavarois. Karl Amadeus Hartmann, compositeur que les Munichois ne se sont toujours pas risqués à découvrir, donna, lui, naissance à la fameuse série de concerts « Musica Viva ». Le temps ne s'est jamais arrêté à Munich. C'est exactement ce qui caractérise ce lieu fondamental de la scène musicale. Là-bas, il s'agissait moins de bouleverser la tradition que de la prolonger, sans compromis.

Peut-être ma compréhension de la tradition ne correspondait pas à ce que les gens, et avant tout l'administration locale, attendaient d'un nouveau chef d'orchestre. Plutôt que de reprendre systématiquement des œuvres anciennes, il fallait se référer à cette tradition en encourageant l'éclosion de nouvelles pièces, comme l'avait fait l'orchestre de l'Opéra d'État de Bavière tout au long de son histoire. En effet, la tradition de la musique européenne n'est pas fondée sur un canon, mais sur l'idée d'évolution, de progrès inouï. Il en est de même pour les autres arts, comme la peinture, par exemple. Au début du XXe siècle, des artistes majeurs se rassemblèrent dans la capitale bavaroise pour former le mouvement Der Blaue Reiter (le cavalier bleu) et ouvrir la voie à la modernité. Chaque période avait vu naître une musique moderne et exaltante, parfaitement à l'heure du temps, ici, à Munich, et il fallait que cela continue.

Prolonger cette tradition exigeait, avant tout, que je

programme la création de plusieurs œuvres – je n'aurais sinon pas rendu justice à la ville. Je ne pouvais ni ne voulais me limiter à Wagner et à Strauss. Nous avons donc choisi cinq compositeurs à la réputation déjà bien établie et confié à chacun d'eux la composition d'un opéra. Tous écrivaient dans des styles distincts et parlaient, pour ainsi dire, un langage différent. C'est à cette occasion que Wolfgang Rihm a créé *Das Gehege* (l'enclos) à l'Opéra de Bavière. Cette œuvre a depuis été interprétée à de nombreuses reprises, notamment en version concert. La première mondiale d'*Alice in Wonderland* d'Unsuk Chin, qui n'était alors qu'au début de sa carrière, lui a valu une renommée internationale. Péter Eötvös, dont la réputation n'était plus à faire, a une nouvelle fois connu la gloire avec *Die Tragödie des Teufels* (la tragédie du diable). George Benjamin, compositeur bien connu, a écrit *Written on Skin,* tandis que Jörg Widmann a composé *Babylon,* œuvre puissante qui fait désormais partie du répertoire de l'Opéra d'État de Bavière. Des cinq œuvres créées sur la scène de Munich, toutes ont été remarquées dans le monde.

La tradition symphonique, l'évolution des orchestres et de la musique orchestrale trouvent leur origine dans l'espace germanophone et la culture musicale allemande, plus particulièrement à Vienne et à Munich. Ce n'est pas un hasard si Beethoven s'installa dans la capitale autrichienne plutôt qu'à Paris, alors qu'il se sentait si proche de la mentalité révolutionnaire française. Et c'est précisément parce que la musique orchestrale allemande est au fondement des grandes œuvres françaises qui dominaient les programmes avant mon engagement à Montréal que je souhaitais la développer à l'OSM. Munich incarnait, à mes yeux, la dimension philosophique propre à la musique allemande et qui se trouve aux racines de sa pérennité. Peut-être n'en ai-je réellement pris conscience qu'une fois arrivé en Bavière.

Par ailleurs, l'opéra est un moyen formidable de souligner la pertinence actuelle de la musique savante. On ne peut se contenter de diriger un opéra, il faut également le mettre en scène. Le jeu entre la musique, les mots et l'action rend l'opéra fascinant pour un chef d'orchestre. Une mise en scène réussie permet de faire comprendre au public, sans le moindre détour, le rapport entre la musique et le temps présent. C'est parfois chose plus aisée que lors d'un concert symphonique, qui nécessite de présenter le contexte au public de manière oblique. L'opéra permet d'emprunter des chemins plus directs. C'est pourquoi je combine, depuis le début de ma carrière, un poste dans un orchestre avec des fonctions dans un opéra : Boston et le Berkeley Symphony, Lyon et Manchester, le Deutsches Symphonie-Orchester de Berlin et le Los Angeles Opera avec Placido Domingo, mon engagement à Montréal et en Allemagne – à Munich tout d'abord, puis à Hambourg.

Au fond, j'ai également toujours été chef d'orchestre d'opéra, depuis le début. L'opéra nous offre la possibilité extraordinaire de divertir le public, mais surtout de soulever des questions qui ont trait au sens même de la vie. Le sens n'est jamais simplement là, il n'advient pas de lui-même. Il nous faut tous nous efforcer de le trouver. À l'opéra, on le découvre grâce à différents niveaux de perception, que ce soit dans *Idomenée* de Mozart, dans

Fidelio de Beethoven, *Moïse et Aaron* de Schoenberg, *West Side Story* de Bernstein ou *Das Gehege* de Wolfgang Rihm. L'opéra reflète, sous une forme souvent exacerbée, les dimensions fondamentales de l'existence humaine : le désir et la passion, la souffrance et la haine, le désespoir et la joie. Tromperie, intrigues, franchise, héroïsme et sacrifice, peut-on vraiment prétendre que rien de tout cela ne compte aujourd'hui ? Une mise en scène d'opéra saisissante a le pouvoir de nous ouvrir les yeux. S'il n'est, bien sûr, jamais facile pour des opéras contemporains d'entrer au répertoire des grandes maisons, l'opéra demeure le lieu où ancrer avec force la musique et l'art théâtral dans le temps et l'espace d'aujourd'hui.

Frank Zappa, ou le sérieux de l'artiste

Revenons à Montréal avec une dernière histoire qui prouve que tout est possible. Les concerts « OSM éclaté » sont toujours très appréciés du public. Trois ans après le premier d'entre eux, dans l'entrepôt de Molson près du port, nous avons conçu une autre soirée insolite en associant la *Cinquième Symphonie* de Beethoven avec l'une des compositions symphoniques de Frank Zappa. L'œuvre que j'ai choisie pour cette occasion s'appelle *Bogus Pomp* — je la connaissais bien, puisque Zappa et moi-même l'avions répétée avec le London Symphony Orchestra en 1981. *Bogus Pomp* est une parodie raffinée des concerts symphoniques traditionnels. Chaque protagoniste, tant les musiciens que le premier violon, le premier violoncelle et le chef d'orchestre, est la cible de son ironie mordante. C'est la vision qu'avait Zappa des représentations orchestrales dans les années 1980 : des artistes imbus d'eux-mêmes qui ne rendaient pas justice aux grandes œuvres classiques. *Bogus Pomp* : apparat de pacotille, faste mensonger, voilà ce qu'il voulait dire.

Beethoven et Zappa, l'association inattendue de deux artistes qu'une chose unissait, indépendamment de leurs rôles et leurs positions respectifs dans l'histoire de la musique : leur manque d'égards pour les règles de la composition et pour le goût du public – ainsi que leur intransigeance. Frank Zappa m'a d'ailleurs donné une véritable leçon à ce sujet, dans les années 1980.

La *Cinquième Symphonie* de Beethoven était très en avance sur son temps. Au moment de sa création, en décembre 1808, elle avait opéré une véritable rupture avec les conventions du passé : d'une modernité radicale, elle préfigurait peut-être même trop la période romantique à venir pour que les auditeurs la comprennent. Zappa, lui, se déplaçait à la frontière de deux mondes, ceux du rock and roll et de la musique savante. Il ne se laissait définir ni par l'un ni par l'autre, ne se souciait pas de l'opinion des gens et poursuivait son chemin, imperturbable. Il faisait exploser les frontières du classique, allant parfois jusqu'à tourner en ridicule les règles de la composition et à ponctuer ses œuvres d'allusions au rock – une sorte de pied de nez à l'establishment.

Si le public savait à quoi s'attendre avec Beethoven,

Frank Zappa était plutôt une surprise. La superstar américaine des années 1970 et 1980 était connue de la plupart comme une icône du rock, un surdoué de la guitare électrique qui maîtrisait de nombreux styles. Mais l'interprète de *Bobby Brown* et du *Sheik Yerbouti Tango* composait également des œuvres pour grand orchestre, ce qui demeura relativement peu connu jusqu'aux années 1980. Aujourd'hui encore, on associe immédiatement cet artiste unique et universel à la légende du rock dont le style a imprégné toute une génération. Il est moins souvent associé à la musique classique, bien qu'il soit un compositeur important.

Je me souviens encore du jour où mes parents, après avoir vu l'un des concerts de Zappa à la télévision, ont interdit sa musique à la maison. Ce n'était, selon eux, pas pour les enfants. C'est à la fin des années 1970, lors de mon premier séjour à Paris, que j'ai découvert Zappa. Pierre Boulez voulait présenter certaines œuvres de Zappa avec l'Ensemble intercontemporain, ce qui avait éveillé ma curiosité.

Chez moi, en Californie, j'ai décidé de prendre contact avec l'impresario de Zappa pour savoir s'il était possible de consulter certaines de ses partitions. Ma requête est d'abord restée sans réponse. Et soudain, sans que je m'y attende le moins du monde, Zappa en personne m'a appelé. Il a commencé par me demander les raisons de mon intérêt pour ses compositions, puis il m'a invité à l'un de ses concerts qui devait se tenir à Berkeley. Il souhaitait m'y rencontrer et me montrer certaines de ses partitions.

Bien qu'adulte, je n'étais jamais allé à un concert de

rock. J'avais reçu une formation classique dans un milieu assez protégé, et jamais je n'aurais songé à assister à des concerts de rock. Cet événement à Berkeley fut pour moi une expérience toute nouvelle : un spectacle gigantesque réunissant des milliers de spectateurs, des jeux de lumières, des gens fumant sans arrêt – tout était pour moi très inhabituel. À l'entracte, l'un des immenses gardes du corps de Zappa est venu vers moi – il s'appelait Big John – et m'a ordonné de le suivre. Il m'a conduit à la loge de la superstar.

Frank Zappa était assis là. Admiré, controversé et largement méconnu encore comme compositeur d'œuvres symphoniques, il mangeait du caviar avec de la crème sure. Après un court échange, il m'a tendu plusieurs de ses partitions ; en les ouvrant, j'ai découvert une musique orchestrale d'une complexité incroyable. Il m'a autorisé à emporter les partitions chez moi, car je désirais les lire de manière plus approfondie. Elles étaient d'une telle richesse que cela s'est avéré un véritable défi. En effet, c'est avec stupéfaction que j'ai découvert, sur de très nombreux feuillets, une écriture aussi remarquable qu'originale qui donnait vie à de magnifiques passages de musique savante. Sa musique a résonné des jours entiers dans ma tête. Mais pendant des semaines, je n'ai eu aucune nouvelle de Zappa. Et sans son numéro de téléphone ni son adresse, il m'était impossible de le joindre par mes propres moyens.

Puis soudain, il m'a appelé. « Alors, m'a-t-il demandé, qu'en penses-tu ? » Il voulait que je lui rende visite. Il est venu me chercher à l'aéroport, mais au lieu de me conduire chez lui, il a pris la direction du campus de l'université, où nous attendait un orchestre qu'il avait engagé pour que je travaille certaines de ses pièces – une répétition en quelque sorte. Tétanisé l'espace d'un instant, il ne me restait cependant pas d'autre choix que de m'exécuter. Après une longue répétition, nous sommes allés à son domicile, où il m'a fait part de son rêve : faire jouer ses œuvres symphoniques. Pour atteindre son objectif, il avait donc commencé à chercher un orchestre et un chef. Profondément impressionné par sa détermination, je suis reparti.

Quelques jours plus tard, j'ai reçu un nouvel appel de lui. Il m'a demandé, cette fois de manière assez abrupte, si je voulais l'accompagner à Londres pour enregistrer sa musique avec le London Symphony Orchestra. Je n'étais alors pas particulièrement connu en tant que chef d'orchestre – et j'ai hésité. Avec un peu trop de désinvolture, je lui ai dit que je voulais y réfléchir. La réponse de Frank fut un choc et une leçon mémorable sur l'intransigeance des grands artistes : « Je te donne exactement quinze secondes pour me répondre, répliqua-t-il d'une voix calme. Il faut que tu te décides maintenant. Sinon, je raccroche et je trouve un autre chef d'orchestre. » J'ai accepté sans tarder, honteux de ne pas avoir tout de suite donné une réponse claire à un artiste aussi investi dans son art. Zappa est un musicien fascinant ; à l'époque, ses compositions classiques passaient relativement inaperçues en Amérique du Nord, alors qu'en Europe elles électrisaient déjà les auditeurs de musique classique.

Pendant de nombreuses années, j'ai eu des scrupules à mettre Zappa au programme de mes concerts. Ce n'était pas simplement parce que sa musique, très difficile à jouer, nécessite de nombreuses heures de répétitions ; je ne voulais en aucun cas donner l'impression de mélanger les genres musicaux, alors que je ne suis spécialisé et reconnu que dans l'un d'eux : la musique savante. Mais les œuvres symphoniques de Zappa appartiennent bel et bien à la musique savante – à la grande musique savante –, et tout musicien se doit de les prendre au sérieux. D'ailleurs, lui-même ne se considérait pas comme une star du rock mais comme un artiste universel. À juste titre : doté d'une créativité sans borne, il n'a jamais cessé d'innover au cours de sa vie relativement courte.

Lorsque la représentation à Montréal a touché à sa fin, la réaction du public m'a submergé d'émotion. Les gens s'étaient pris de passion pour ce concert qui s'était mué en véritable événement. Comme ils voulaient faire de nouvelles expériences dans leur salle de concert, nous leur avions proposé des œuvres de Beethoven et de Zappa. Puis nous les avions invités à se rendre au foyer pour écouter – comme point d'orgue, pour ainsi dire – la DJ Misstress Barbara. Les auditeurs, constitués de jeunes et de moins jeunes, sont restés longtemps. Parmi eux se trouvaient des parents, qui connaissaient certainement Zappa mais s'intéressaient plutôt à Beethoven, et leurs enfants, des adolescents qui avaient accepté d'écouter de la musique classique pour voir Misstress Barbara. Les générations se mêlaient, chacune semblant avoir profité de cette soirée. La salle vibrait.

Certes, il n'est pas particulièrement original de transformer un temple de la haute culture en piste de danse après un concert. Cela a déjà été fait – avec succès – plus d'une fois par le passé. Écouter un concert, tel que nous le dictent nos conventions, requiert une grande concentration et une immobilité qui n'a rien de naturel, il est donc tout à fait normal de ressentir par la suite un irrépressible besoin de bouger. Ainsi, après avoir dirigé son orchestre, Leonard Bernstein se rendait régulièrement au légendaire Studio 54 de New York, sans doute la discothèque la plus réputée au monde dans les années 1970. Il se dépensait une seconde fois, cette fois sur la piste de danse, et sans inhibition.

Peut-on oser présenter, à une heure inhabituel-lement tardive, un concert de musique savante dont le programme original, lui-même extravagant, est suivi d'un party où se produira un DJ connu de toute la ville? Aucun de nous, artistes, ne peut en effet être sûr que les gens ne viennent pas pour s'abandonner à la puissance des basses après avoir fourni un « effort » dans la salle de concert. Est-ce une dépréciation de la musique classique? Pas nécessairement. Cela dépend de la manière dont c'est fait. Misstress Barbara fait partie des DJ les plus respectés de la scène artistique de Mont-réal. Même les plus anciens musiciens de l'orchestre, ceux qui en font partie depuis des décennies, laissaient transparaître leur plaisir. Les perspectives profondes et inattendues avec lesquelles nous présentons la musique classique les enthousiasment. En pareille occasion, la salle de concert déborde de vie. Les gens s'y sentent chez eux, ils l'ont adoptée comme la leur. Tout est permis.

Seules deux choses demeurent pour moi hors de question : il n'y aura pas, sous ma direction, de *crossover*, de mélange des genres pop et classique, parce que je ne suis pas un artiste pop, mais un artiste classique. Par ailleurs, je ne transigerai jamais sur la qualité, que ce soit celle des prestations musicales ou celle des œuvres que nous présentons. Elles doivent montrer une qualité d'écriture indiscutable, être exceptionnelles. C'est ma responsabilité envers notre public. C'est ma promesse, mon nom s'en porte garant. Sur ce plan, je ne fais aucun compromis. Saviez-vous que cette intransigeance absolue a beaucoup de résonance auprès du public, plus particulièrement chez les jeunes ?

MESSIAEN

Regards vers l'au-delà

Il fait toujours un peu froid dans l'église de la Sainte-Trinité. Un peu humide aussi. En hiver, l'haleine s'élève en volutes, les doigts s'engourdissent. En été, en revanche, il y fait merveilleusement frais lorsque le soleil transforme Paris en un Moloch impitoyable. La large nef est alors un refuge contre la canicule, loin de l'effervescence et du bruit – ce bruit dont Paris est indissociable. L'église de la Sainte-Trinité, place d'Estienne-d'Orves, dans le IXe arrondissement de Paris, était celle d'Olivier Messiaen. Il en était l'organiste ; durant des décennies, tous les dimanches, il accompagnait la messe à l'orgue – lorsque ses nombreux voyages à l'étranger ne l'en éloignaient pas. Il y était également souvent la semaine, pas simplement pour les services quotidiens. Maître de l'improvisation, il accordait une valeur toute particulière à l'étude, à la recherche de la perfection.

Messiaen, sa femme, Yvonne Loriod, et moi-même sommes seuls sur la tribune de l'orgue. Quelques paroissiens se sont rassemblés pour la messe. Il y a de nombreuses chaises vides dans la vaste nef de l'église. Messiaen est à l'orgue, extrêmement concentré. Il improvise – comme toujours pendant l'office, lorsque le prêtre prépare l'eucharistie ou lorsque les fidèles se recueillent et prient après la communion. Yvonne Loriod et moi écoutons. L'improvisation est entièrement nouvelle et parfaite, comme tous les dimanches. C'est toujours un peu comme si on écoutait une histoire. Un oiseau venu de nulle part flotte soudain devant nous, très haut, il est léger, agile. Petit et délicat, il bat des ailes une fois, puis deux, pour reprendre son envol. Il se pose sur une tribune, dans la lumière des verrières de l'église. Il reste là un instant, regarde tout autour de lui, il est déjà reparti.

L'orgue résonne de ses sons les plus aigus. Les petits sifflements sont ceux de l'oiseau. Suivant cet oiseau et ses mouvements délicats, Messiaen a improvisé une création, venue de son imagination musicale, qui, l'espace d'un instant, s'est jointe comme une voix plus aiguë à la mélodie profonde avec laquelle il avait commencé son improvisation. Je me souviens de ce moment aujourd'hui encore : il n'y avait soudain plus que la nature autour de nous, l'oiseau, peut-être un pré, quelques arbres, la berge d'une rivière.

À peine Messiaen eut-il fini son improvisation que la campagne disparut, elle aussi. J'étais de nouveau au cœur de Paris, dans la majesté d'une église catholique, la Sainte-Trinité, dont la construction orchestrée par le baron Haussmann avait débuté en 1861. Bien haut, juché sur la tribune, se trouve le fameux orgue Cavaillé-Coll, qui fut inauguré en 1869 par Camille Saint-Saëns et César Franck et que de remarquables organistes font, depuis, régulièrement retentir. J'étais en présence d'un des plus grands compositeurs du XXe siècle, qui m'avait invité en 1982 à habiter quelque temps chez lui, à Paris.

Pour un Américain de la côte Ouest, c'est un véritable choc de cultures, on se sent submergé. J'avais trente et un ans, mais je n'avais jamais encore passé de périodes très longues en Europe.

Lorsqu'au milieu des années 1970 je me suis penché pour la première fois sur la musique d'Olivier Messiaen, j'étais loin d'imaginer que je serais, un jour, en plein Paris, à ses côtés, à l'écouter, à travailler avec lui et à tant apprendre de lui. Il faisait déjà partie des gloires indiscutables de la musique du XXe siècle. Il était souvent joué, pour un compositeur contemporain, et admiré, non seulement en Europe, mais aussi aux États-Unis et en Asie. Jusqu'au début des années 1960, le monde de la musique s'était âprement disputé à son sujet – l'exécution de ses œuvres était parfois chahutée. Il m'a raconté que, un jour, une partie du public l'avait attendu à l'entrée des artistes du Théâtre des Champs-Élysées pour le frapper à coups de pieds – tant sa musique les avait exaspérés. Il avait dû se recroqueviller pour atteindre sain et sauf sa voiture. Mais les choses avaient bien changé, Messiaen était une star parmi les compositeurs contemporains. Il recevait des commandes des théâtres et des orchestres les plus reconnus, et les élites politiques honoraient régulièrement ses concerts de leur présence.

Messiaen avait alors soixante-dix-sept ans et avait derrière lui des phases de créations artistiques très variées. Diverses influences avaient laissé leurs traces dans son œuvre, parmi lesquelles celles de Debussy et de Stravinsky. Messiaen s'était aussi attaché au chant grégorien, à la musique indienne, grecque ancienne, népalaise et asiatique. Des réminiscences de gamelan et du théâtre nô s'entendent dans ses œuvres et, avant tout, les bruits et les couleurs de la nature et l'infinie diversité du chant des oiseaux. Messiaen a élaboré à partir de tout cela, au fil des décennies, un style unique qui avait depuis longtemps atteint son zénith lorsque j'ai commencé à étudier son œuvre. Il travaillait alors à son unique opéra, *Saint François d'Assise*. Profondément catholique, il composait une musique qui s'attachait aux grands sujets religieux : l'au-delà et l'éternité, tout comme la relation de l'homme à Dieu et à la création.

Les cours de Messiaen au Conservatoire de Paris étaient prisés, réputés. Ils cessèrent lorsqu'il prit sa retraite en 1978. En Europe, il avait, avec Schoenberg, la réputation d'être l'un des plus grands professeurs de composition. Ses cours d'analyse, d'esthétique et, plus tard, de composition révélèrent des compositeurs de styles et d'orientations très variés – entre autres Pierre Boulez, Karlheinz Stockhausen, Iannis Xenakis et George Benjamin. Dès les années 1940, Messiaen avait rédigé un livre sur sa technique de composition. Il travailla plus tard à un autre ouvrage portant sur son « langage musical », que sa femme, Yvonne Loriod, acheva après sa mort, documentant son travail de manière détaillée, en plusieurs volumes. Il était dès lors possible de composer à la manière de Messiaen, à l'aide de la gamme par tons qu'il avait conçue, de ses « modes à transposition limitée ». Si on agence une mélodie très simple selon sa technique rythmique de la « valeur ajoutée » – qui prolonge un rythme d'une valeur brève –, un petit peu de Messiaen et du style unique de sa musique voit alors le jour. Contrairement à Schoenberg, cependant, Messiaen n'a jamais fondé d'école.

Je ne pouvais pas savoir, à l'époque de mes études, que ce serait précisément ce compositeur qui m'ouvrirait toutes grandes les portes de l'Europe et qui imprégnerait durablement ma compréhension de la musique. J'avais découvert les œuvres de Messiaen au cours de mon séminaire d'analyse. J'ai entendu l'une d'elles en concert pour la première fois en 1975, c'était la *Turangalîla-Symphonie*. Je me souviens encore de la forte impression que m'a faite cette œuvre, que je n'avais cependant alors pas comprise. Plus tard, quand j'étais chef assistant à l'Opera Company de Boston, je passais beaucoup de temps à la bibliothèque. Au cours d'une de mes balades sans but entre les rayonnages, j'ai vu le nom de Messiaen sur le dos d'une des partitions. Instinctivement, je l'ai prise : il s'agissait du *Catalogue d'oiseaux*, recueil de compositions basées sur des chants d'oiseaux dont j'avais déjà entendu parler.

Sans hésiter, j'ai emporté la partition chez moi pour la lire avec attention. Tout de suite, j'ai commencé à étudier, page après page, cette œuvre difficile, exigeante sur le plan technique, certainement pas facile à interpréter. Très vite, j'ai été absolument absorbé. Je voulais absolument comprendre Messiaen, me pénétrer de son langage musical novateur, de sa rythmique originale, de sa polyphonie extrêmement complexe. Sans que j'en aie alors vraiment conscience, la musique de Messiaen m'avait conquis.

En 1978, j'ai pris mes fonctions de directeur musical du Berkeley Symphony Orchestra et j'ai décidé de présenter, au cours d'un « cycle Messiaen », les œuvres les plus connues de cet artiste si singulier. L'orchestre n'avait, il est vrai, qu'un budget restreint, mais les musiciens étaient ambitieux et ils ont serré les rangs. J'étais persuadé qu'ils se montreraient à la hauteur. Pour me préparer, j'avais lu tout ce qu'il était possible de trouver de Messiaen, et sur lui ; j'avais étudié et assimilé les principes de son mode de composition. Je ne savais cependant pas comment sa musique devait sonner au juste et, surtout, pas comment Messiaen lui-même aurait voulu l'entendre. Des questions me tourmentaient sans cesse, je n'avais personne pour m'aider. Au milieu de ces doutes, j'ai pris mon courage à deux mains et j'ai envoyé à Messiaen un enregistrement radio de la première représentation du cycle : *Poèmes pour Mi*. Comme je ne connaissais pas son adresse, j'ai simplement écrit sur l'enveloppe son nom et « Conservatoire de Paris, Paris, France ». Sa musique était-elle interprétée comme il le souhaitait ? L'avais-je comprise ?

Heureusement, ma lettre lui est parvenue. Un mois plus tard, j'ai eu la surprise de recevoir une réponse de sa part, plusieurs pages à l'écriture serrée dans lesquelles Messiaen revenait, mesure par mesure, sur mon interprétation. Sur son invitation, je lui ai également envoyé l'enregistrement des concerts suivants, dont celui de la *Turangalîla-Symphonie*. L'interprétation correspondait apparemment de si près à la conception que le compositeur avait de son œuvre qu'il exprima le souhait de faire ma connaissance, et – comme il me l'écrivait – il travaillerait volontiers avec moi. *La Transfiguration de Notre Seigneur Jésus-Christ*, oratorio écrit dans la seconde moitié des années 1960, était programmé pour le dernier concert du cycle. Messiaen est venu en personne et de sa propre initiative à Berkeley pour assister à ce concert. Sa femme a joué la partie de piano. Ce concert merveilleux a marqué le début d'une collaboration intense, passionnante, qui a duré de longues années.

Presque cinq ans plus tard, en 1983, la création du premier et seul opéra de Messiaen, *Saint François d'Assise*, était annoncée. Après dix longues années et de nombreuses échéances dépassées, il l'avait achevé. Il s'agit sans aucun doute d'une de ses œuvres majeures, peut-être de la plus importante. Rolf Liebermann, directeur de l'Opéra de Paris, lui en avait fait la commande. On avait pressenti Seiji Ozawa pour le diriger. Messiaen me fit venir à Paris pour la longue période des répétitions et m'invita à loger chez lui, dans le XVIIIᵉ arrondissement. C'est ainsi que je me suis retrouvé, moi, Américain aux origines japonaises, loin d'être rompu aux usages du monde, sur la tribune de l'église de la Trinité. L'histoire de ma rencontre avec Messiaen relève pour moi, aujourd'hui encore, quasiment du surréel.

Je répète sans cesse que Messiaen a transformé ma vie. Il était comme un père pour moi ; il m'a fait venir en Europe et m'en a ouvert les portes – pas uniquement de manière pratique, en m'invitant à Paris où j'ai pu loger chez lui et apprendre de lui, mais de manière bien plus profonde. Mon français était déficient, et j'ai dû rapidement apprendre à parler couramment afin d'être en mesure de communiquer avec sa femme et lui. Peu de choses m'étaient alors familières à Paris. Il y règne un autre art de vivre, une autre manière de penser, les odeurs de la ville, les bruits de la circulation, une esthétique si différente débordant le domaine de la musique et des arts. Il y avait tant de choses nouvelles et étranges devant lesquelles je ne savais quelle attitude adopter. À un peu plus de trente ans, je voulais enfin faire partie de cette culture européenne qui, à travers la musique, déterminait ma vie depuis longtemps déjà. Ce sont Messiaen et sa femme qui m'ont ouvert les portes de ce monde, m'ont transmis l'art de vivre européen, et m'ont aidé à comprendre l'art européen. Il y avait tant à apprendre sur l'histoire. Messiaen éveilla en moi le goût de la diversité des traditions européennes et de ses multiples langues. Sa femme et lui m'ont fait connaître Paris, m'ont présenté d'autres compositeurs et artistes. Yvonne Loriod m'a donné des leçons particulières de piano afin que je comprenne mieux les œuvres de son mari. Pour quelqu'un venant de l'autre bout du monde, tout ceci constituait une expérience infiniment marquante. J'ai rarement autant appris au cours de ma vie.

Aujourd'hui, je sais combien il est difficile, voire impossible, d'avoir accès à l'Europe à partir d'une perspective purement américaine. L'attitude devant la vie, la conscience qu'ont les gens d'eux-mêmes sont radicalement différentes. Avec Messiaen et sa femme, grâce à nos nombreuses discussions, à nos excursions et voyages, j'ai peu à peu compris l'Europe. C'était comme une libération, comme si j'avais découvert la clé d'une porte jusque-là fermée à double tour et derrière laquelle je devinais, avec impatience, un monde plus vaste. Le temps passé à Paris m'a transformé à de nombreux égards, sur le plan intellectuel comme sur celui des émotions, je ne suis à l'évidence jamais complètement rentré dans l'ouest des États-Unis.

Comment la vie quotidienne se déroule-t-elle auprès d'un grand artiste ? Messiaen était humble, réservé et très discret. Le plus souvent, nous soupions ensemble et discutions des innombrables détails des répétitions de son opéra. Dans la journée, nous étions chacun occupé par nos activités : je dirigeais les répétitions, il s'éclipsait un étage plus haut, dans un studio avec orgue, où il composait. Je ne suis jamais entré dans cette pièce, n'ai jamais demandé à le faire. À quelques rares exceptions près, il ne montrait ses œuvres à personne avant qu'elles soient achevées, pas même à sa femme. Son appartement m'était en revanche entièrement ouvert. Parfois, lorsque nous partions en randonnée dans la nature, je pouvais observer la manière dont il notait le chant des oiseaux dans ses « cahiers » désormais célèbres, ces cahiers de notes qu'il portait toujours sur lui.

Quelle sorte de musique Messiaen composait-il ? Que voulait-il nous dire ? Il est quasiment impossible de répondre en quelques phrases – pas plus que pour tout autre grand compositeur. Je vais tout de même essayer. Je crois qu'il cherchait à donner une forme acoustique à des vérités intemporelles. L'intemporel signifiait pour lui le divin. Messiaen était profondément croyant, au point qu'il disait de lui-même qu'il était « né croyant ». L'absence de tonalité clairement définie et de mètre constant dans nombre de ses compositions est une manière de s'approcher de l'infini, où temps et espace perdent leur signification.

Les fondements de la musique de Messiaen forment un édifice théorique des plus complexes, qu'il a élevé au fil des ans et qui propose un système rythmique absolument singulier ainsi qu'une symbolique des couleurs. Messiaen était un synesthète, c'est-à-dire quelqu'un qui pouvait associer, ou plutôt qui associait spontanément, des sons à des couleurs. Mais les chants d'oiseaux semblent les plus importants. Messiaen a archivé au cours de sa vie des centaines de chants d'oiseaux. Il se décrivait lui-même comme un ornithologue, il notait les chants des oiseaux sous forme de notes et de mots, parfois même en harmonies à plusieurs voix, pas uniquement en phrases solo. Il lui arrivait aussi de les enregistrer avec un appareil à cassettes. Il décrivait par exemple le chant du troglodyte comme « argentin et perlé », il comparait le loriot jaune et noir à une « très longue flûte », la corneille lui paraissait « enrouée, sardonique, sarcastique ». Il notait le chant du soir et celui de l'éveil, aussi bien des oiseaux qui vivaient près de chez lui que de ceux qu'il découvrait dans d'autres pays et continents. Les oiseaux lui donnaient l'inspiration de ses mélodies.

Il ne transcrivait pas fidèlement le chant des oiseaux dans ses œuvres, mais il le transformait en une forme artistique. Les oiseaux avaient pour Messiaen une signification particulière. Ils étaient l'origine de toute musique, un véritable cadeau divin. « Seuls les oiseaux sont de grands artistes », écrivit-il dans son texte de présentation du *Catalogue d'oiseaux*. Les oiseaux faisaient partie de son expérience de la nature. Tôt le matin, au crépuscule, lorsque le soleil se levait et que le paysage retrouvait ses couleurs, Messiaen se mettait en chemin pour écouter les chants des premiers oiseaux s'éveillant dans la forêt – ces instants étaient, pour lui, d'ordre spirituel. La philosophie de la nature, le sentiment religieux qu'elle inspire se mariaient dans ces instants, tout comme les différentes manières d'exprimer ces idées à l'aide de couleurs et de sonorités. Les oiseaux étaient ses anges – agiles, légers, divins.

Dans *Saint François d'Assise,* Messiaen a utilisé toutes les techniques de composition qu'il avait mises au point au cours des décennies. L'œuvre, qui dure près de cinq heures et que nous avons à l'époque créée selon ses indications, est composée comme un credo réunissant le foisonnant matériel musical auquel Messiaen a donné naissance au cours de sa carrière. Elle est un bilan, une œuvre exceptionnelle par sa longueur, tout d'abord, mais aussi en ce qu'il a lui-même écrit le livret. Que Messiaen, en tant que compositeur de la fin du XXe siècle, abordât un sujet du religieux dans son unique opéra était tout à fait inattendu – cependant, c'était à ses yeux la conséquence logique de sa conception des choses, de ce qu'il était en tant que catholique. Qu'il ait choisi François d'Assise pour sujet vient peut-être de son amour pour les oiseaux. L'humilité de saint François, la volte-face qui marque son existence, son retour vers la Création et le Créateur revêtaient pour Messiaen une importance supérieure. Il m'a souvent dit, au cours de nos discussions, que ce personnage était celui auquel il s'identifiait le plus.

Messiaen retrace en huit tableaux le parcours de saint François, son cheminement, de sa condition de fils de riche commerçant à celle d'un homme faisant le choix d'une vie de pauvreté vouée à Dieu. Le caractère fascinant de sa musique, où convergent les couleurs et les sons, son incomparable spiritualité se retrouvent avant tout dans le dernier tableau, le huitième. Il décrit les derniers moments du protagoniste. François d'Assise meurt, et l'opéra se termine sur un accord de *do* majeur, longuement tenu et rayonnant. Le *do* majeur est la tonalité fondatrice de la musique, il en est la source et l'aboutissement. Aucun accord ne rayonne de manière plus claire et plus pure. Saint François d'Assise meurt baigné d'une lumière blanche – celle de la vérité de Jésus.

Au cours des mois précédant la création, Messiaen n'allait pas bien. Il était malade, épuisé. Il m'a dit un jour qu'il avait vécu pour écrire cet opéra, après quoi il ne pourrait sans doute plus rien composer. Il a écrit la fin de l'opéra de la manière dont il se représentait, à son âge avancé, la fin de sa propre vie : « Je m'imaginais, debout dans la nuit, devant un rideau, un peu inquiet de ce qui trouve derrière : la résurrection, l'éternité, l'autre vie. Je cherchais à me représenter ce qui adviendrait. Il m'est arrivé, parfois, de le discerner dans un instant d'illumination. Je parle, bien sûr, de Jésus, qui sera la lumière des ressuscités. Tous rayonneront dans la lumière du Christ. »

Saint François d'Assise n'est pas la dernière œuvre de Messiaen. Il a ensuite écrit ce qui reste sa dernière œuvre orchestrale, *Éclairs sur l'Au-Delà…*, une vision du paradis plus intime et plus empreinte de spiritualité encore. La représentation qu'avait Messiaen de l'au-delà s'est transformée vers la fin de sa vie. La musique n'y est plus euphorique ou en liesse, comme dans ses œuvres antérieures, elle est surnaturelle, émerveillée, en attente – dépassant les limites spatiales et temporelles. La mort délivre l'homme du poids de son libre arbitre. Il ne doit plus rien décider ; il flotte, en apesanteur.

L'inspiration de Messiaen trouvait sa source dans sa foi profonde. Presque toutes ses œuvres ont un contenu biblique ou évoquent des concepts théologiques, l'importance de la Trinité, la naissance et la transfiguration de Jésus-Christ, son immortalité. Messiaen n'a jamais fait mystère de l'origine de son inspiration. Il a tiré de sa foi l'énergie et la force de composer une œuvre immense. Toutefois, il ne s'attachait pas uniquement à la Création lorsqu'il composait ou lorsqu'il improvisait. Composer et jouer de la musique revêtait une importance plus profonde, c'était sa manière d'entrer en relation avec Dieu. Il est possible d'éprouver le divin dans la musique, elle possède une force spirituelle incomparable, peut-être plus que tous les autres arts. Elle est une passerelle vers la transcendance.

Messiaen et moi n'avons que rarement parlé de sa foi. Je ne lui ai jamais posé de question à ce sujet et je n'en ai jamais non plus ressenti le besoin. Non que c'eût été inopportun, ce n'était simplement pas nécessaire. Il ne m'a pas non plus posé de question. Il y avait entre nous à cet égard une sorte de compréhension fondamentale qui se passait de mots. J'ai, moi aussi, grandi avec l'Église, elle a fait partie de mon éducation et de ma formation musicale, elle a imprégné mon regard sur le monde, et le fait encore. Dans les années 1960 et 1970, bien des gens se sont détournés de la religion et ont quitté l'Église, cherchant ailleurs la spiritualité. Ce n'est pas mon cas. La spiritualité et la religion demeurent pour moi une seule et même chose.

La spiritualité est une partie importante de mon expérience musicale. Elle se manifeste quand je joue du piano ou que je dirige et que je maîtrise une œuvre au point où je n'ai plus besoin de penser à mes doigts sur les touches ou aux exigences techniques de la direction. Lorsque tout s'écoule sans heurt, il se produit des moments d'union spirituelle avec l'au-delà, avec l'infini. À chaque fois. Peut-être est-ce une des raisons pour lesquelles la musique de Messiaen a exercé une telle force d'attraction sur moi lorsque je travaillais son œuvre.

Messiaen ne m'était à cet égard absolument pas étranger. Il s'identifiait à saint François d'Assise, aimait le mysticisme de saint Thomas d'Aquin. Hors du domaine musical, il restait cependant extrêmement réservé sur sa foi et n'était en rien sectaire. D'après mon expérience, il n'a jamais prêché. Il ne composait pas dans un but de prosélytisme. Il écrivait sa musique comme un dialogue avec Dieu.

Faut-il obligatoirement partager cette démarche religieuse profonde pour comprendre la musique de Messiaen ? En d'autres termes, doit-on avoir la foi pour faire l'expérience de la spiritualité de sa musique ? Sincèrement, je ne saurais quoi répondre, car cette question ne s'est jusqu'ici jamais posée pour moi. Mais on a souvent posé la question à Messiaen, et il a toujours répondu par la négative. Son inspiration naissait d'une foi sincère qui était le fondement de sa créativité. Il ne composait que grâce à elle. Ensuite, lorsqu'il avait terminé une œuvre, il s'en détachait pour l'abandonner au public, aux musiciens et aux auditeurs. Alors, la musique ne lui appartenait plus. Elle appartenait à celui qui l'écoutait, l'interprétait ou la dirigeait – tout comme elle se transmuait en expérience, chacun des auditeurs avec « sa » musique de Messiaen. Messiaen faisait là toujours référence à Jean-Sébastien Bach, dont la musique prenait sa source dans une vision religieuse du monde et de l'homme. Doit-on vivre une foi intense pour faire l'expérience de ce qu'exprime Bach dans sa musique ? Messiaen aimait alors ajouter : « Auriez-vous posé cette question, jadis, à Jean-Sébastien Bach ? »

« Il y a des instants dans la musique, des fractions de seconde au cours d'un concert, où je crois voir ce qui se trouve derrière les étoiles. » C'est ainsi que le grand chef d'orchestre Günter Wand a décrit un jour devant moi ces circonstances extraordinaires. Comment traduire plus merveilleusement les moments où la musique nous transporte hors de notre monde et nous laisse pressentir que tout ne se limite pas au terrestre. Ces instants ne sont guère plus qu'un scintillement fugace, une lumière fugitive. Ils s'évanouissent aussitôt que l'on prend conscience de leur présence. L'expérience est différente pour chacun et toujours nouvelle, pour moi aussi. La musique n'est ni matérielle ni saisissable. Messiaen l'a un jour décrite comme « le plus immatériel de tous les arts ». Parfaitement abstraite, elle est portée par des ondes. Mais celles-ci déploient une force qu'on n'aurait pas soupçonnée.

Je ne suis pas le dépositaire d'une interprétation définitive de l'œuvre de Messiaen, simplement sous prétexte que j'ai étroitement travaillé avec lui, qu'il m'a invité à Paris et que nous avons habité sous le même toit presque une année entière. Personne n'a la prérogative des interprétations. Je suis néanmoins sûr d'une chose lorsque je me penche sur le XXe siècle : son œuvre est profondément ancrée dans notre répertoire musical. Sa *Turangalîla-Symphonie,* qui se révéla un tel défi pour moi, à l'époque, à Berkeley, ou ses *Éclairs sur l'Au-delà...* se sont souvent invités au programme des concerts. Il en existe aussi de multiples enregistrements. De nombreux jeunes compositeurs m'ont raconté combien Messiaen les avait inspirés. Son *Saint François d'Assise* en a incité plus d'un à rassembler son courage et à continuer de se consacrer à l'opéra comme à une forme artistique toujours vivante. Le monde du classique est encore en train de découvrir la musique de Messiaen. Or un regard sur le XXe siècle et ses compositeurs passionnants montre déjà que la musique de Messiaen survivra au passage du temps. Elle appartient désormais au canon des œuvres. Cela ne changera plus, bien au contraire : plusieurs autres de ses œuvres s'y ajouteront.

Nous gravissons une nouvelle fois les innombrables marches menant à la tribune de la Sainte-Trinité. Messiaen, tout d'abord, suivi de Mme Loriod, puis de moi. Le vieil homme monte l'escalier étroit, chargé d'un nombre incalculable de partitions, mais il refuse de nous laisser porter le moindre cahier. Dans la vaste nef de l'église sont dispersés cinquante, peut-être soixante fidèles. Cette fois, le chœur est présent, il a la tâche de répondre au prêtre. Le chœur est composé de laïcs, des amateurs qui voient dans leur participation un gage de leur ferveur. Le prêtre entonne un verset, et quand vient le temps de lui répondre, le chœur a soudain des difficultés. Les chanteurs ne trouvent pas le ton, trébuchent. Il leur faut plusieurs mesures avant de retrouver l'intonation juste et le fil de leur chant.

Ensuite, c'est au tour de Messiaen d'improviser. Il cite la mélodie du prêtre, puis imite la réponse du chœur, incluant ses trébuchements. Mme Loriod et moi nous regardons, pouvant à peine croire ce que fabrique Messiaen. La manière dont il tisse ces passages fautifs dans son improvisation, de façon presque imperceptible, est des plus drôles et ludiques. C'était un très grand compositeur, un artiste sérieux, profond et animé d'un merveilleux humour. Je suis sûr qu'aucun des fidèles sur les bancs de l'église, en bas, n'a remarqué cette petite plaisanterie, tant le mouvement improvisé était dessiné avec subtilité. Au moment où nous nous sommes aperçus quel motif Messiaen venait de travailler, il était, lui, depuis longtemps ailleurs dans sa musique et avait métamorphosé le faux pas du chœur, sa méprise, en une mélodie absolument merveilleuse.

Ce Messiaen-là m'est resté en mémoire. Sa spiritualité, son humour, grâce auquel il savait cibler les faiblesses des êtres et leur offrir en même temps quelque chose d'infiniment accueillant. Lorsque je repense aujourd'hui à cet instant, des doutes me viennent cependant et je me demande si Yvonne Loriod et moi-même avions alors bien compris Messiaen. Peut-être son imitation enjouée du dilettantisme du chœur n'était-elle pas un trait de son humour, mais plutôt l'expression profondément religieuse de cet homme. En métamorphosant la maladresse évidente des chanteurs en

une mélodie merveilleuse, il nous rappelait un des messages principaux, peut-être l'un des plus beaux, du *Nou-*
veau Testament : Dieu aime les hommes non pour leur
perfection et leur force, mais précisément dans leurs
moments de faiblesse.

Lorsque je suis à Paris, je retourne parfois à la Trinité : pour moi, Messiaen s'y trouve toujours. Je le revois
devant moi, à l'orgue, ce compositeur singulier de l'histoire de la musique nouvelle qui m'a ouvert les portes
de l'Europe. Messiaen a joué de l'orgue pendant soixante
ans. Je vois ses cheveux gris lissés vers l'arrière, sa che-
mise à motifs sous sa veste, son visage presque immobile
lorsqu'il jouait, le regard concentré sur les touches,
retranché dans sa musique. L'improvisation était, pour
Messiaen, plus qu'une méditation – c'était une prière.

CHAPITRE 5

Seule la musique en tête

Douce la mélodie qu'on entend mais plus douce encore
L'autre, l'inentendue. Jouez donc, chantez donc, pipeaux,
Non pour l'oreille de chair mais pour l'esprit
Ces airs, les mieux aimés, qui n'ont pas de notes.

JOHN KEATS (1795-1821),
extrait de *Ode à une urne grecque*

L'intervalle du diable

Saviez-vous qu'un intervalle peut crier, cracher son venin, semer la discorde ? C'est le cas du triton, une vilaine combinaison de deux notes séparées par trois tons entiers, un intervalle profondément instable qui fait implorer grâce à l'auditeur, lui fait supplier qu'on lui rende la consonance ! Quiconque connaît le langage musical décrirait le triton comme une quarte augmentée, un saut du *do* au *fa* dièse par exemple, ou du *fa* au *si*. Cet intervalle revêt un caractère puissant, revendicateur, menaçant : à peine le triton résonne-t-il qu'une catastrophe est annoncée. Les bandes sonores de films d'horreur ou les thrillers en privilégient l'usage. C'est l'intervalle auquel recourt Bach au moment de la rencontre de Jésus avec le lépreux dans sa *Passion selon saint Matthieu* ; celui que Bruckner utilise comme symbole du Jugement dernier dans le credo de sa *Messe en ré mineur*, ou encore celui que favorise Moussorgski lorsqu'il met l'appel de la sorcière en musique, dans le passage de « La cabane sur des pattes de poule ». Bernstein, dans *West Side Story*, joue de cet intervalle de malheur lorsque, désespéré, Tony appelle Maria, sa bien-aimée. Jimi Hendrix bâtit le début de sa fameuse chanson *Purple Haze* sur le triton ; on l'entend par ailleurs résonner dans le thème musical des *Simpsons*. La chanson *My Same* de la chanteuse britannique Adele s'ouvre sur une reprise de l'intervalle en souvenir d'une amitié brisée. Le triton se suffit à lui-même. Adele le clame au public, tel quel.

Si un compositeur décidait aujourd'hui de transcrire en musique l'atmosphère de la veille du 15 septembre 2008, ces heures au cours desquelles quelques riches et puissants banquiers tentèrent désespérément de sauver la banque Lehman Brothers de la faillite et, avec elle, le monde d'une profonde récession, il se servirait sûrement à maintes reprises de l'inquiétant triton pour se diriger vers un *happy end* ou conduire enfin à une explosion, une vraie catastrophe. Au Moyen Âge, cet intervalle passait pour l'expression de Lucifer en personne. Il perturbait l'Église au point qu'elle finit par interdire purement et simplement l'usage de cette combinaison « diabolique » de notes qu'elle désignait de l'expression *Diabolus in Musica*. Cet intervalle allait jusqu'à troubler les gens, les alarmer, les terroriser. Personne n'osait désobéir de crainte d'évoquer Satan, et ce, jusqu'à la période baroque. Le triton n'est pourtant rien de bien particulier ; il s'agit d'une simple stimulation acoustique. Mais ce qui est passionnant, c'est ce qu'en fait notre cerveau pour nous mettre dans un état d'inquiétude extrême.

Ce simple tandem de notes montre à lui seul la puissance de la musique, combien elle influence nos humeurs, inspire la fantaisie, éveille l'imagination. Il n'est pourtant qu'un exemple, choisi presque au hasard, parmi la multitude de ceux qu'offre l'univers musical.

La musique a infiniment plus de ressources que celle d'engendrer des états d'âme. Elle ressuscite des souvenirs, aide à surmonter des blocages psychiques, soulage les douleurs physiques et les blessures de l'âme. Les médecins lui prêtent un pouvoir guérisseur, les philosophes lui attribuent depuis toujours un effet de stimulation cognitive. Les sons nous émeuvent et, passant par l'affect, attisent la pensée.

Ma passion pour la musique et le fait que j'y consacre ma vie ont rendu mon rapport à cet art si naturel que je n'en remettrais jamais le pouvoir en question. Pendant des années, je ne me suis même jamais demandé d'où venait ce pouvoir de la musique – c'était une évidence. Plus jeune, je me suis penché sur la question sous l'angle de la philosophie de la musique et j'ai beaucoup lu à ce sujet. Peut-être ne me serais-je pas replongé dans cette question sans la parution, ces dernières années, de fascinantes publications abordant le phénomène de la musique par l'angle des recherches dans le domaine des neurosciences. Les stimulations acoustiques passent par notre oreille et envahissent notre cerveau, qui les analyse. L'on pourrait dire que la musique s'élabore dans notre tête – que nous soyons compositeur, interprète ou auditeur. Si cette idée paraît quelque peu réductrice, le triton montre pourtant à lui seul combien c'est avant tout le cerveau qui donne sa portée à la musique. Quoiqu'il ne s'agisse que de deux notes qu'on fait résonner simultanément ou l'une après l'autre. Tout de suite, elles éveillent dans notre cerveau des sensations, des désirs, des représentations qui induisent de sinistres pressentiments. Que se passe-t-il au juste dans notre tête ?

J'ai pris rendez-vous avec Daniel Levitin. Daniel est musicien. Plus tôt dans sa vie, il a été producteur de musique. Il est aujourd'hui spécialiste des neurosciences et psychologue. Il enseigne et conduit des recherches à Stanford, tout comme à l'Université McGill, à deux pas de la Maison symphonique de Montréal. C'est-à-dire que, pour peu qu'il ne soit pas à Stanford ou en voyage de par le monde pour y donner des conférences, et pour peu que je sois également à Montréal, nous sommes voisins. Si j'ai cherché à le rencontrer, c'est avant tout parce que deux de ses livres avaient attiré mon attention. Il a publié, il y a quelques années, *This is Your Brain on Music: Understanding a Human Obsession* – traduit sous le titre *De la note au cerveau, l'influence de la musique sur le comportement* –, qui a été un best-seller du *New York Times*. Son livre *The World in Six Songs: How the Musical Brain Created Human Nature* est paru peu après. Je lui ai rendu visite dans son laboratoire avec une question à l'esprit : pourquoi la musique a-t-elle sur nous un tel pouvoir, même à travers un simple intervalle ?

Les neurosciences sont un domaine de recherche encore relativement jeune, qui a connu des avancées fulgurantes depuis qu'il est possible de cartographier notre cerveau et de déterminer les fonctions de différents neuromédiateurs. Il va de soi, aujourd'hui, de parler de dopamine, de sérotonine ou d'endorphines, de cortex cérébral, d'hémisphères cérébraux et de cervelet, de cortex moteur, sensoriel et auditif ou d'hippocampe. Daniel m'a expliqué qu'on venait de découvrir une région, au centre de la tête, où est logée la mémoire de la musique – les expériences musicales ainsi que leur contexte. La musique cultive des rapports si étroits avec le cerveau qu'on avance parfois l'hypothèse qu'elle n'existerait même pas sans lui, sans sa capacité à transformer les simples ondulations du son. Comme j'avais eu l'occasion de me familiariser avec les progrès fascinants de cette discipline, j'attendais de Daniel une réponse claire. Qui mieux que lui, qui jouait de la musique, en avait produit et menait depuis maintenant des décennies des recherches sur les effets de la musique sur le cerveau, aurait pu me répondre : j'étais impatient de l'entendre.

La musique plus puissante que les mots

Sa réponse m'a interloqué : « Kent, mes mots ne suffiraient pas à donner un début de réponse qui rende justice à cette question. » Il a dû voir l'étonnement dans mon regard, car il a ajouté : « Comment pourrais-je décrire le pouvoir de la musique ? Une réponse ne comprendrait qu'une seule dimension, et, lorsqu'on est touché par la musique, il n'existe pas de mots pour définir le pouvoir qu'elle exerce. » Il y a eu un bref silence, un peu tendu. « Mais, a-t-il poursuivi, conciliant, si les mots ne peuvent exprimer les effets que provoque la musique, la musique, elle, peut nous aider à décrire nos états d'âme. Car si nous utilisons la musique comme une sorte de régulateur d'émotions afin de modifier notre humeur, lorsque nous sommes en colère ou que nous nous affalons sur un canapé, chez nous, remplis d'adrénaline après une journée de travail intense, nous utilisons évi-

demment aussi la musique pour décrire nos émotions. »
Daniel m'a dit qu'il se sentait souvent comme la musique
pour piano solo de Debussy, mais que les mots étaient
impuissants à traduire cet état d'âme.

Refusant de lâcher prise, j'ai changé mon approche.
Que se passe-t-il dans le cerveau lorsque la musique
nous touche et prend littéralement possession de nous ?
Là encore, il a répondu avec prudence : « Je ne crois pas
que nous le sachions exactement. » Il ne pouvait dire si
ses collègues et lui étaient près d'élucider le mystère.
« Ce que nous découvrons, ce ne sont jamais que des
fragments d'un ensemble. Ils nous aident cependant à
expliquer les choses. » Il sait à quel endroit du cerveau
la hauteur des sons est traitée, dans quelle région cérébrale les rythmes et les timbres sont perçus, là où les
harmonies provoquent des réactions chimiques. Il est
également en mesure de localiser l'aire cérébrale où sont
traités la longueur et le volume des sons. « Notre science
est si jeune que nous en sommes encore à cartographier
les régions du cerveau où il se passe quelque chose. Nous
sommes au début de la compréhension de son mode de
fonctionnement. » Ce que nous savons maintenant
de manière relativement certaine, a-t-il enchaîné, c'est
que la musique est une stimulation qui envahit rapidement la totalité du cerveau.

Si on utilise les différentes technologies qui permettent d'observer l'activité cérébrale, que ce soit au moyen
d'électrodes ou de diverses méthodes d'analyse par
balayage, l'imagerie nous révèle alors aussitôt que la
musique sollicite presque toutes les aires cérébrales :
l'hémisphère droit comme l'hémisphère gauche, les

régions frontale et arrière, le cortex tout autant que le système limbique. La musique est l'un des rares stimuli qui éveillent l'activité du cerveau dans sa totalité ; toutes ses régions sont sollicitées ainsi que chacun des sous-systèmes neuronaux. Il n'y a donc pas d'aire du cerveau qui soit exclusivement consacrée à la musique. Les différents aspects de la musique, le rythme, le tempo, le volume ou la hauteur sont tous traités dans des régions différentes pour être ensuite associés dans une autre encore. Les aires cérébrales travaillent, selon Daniel, simultanément et non successivement. L'ensemble est encore complexifié par la capacité du cerveau à se réorganiser. Certaines fonctions peuvent être prises en charge par d'autres parties du cerveau, rien n'est statique ; les scientifiques parlent de neuroplasticité. « Mais où se rejoignent donc toutes les informations traitées ? » s'interroge Daniel. Pourquoi la musique nous bouleverse-t-elle ? Cette question déborde les limites actuelles de la connaissance scientifique.

Daniel me montre une rangée d'images multicolores représentant l'activité cérébrale. Ces images viennent d'un procédé complexe de visualisation, elles sont le résultat d'un flot de chiffres issus d'un scanner, lesquels doivent ensuite être rendus visibles selon une méthode sophistiquée. Ces images sont magnifiques, tout le cerveau rayonne de couleurs brillantes : rouge, jaune, bleu. Notre esprit paraît dans une forme tout simplement olympique, et ce, grâce à la musique. Lorsqu'on observe ces images, on a aussitôt l'impression de saisir pourquoi l'écoute de la musique et, encore davantage, le fait d'en jouer sont si souvent décrits comme un *empowerment*

– une affirmation de la conscience : la tête tout entière se transforme en centrale électrique, chacune de ses régions est activée. En voyant ces images, on se dit que la musique doit ouvrir au cerveau de tout autres possibilités encore.

Cependant, il est impossible de distinguer deux éléments sur de telles images : on ne sait pas quel style de musique les participants à l'étude ont écouté ; on ne sait pas non plus s'ils ont vraiment écouté de la musique. Peut-être régnait-il un silence absolu. Les neurones auraient dans ce cas été activés par l'imaginaire musical seul, dans l'attente d'une musique qui ne résonnait pas encore. « Si la représentation mentale est assez vive, il est impossible de distinguer sur l'image si c'est une stimulation acoustique extérieure ou le pouvoir de l'imagination qui conduit le cerveau à cet état d'activité intense », m'a dit Daniel.

Les expériences musicales qui se déroulent exclusivement dans notre imagination sont loin d'être rares. Qui ne connaît cette situation où une mélodie envahit notre esprit de manière irrépressible sans qu'on l'y ait invitée ? Il arrive qu'on se représente mentalement une musique avec une force telle qu'on ne sait plus, l'espace d'un instant, si elle est réellement jouée ou si elle résonne seulement dans notre tête. « L'attente et la suggestion peuvent renforcer l'imaginaire musical au point de produire une expérience quasi sensorielle », écrit le célèbre neurologue américain Oliver Sacks dans son livre *Musicophilia, la musique, le cerveau et nous*. Les facultés de l'imaginaire musical de chacun sont aussi variées que les individus eux-mêmes. Nous, musiciens de métier, faisons constamment appel à ces facultés dans notre travail. Lorsque je lis une partition, j'« entends » alors immédiatement la musique, je me la représente : elle résonne, emplit l'espace, m'émeut. Et lorsque je dirige, elle a pris possession de mon esprit bien avant que l'orchestre n'en ait joué la première note. Comment Beethoven aurait-il sinon pu composer dans un état de surdité complète ? La musique ne résonnait pas, il se l'est imaginée. L'exécution qu'il entendait dans son esprit était sans doute parfaite, plus parfaite en tout cas que la musique véritablement jouée. Pour ceux qui ne sont pas musiciens, l'imagination musicale est plus spontanée mais non moins puissante. Mais cette question est tout de même bien singulière, pourquoi cela se passe-t-il seulement avec la musique ? « Bien que je voie chaque jour ma chambre et mon mobilier, ils ne se présentent pas à moi de nouveau sous forme de tableaux de l'esprit », écrit Sacks. Il n'entend pas plus des chiens imaginaires qui aboient, ni ne hume les arômes de mets inexistants. Rien, affirme-t-il, n'équivaut, même de loin, à la richesse de l'imagination musicale. « Au-delà de la spécificité du système nerveux, c'est peut-être la musique elle-même qui a quelque chose de très spécial – sa pulsation, ses contours mélodiques si différents de ceux du langage, le rapport si direct qu'elle entretient avec les émotions. » La musique est, de toute évidence, douée d'une force qui lui permet de se saisir de notre imagination même en l'absence de stimulation acoustique externe. Mais je m'égare. Revenons à la question initiale : pourquoi la musique est-elle en mesure de nous bouleverser ?

Daniel a précisé ses propos au cours de notre discussion ; du point de vue biologique, le pouvoir de la musique est assez simple à expliquer. La musique provoque des réactions cérébrales et déclenche une cascade de processus chimiques qui génèrent un effet bienfaisant pour l'organisme chez la majorité d'entre nous. La musique élève le taux d'ocytocine ; l'ocytocine est une hormone favorisant notre disposition à nous engager vis-à-vis des autres, à établir des rapports de confiance mutuels ; par exemple, elle est générée lorsque des personnes chantent ensemble. La musique augmente en outre le taux d'immunoglobulines A, ces anticorps essentiels à notre santé. Des études démontrent que quelques semaines de thérapie musicale provoquent une hausse de mélatonine, d'adrénaline et de noradrénaline. La mélatonine régule notre rythme veille-sommeil, et on connaît depuis déjà des années son efficacité dans le traitement de certaines formes de dépression. La noradrénaline et l'adrénaline contribuent à un renforcement de la vigilance et de la motivation, elles activent ce que les neuropsychologues appellent « le circuit de la récompense ». Écouter de la musique et, *a fortiori*, l'interpréter exercent une influence sur le taux de sérotonine et ainsi sur le neurotransmetteur qui participe de la régulation de l'humeur.

« Toutes ces études confirment, m'a dit Daniel, ce que les chamanes savent depuis longtemps déjà : la musique – et plus particulièrement la musique joyeuse – exerce une influence profonde sur notre santé. » La musique fait sensiblement chuter le niveau de cortisol, l'hormone du stress. Chacun de nous a déjà écouté de la musique le soir pour se détendre après une journée de stress intense. À partir du moment où une activité musicale, quelle qu'elle soit, stimule la libération de neurotransmetteurs, la puissance des sons ne peut plus guère être mise en doute. « La musique peut nous conduire à des sommets ou à des tréfonds émotionnels, elle peut nous convaincre d'acheter quelque chose, ou nous rappeler notre premier rendez-vous, écrit Oliver Sachs. Elle peut nous sortir de la dépression lorsque plus rien d'autre ne fonctionne. Elle nous donne envie de danser. » Les effets de la musique sont plus profonds encore, la musique active un plus grand nombre d'aires cérébrales que ne le fait le langage. « Nous autres, êtres humains, sommes avant tout une espèce musicale. »

Pleurez un bon coup !

Bien des gens, dont je fais partie, aiment les musiques tristes. Mais, en ce qui me concerne, l'adjectif « triste » n'est peut-être pas le plus approprié : je préfère les termes « mélancolique », « sombre », « nostalgique » ; il m'est en effet impossible d'associer, après tant d'années, la musique à un unique adjectif. Quoi qu'il en soit, il est clair que la musique peut nous toucher jusqu'aux larmes. Je me souviens d'un soir au fameux festival de Tanglewood à Boston. Le Boston Symphony Orchestra jouait le dernier mouvement de la *Première Symphonie* de Brahms. Le cor solo interprétait la longue mélodie qui évoque la nature avec tant d'authenticité, il la faisait résonner avec une profondeur telle que j'en ai été, sur le moment, ébranlé.

Une autre fois, j'écoutais une prise de la *Huitième Symphonie* de Bruckner, que je venais d'enregistrer avec l'orchestre de l'Opéra d'État de Bavière. Je voulais m'assurer de la qualité de notre interprétation afin de mettre au point la version finale de l'enregistrement. Mes collègues avaient joué le début du mouvement lent avec une grande force d'expression. Alors que j'aurais dû opérer avec une précision de comptable afin de relever chacune des nuances qui ne correspondaient pas à ma vision, la musique m'en a complètement détourné. Bientôt, les larmes me coulaient sur le visage. Certes, il s'agissait là d'émotion plus que de tristesse. Nous savons tous d'expérience que la musique peut subitement nous rendre tristes, que c'est d'ailleurs précisément cette musique que nombre d'entre nous aimons particulièrement.

Cela me conduit à trois questions : quand la musique résonne-t-elle avec mélancolie ? Pourquoi nous rend-elle tristes ? Enfin, pourquoi l'écoutons-nous alors que ni la peine ni la mélancolie ne sont des émotions que nous aimons ressentir ? Il est de loin préférable d'être heureux, de bonne humeur et plein d'allant. Cette dernière question recèle un paradoxe ; il est intéressant que les expériences les plus saisissantes, les plus profondes et les plus belles soient le plus souvent associées, tout du moins dans nos cercles culturels occidentaux, à une musique triste.

Pour en savoir plus à cet égard, il faut interroger David Huron, musicologue et chercheur en sciences cognitives de l'Ohio, auteur du livre *Sweet Anticipation,* de qui nous avons beaucoup appris sur le rôle déterminant de l'attente.

La tristesse dans la musique est une question de technique de composition. La musique triste est, selon Huron, le plus souvent grave, lente, calme, de couleur sombre, avec une conduite de la mélodie peu mouvementée. La mélodie ne fait pas de grands sauts, elle imite en cela le langage que nous choisissons pour nous épancher lorsque nous confions quelque chose de triste. Nous parlons plus doucement, plus lentement, notre voix se fait plus grave. Lorsqu'un compositeur veut exprimer la peine, il transpose – peut-être instinctivement – son langage dans ce mode. Mais nous plonge-t-il dès lors dans cet état d'esprit ? Cela varie d'une personne à l'autre, selon que notre nature est plus ou moins réceptive. Personne ne doute néanmoins que la musique en ait le pouvoir.

La tristesse se forme dans le cerveau. Ce qui s'y passe exactement pour que la musique suffise à induire cette tristesse est une question complexe – à laquelle le neurologue ne peut répondre précisément. Des recherches pointues portent sur la manière dont des stimulations acoustiques ou visuelles arrivent à elles seules à induire des sentiments. Tout le monde ne trouve pas de plaisir à éprouver de tels sentiments de tristesse. J'ai, pour ma part, un vif souvenir de jeunesse où le mime Marcel Marceau nous a émus jusqu'aux larmes, mes amis et moi, par une pantomime indéniablement tragique. Ce sentiment est d'autant plus inoubliable que nous avions aimé cette soirée ; il s'agissait pourtant simplement d'un film muet.

David Huron avance trois hypothèses en réponse à
ce mécanisme : la première serait qu'une musique
mélancolique active les neurones miroirs, qui, eux, suscitent les sentiments correspondants. Les neurones
miroirs sont des cellules nerveuses qui présentent le
même type d'activité que le sujet exécute une action ou
qu'il en soit simplement témoin. C'est le système complexe des neurones miroirs qui rend possibles l'empathie, la capacité de se mettre à la place d'autrui ou la
faculté d'imitation. La musique triste éveillerait des sentiments correspondants chez ceux qui y sont sensibles.
La deuxième hypothèse est celle d'associations apprises
et assimilées. Nous avons appris, au fil des ans, que le
mode mineur était associé à la tristesse. On l'utilise pour
les marches funèbres ou pour accompagner les films
dramatiques. Cette expérience est si profondément
ancrée en nous que nous n'associons jamais le mode
mineur à une grande joie, mais à la peine, à la tristesse
ou à la mélancolie. La dernière hypothèse, enfin, est
que le caractère introspectif associé à la musique induit
un mode de réception centré sur soi et susceptible de
troubler notre humeur. Si l'on demande en effet aux
participants à des études ce à quoi ils pensaient lorsque
la musique les bouleversait, la majorité racontent
que cette musique « triste » a suscité en eux des pensées
touchant des questions fondamentales de la vie, en relation avec des situations difficiles ou en lien avec la mort.

Ainsi, pour peu que nous y soyons réceptifs, la
musique permet de faire l'expérience d'une tristesse
qui n'est pas suscitée par un événement réel de notre
vie. Elle a le pouvoir manifeste de créer un espace dans

lequel des émotions se déploient sans rapport avec la réalité. Or c'est apparemment quelque chose dont nous autres, humains, avons besoin. Pourquoi donc nous languissons-nous de mélancolie ?

David Huron a une autre théorie pour y répondre, qui conduit, elle aussi, à notre cerveau. Lorsqu'une personne éprouve du chagrin, de la prolactine est libérée dans le cerveau. Cette hormone tempère la charge émotionnelle. Si l'on suit le raisonnement du scientifique, la nature a aménagé ainsi une sorte de mécanisme de défense qui nous empêche de sombrer totalement. La musique peut mettre les gens dans un état d'esprit très proche de la tristesse ; ce sentiment provoque la libération de neurotransmetteurs, laquelle résulte normalement d'expériences qui nous accablent « réellement ». La musique agit ici comme agent d'un état de deuil simulé – bien entendu, uniquement sur ceux qui y sont sensibles. Le corps réagit exactement de la manière dont il a appris à le faire au fil de tant d'années d'évolution : les neurotransmetteurs sont libérés, le baume de consolation se répand. Dans la vie, ce processus répond à un problème bien réel : la disparition d'une personne aimée, la perte d'un emploi. Dans le cas de la musique, il ne s'est en définitive rien produit de négatif – aucun drame dont les effets avaient besoin d'être adoucis à l'aide de ces hormones. Seul reste un sentiment de douceur. « Pleurez un bon coup ! dit Huron. La musique nous permet aussi cela. » Une expérience singulière sans déclencheur réel. « Aucun événement tragique ne s'est produit, *it's just music* – c'est juste de la musique. »

« La musique fonctionne comme une drogue », sou-

ligne Daniel au cours de notre entretien. Et il poursuit :
les hommes ont découvert des substances qui provoquent la libération des neurotransmetteurs susceptibles
d'altérer notre état d'esprit. Par exemple, lorsque l'héroïne pourvoit à l'afflux de dopamine désiré, elle libère
les hormones du bonheur ou de la satisfaction. Or le
même phénomène se produit après une prestation réussie. La musique, dit-il, agit comme un opiacé trompant
le système neuronal de telle sorte qu'il libère des neurotransmetteurs qui influencent notre humeur. C'est en
cela que réside son pouvoir. David Huron m'a récemment écrit qu'il était impossible de démontrer en laboratoire le rôle que joue la prolactine. On a trouvé des
traces de prolactine dans les larmes de quelques-uns
des volontaires de l'étude sur laquelle il travaille, mais
pas chez chacun d'eux. Il est néanmoins merveilleux
d'être à même de suivre les voies qu'utilise la musique,
surgie un jour dans l'esprit d'un compositeur, pour
influer sur l'humeur des auditeurs.

La musique fait naître en nous des sentiments et des
expériences des plus réels. Voilà un aspect de la magie
qu'elle crée. « La musique ouvre à l'homme un royaume
inconnu totalement étranger au monde sensible qui
l'entoure, et où il se dépouille de tous les sentiments
qu'on peut nommer pour plonger dans l'indicible »,
écrit E. T. A. Hoffmann dans son article « La musique
instrumentale de Beethoven ». Il arrive qu'on aspire à la
mélancolie. La musique est terre de nostalgie.

Délicieuses attentes

La musique joue avec nos attentes, explique Daniel, et celles-ci sont le fruit de l'évolution de l'espèce. D'un point de vue strictement biologique, l'anticipation et l'attente sont des conditions essentielles à notre survie. Le cerveau maîtrise ce jeu presque à la perfection. On peut le voir comme une sorte de machine à anticiper, formulant constamment des hypothèses sur l'avenir, les comparant aux événements qui surviennent pour proposer ensuite de nouvelles conjectures. La musique est fondée sur des structures stables que nous avons intériorisées au fil de notre vie. « Lorsque nous écoutons de la musique, le cerveau établit des rapports entre ce que l'on entend et tout ce que l'on a entendu dans le passé », me dit Daniel. Un phénomène remarquable s'est produit lors d'une série d'expériences au cours desquelles des mélodies inconnues ont été jouées et interrompues de manière abrupte à un moment aléatoire : la majorité des participants à l'expérience a alors chanté spontanément et sans erreur la suite de ces mélodies. Leur cerveau avait donc réussi à prévoir exactement ce qui allait se passer. « C'est en grande partie grâce à la structure de la musique », estime Daniel. Notre musique occidentale obéit à des règles strictes depuis des siècles, grâce auxquelles il est possible d'anticiper la suite de la ligne musicale.

Mais toutes les prévisions ne se révèlent pas justes. Le compositeur nous induit parfois en erreur, brise les règles afin de tromper nos attentes. C'est alors qu'intervient la surprise et qu'advient l'émotion. La musique

classique tonale fait appel à des procédés toujours semblables : l'attente, puis la rupture de la règle, la surprise,
l'hésitation, le frisson et, enfin, le retour à la règle doublé
de l'effet libérateur : Ah ! Chacun de nous connaît ces
étapes. Un compositeur répète deux fois le même motif,
puis il le fait varier, nous mène dans une nouvelle direction et recommence à jouer avec nos attentes : qu'est-ce
qui va retentir maintenant ? Est-ce que ce sera l'accord
rédempteur, celui qui comblera les attentes et fera revenir le bien-être ?

« Les musiciens sont des hypnotiseurs, ils nous
contrôlent. Les prestidigitateurs contrôlent la direction
de notre regard ; les compositeurs contrôlent la manière
dont nous écoutons », dit encore Daniel. Il me confie
alors quelque chose qu'il ne comprend pas, à savoir que
la musique continue de nous surprendre même lorsque
nous pensons connaître un morceau. « J'ai entendu la
fin de la *Septième Symphonie* de Dvořák au moins cent
fois sans pour autant savoir exactement quand se termine la symphonie. Aujourd'hui encore je suis induit
en erreur. » J'ai moi-même raconté, au début de ce livre,
que cela m'arrive lorsque je joue du Bach au piano. La
surprise est alors d'autant plus grande que je crois
connaître l'œuvre particulièrement bien. Pourquoi en
est-il ainsi ?

« La manipulation de l'attente est l'un des ressorts
les plus puissants dont peuvent se servir les auteurs, les
poètes, les chorégraphes, les acteurs ou autres artistes »,
écrit Huron dans son livre *Sweet Anticipation*. La chose
est d'autant plus délicate pour les compositeurs que la
musique n'est constituée que de sons. Il me semble que

les effets en sont par là décuplés. Huron reprend la thèse, mentionnée plus haut, selon laquelle la faculté d'anticipation est capitale pour la survie humaine. La musique et sa façon de jouer avec les attentes permettent au cerveau de développer les aptitudes indispensables au maintien de la société humaine : la tension, la réaction, la représentation mentale et l'anticipation. C'est la raison pour laquelle Huron place la faculté d'anticipation au nombre des sens. Elle est notre « sens de l'avenir », et celui que cultive la musique. Une telle façon de voir me fascine, tant elle s'accorde à ce dont je fais l'expérience au quotidien. Ce qui se passe sur les plans biologique et chimique relève du domaine des neuroscientifiques : les hormones libérées en cas de surprise – donc quand nos prédictions sont contredites par la réalité – sont différentes de celles secrétées lorsque nos conjectures se vérifient.

Mille fois entendu

Les chercheurs en neurosciences et les psychologues n'évoluent pas dans des domaines si distincts ; leurs théories se recoupent souvent. Une expérience musicale peut être considérée comme d'ordre psychologique, car les attentes y jouent aussi un rôle très particulier. On pourrait presque soutenir que ce sont nos attentes, à savoir ce que nous avons rassemblé et enregistré d'expériences au fil des ans, qui confèrent à la musique ce pouvoir sur notre intellect et sur notre âme. Les notes qu'un orchestre produit forment une mélodie parce que notre cerveau organise ces stimulations en fonction de nos expériences passées. Parmi nos milliers de structures cognitives cérébrales se trouve celle du système tonal occidental hérité du langage sonore de Bach. Ainsi, nous ressentons un sentiment de bien-être, présageons que certains accords se fondront dans d'autres, qu'une œuvre approche de sa fin, que le couplet d'une chanson pop se transformera en son refrain. Sans ce vaste trésor d'expériences cognitives, il ne serait guère possible de vivre la musique, nous la percevrions plutôt comme du bruit ou un vacarme désagréable.

Lorsque Schoenberg écrivit sa première œuvre en « tonalité suspendue », tous les auditeurs furent décontenancés. Les suites de sons leur paraissaient sans aucune structure, elles ne répondaient à aucune de leurs expériences musicales, et beaucoup s'exaspéraient de n'avoir plus aucun repère. Leurs cerveaux ne pouvaient pas traiter ces stimulations acoustiques, car les structures cognitives correspondantes leur manquaient. Et même lorsque Schoenberg usait de formes traditionnelles et que ses œuvres empruntaient à l'esthétique de Brahms, tout du moins d'un point de vue structurel, le public se mettait en rage dans les salles de concert.

Mon rapport à cette musique est trop naturel pour que je puisse complètement saisir combien le public a de mal avec elle, et ce, encore aujourd'hui. J'ai écouté cette musique un nombre incalculable de fois, me suis perdu dans son univers sonore, je l'ai analysée tant dans son contexte historique que du point de vue purement musical, et je la dirige souvent. Mon cerveau est programmé en conséquence, il dispose désormais d'une multiplicité de structures capables de traiter l'expérience de son écoute, chaque fois différente, ce qui fait que la musique ne peut jamais devenir ennuyeuse. Néanmoins, j'éprouve de l'empathie pour les auditeurs qu'elle déconcerte.

Il y a quelques années, l'OSM est allé au Nunavik pour l'étape finale de sa tournée à travers le Canada. Le vol donnait l'impression d'aller jusqu'au bout du monde, là où les paysages sont sauvages, la nature rude, authentique, intacte. C'était un voyage dans l'immensité de l'arctique canadien, où la population est dispersée, isolée. Nous y avons joué notre musique, donné des concerts dans des salles de sport, où les enfants se pressaient au bord de la scène érigée pour l'occasion. Ils étaient fascinés. La majorité d'entre eux n'avaient jamais entendu de musique classique, ni vu d'instruments tels que les nôtres. Ils n'en connaissaient pas la sonorité.

La musique inuite est très différente de celle que nous jouons. Le chant de gorge en est caractéristique et il est issu d'une longue tradition. Plus qu'un simple chant, il s'apparente à un jeu vocal. Les chanteurs émettent, de manière très rythmée, des bruissements, des grognements et des souffles par la gorge ; ils sont face à face, se regardent et chantent, leurs visages séparés de quelques centimètres. Le son émis par l'un trouve chez l'autre sa résonance, un mouvement que l'auditeur perçoit très clairement. Je n'étais pas, pour ma part, en mesure de reconnaître des fragments mélodiques ou lyriques dans cette musique, mais plutôt une forme de communication au rythme très marqué. Je me suis demandé si ce chant deviendrait un jour une musique pour moi aussi.

Je me rappelle encore exactement la passion qui animait notre jeune chauffeur lorsqu'il m'a parlé du chant de gorge au cours d'un de nos déplacements. Ce chant, disait-il, était son passe-temps favori, un hobby exigeant. Son visage rayonnait. Il s'est mis à fredonner tout en conduisant, à souffler et à émettre des sons gutturaux. Certes, il n'avait pas de vis-à-vis, mais cela n'avait pas d'importance. Peut-être se l'imaginait-il. Il s'interrompait parfois pour éclater de rire. J'ai écouté le chant des Inuits, de ce jeune homme qui savait en exhaler tous les sons en une reprise toujours similaire. J'étais complètement désorienté. Plus tard, j'ai entendu ce même chant, présenté par deux chanteuses inuites professionnelles. Elles se produisaient sur scène avec notre orchestre pour interpréter *Take the Dog Sled*, d'Alexina Louie, compositrice canadienne, à qui j'avais confié l'écriture d'une œuvre qui puise aux sources de la musique inuite.

C'est avec le temps, une fois que je me suis familiarisé avec ces sons et que j'ai perçu la manière dont ces chants reflétaient la nature, qu'ils sont devenus musique à mes oreilles. Cette musique n'a pas laissé de me déconcerter jusqu'au moment où j'ai commencé à en apprendre plus sur cette tradition presque oubliée et sur les profonds rapports qu'entretiennent ces sons avec la nature environnante. L'amour de ses habitants pour leur terre, la mer et la glace s'y réfléchit. Quand on comprend cela, alors seulement on discerne que ce chant résonne comme les chiens courent sur la glace. Les habitants s'élancent à leur suite, inspirent l'air glacial, puis l'expirent vite ; la fine couche de neige crisse sous leurs pas. Le cri des oies des neiges, l'aboiement des chiens de traîneaux. C'est la nature qui retentit dans la musique ; la nature qui se fait musique.

Il faut tout d'abord entendre le silence du Nord, une fois le vent tombé. Puis le chant de la mer, la neige, la glace et, de loin en loin, les sons des habitants dans leurs villages. Après que j'ai eu fait cette expérience au cours de notre voyage dans le Grand Nord, j'étais capable d'entendre le chant des Inuits – des habitants de ce pays que nous, musiciens de Montréal, avons découvert tel un monde qui nous était encore inconnu, alors qu'il constitue en réalité une grande partie du Canada.

C'est ainsi que, dans le nord du Québec, à l'âge de presque soixante ans, j'ai refait l'expérience de ce qu'est vraiment la musique : elle n'est rien d'autre qu'une stimulation acoustique, que ce soit sous la forme d'une grande symphonie, d'un accord, du chant des Inuits. Au fond, la musique se forme dans la tête pour ensuite se diffuser en nous avec plus de puissance encore. Si on adopte ce point de vue, certes très réducteur, cela implique certaines conditions : il me faut connaître quelque chose de la musique pour accéder aux joies qu'elle procure ou, mieux, plus j'en sais à son propos, plus je m'immerge dans sa structure, son histoire ou celle du compositeur, plus mon expérience musicale sera forte et profonde. Une certaine compréhension des fondements de notre langage musical ne suffit pas, il me faut peut-être avoir aussi quelques connaissances historiques du temps où l'œuvre a été composée, ou des idées qui animaient le compositeur à son époque. Suivant la perspective que j'adopte, je modifie chaque fois ma perception de l'œuvre musicale.

C'est le secret des œuvres majeures. Elles offrent un éventail infini de perceptions, se métamorphosent continuellement en une expérience nouvelle aux oreilles de l'auditeur. La musique classique est si complexe que chaque écoute peut me faire découvrir quelque chose de neuf, me plonger toujours plus profondément en elle et renouveler indéfiniment l'inspiration qu'elle suscite. Cela tient à son caractère indéterminé. La musique ne signifie rien de prime abord ou, plus précisément, sa signification est une construction de notre cerveau. Si nous connaissons l'admiration initiale de Beethoven pour Napoléon puis la déception qui s'ensuivit, il nous est possible d'entendre ces mêmes pensées et sentiments dans sa musique. Peut-être avons-nous lu un article brillant dans le programme au début du concert, ce qui ne manquera pas d'influencer l'expérience musicale que nous ferons. Ou nous avons étudié les effets mystérieux du triton, nous avons entendu cet intervalle à de nombreuses reprises et le reconnaissons soudain dans une symphonie ; nous nous interrogeons alors sur la raison de son utilisation par le compositeur, ce qu'il cherchait à exprimer par ce moyen. Notre écoute se modifie selon ce que l'on connaît.

Il se peut que la musique nous dise quelque chose, mais cela sera toujours différent selon le contexte. La musique est avant tout définie par son absence de sémantique ; elle est un art abstrait, non figuratif. Cette indétermination se trouve à la source de questionnements indéfiniment renouvelés, auxquels aucune réponse définitive ne peut être apportée, et cela confère aux chefs-d'œuvre une part d'infini. C'est en cela qu'ils nous fascinent, de là que viennent les vagues d'émotions qu'ils déclenchent, les sommets de spiritualité qu'ils nous font atteindre, ou les connaissances, voire le discernement qu'ils favorisent. La musique exerce une force incomparable ; elle a la faculté de transformer le cerveau, d'éveiller des souvenirs ou de les effacer, elle mystifie nos attentes et se joue de notre imagination, elle cultive les sens, les perceptions, la sensibilité ; elle remet complètement en question notre expérience du monde.

Rien n'est en vain

Ce processus cognitif de perception explique pourquoi la complexité de la musique classique nécessite quelques efforts de la part de l'auditeur, et tout d'abord un moment de véritable concentration. Si je souhaite faire l'expérience de la musique, je dois commencer par l'écouter attentivement. Certes, cette invitation peut être perçue comme une provocation à une époque où la musique tient plutôt lieu de décor sonore et où la sublime *Sonate pour piano n° 11* (« Alla Turca ») de Mozart sert de musique de fond à une publicité pour un système de chasse d'eau.

Si la musique classique nous fascine toujours davantage, comme c'est mon cas depuis mon enfance, c'est peut-être parce que sa complexité et sa profondeur nous invitent à des découvertes toujours nouvelles. Une œuvre de musique classique se déploie sur une infinité de plans ; sa complexité reflète la vie elle-même, qui ne peut être réduite à une mélodie limpide ponctuée de quelques coups de théâtre. Aborder une telle complexité et diversité exige quelques efforts. Il nous faut pour cela acquérir des connaissances de base et réfléchir à certaines choses. Il nous faut aussi être prêts à faire preuve de souplesse dans notre rapport à ce que nous connaissons. Il existe de fait une différence entre écouter l'œuvre bien connue des *Quatre Saisons* de Vivaldi, le dernier mouvement de la *Neuvième* de Beethoven, transmettant d'emblée le message des vers de Schiller, ou une sonate pour violon de Lutosławski, dont les mouvements n'indiquent pas nettement s'ils se réfèrent à l'été ou à l'hiver ou peut-être au printemps. Une écoute concentrée, l'acquisition de quelques connaissances ainsi qu'une dose non négligeable de souplesse – tout cela représente déjà beaucoup d'application.

Je suis convaincu qu'il est possible de demander un certain effort aux auditeurs, et en particulier aux jeunes. Ce n'est pas différent des autres domaines de la vie, dans lesquels l'engagement, l'intérêt et la motivation sont nécessaires pour atteindre un objectif. Tout doit-il toujours être simple divertissement sans nécessiter la moindre action de notre part, comme une chanson pop aux basses vibrantes transportant celui qui l'écoute dans une extase rythmique pendant quelques jours, avant de passer de mode et de tomber dans l'oubli ? Tout n'est pas simple et confortable, pas plus dans la vie que dans l'art. Un voyage dans la musique classique n'a rien d'une promenade en pays de cocagne, où des fruits mûrs attendent d'être cueillis sur les branches d'arbres à l'ombre desquels coulent des rivières de lait et de miel. Cela ne correspondrait pas non plus à la nature humaine, qui, malgré toutes les tentations, finit par se lasser de la consommation sans effort. L'inclination à l'effort, comme à la paresse, nous est donnée à la naissance. Nous ne passons pas nos jours allongés, à goûter les grains des meilleurs raisins ; nous gravissons aussi les montagnes avec peine, parcourant des sentiers en lacets. Pourquoi donc ?

Pour le plaisir de l'effort, déjà, et si ce n'est pas le cas, pour le point de vue extraordinaire que nous découvrirons au sommet, ou encore pour le sentiment de profonde satisfaction qu'occasionne la libération de certaines hormones après l'effort. Le cerveau, ou l'esprit, dit David Huron, veut atteindre un objectif, il veut être mis au défi et pas uniquement choyé. « C'est pourquoi la meilleure musique n'est pas nécessairement celle qui procure exclusivement du plaisir à son auditeur. » C'est vrai. Mais je ne suis pas non plus un ascète. Le plaisir a droit de cité, il doit exister – non pas comme une simple satisfaction, mais pleinement, comme phénomène complexe. Si on ne pouvait espérer du plaisir en cultivant le goût de la musique, personne ne s'y consacrerait. « Lorsque les philosophes qui s'occupent de questions esthétiques cherchent à comprendre le phénomène de la beauté, ils n'atteindront jamais leur but s'ils ne tiennent pas compte du mode de fonctionnement de notre esprit et de sa prédilection pour le plaisir », écrit justement Huron.

Celui qui envisage un voyage dans la musique classique comme un processus de découvertes pas à pas, strate par strate, celui-là goûtera de nombreux moments de plaisir au cours de son aventure. Que ce soit le plaisir de comprendre une structure, les délices de l'anticipation, la joie devant un détour farceur de la mélodie ou la prise de conscience de ce que la musique nous a transportés, l'espace de quelques instants, tout à fait ailleurs. Pouvez-vous imaginer l'excitation et le bonheur que j'éprouve lorsque je reconnais soudain, dans une partition qui m'est pourtant depuis longtemps familière, un élément structurel qui transforme complètement la vision que j'en avais ? Je peux vous promettre une chose : si le chemin est parfois ardu, il en vaut la peine. Celui qui s'engage dans le monde de la musique classique n'en sera jamais déçu.

Que les choses les plus appréciables de la vie, les expériences les plus marquantes n'adviennent pas toujours sans effort est également valable pour les jeunes. Je l'ai appris au cours de mon enfance, lorsque le plaisir de l'expérience musicale se résumait à jouer un passage difficile rapidement et surtout sans faute – quand je me suis rendu compte du bonheur que procure le savoir-faire. Jusque-là, ma mère m'avait entraîné à grimper les côtes, comme elle l'aurait fait avec un petit âne. En musique classique, il arrive que la pente soit escarpée, mais une fois qu'on a atteint le sommet, le point de vue que l'on découvre est splendide.

Classique ou pop ?

De manière clairement provocatrice, j'ai fait un peu plus haut une remarque désobligeante à l'égard de la musique pop que j'ai qualifiée de superficielle, de simpliste. Elle est en tout cas moins complexe que la musique classique, et plus facilement accessible à un grand nombre de personnes. On pourrait la comparer à un thriller qui se lit plus vite que le *Faust* de Goethe ou *La Divine Comédie* de Dante. Le gain de connaissances et le sentiment de satisfaction que procure la lecture de *Faust,* si on s'est donné la peine de s'y engager intensément, sont très supérieurs à celui trouvé dans le divertissement que procure un roman policier, même si l'auteur est célèbre et l'intrigue infiniment captivante. Cette comparaison est certes assez facile. J'ai bien conscience qu'un bon thriller peut être du grand art. Sans doute la distinction entre musique de divertissement et musique savante – donc entre, d'une part, un art facile et, de l'autre, un art particulièrement profond, difficile et exigeant – est-elle malvenue. Tout ce qui est d'accès facile n'est pas toujours de l'ordre du divertissement. Le degré de complexité d'un morceau de musique ne peut pas non plus être utilisé pour distinguer ce qui est de l'art et ce qui est du divertissement. Emmanuel Kant faisait la distinction entre l'art « agréable » et les « beaux » arts, ces deux sortes d'art stimulant l'être humain sur le plan de l'esthétique. L'art agréable est celui qui se met au service du plaisir pur, à savoir du divertissement, et n'a pas pour objectif la réflexion ou quelque autre acquis durable. Il en est autrement de la « belle » musique, qui fait naître un désir de connaissance.

Dans le domaine de la musique, cette distinction est apparue au XVIIIe siècle. Tout comme on le fait aujourd'hui, Kant s'attachait à l'objectif visé par la musique et non à son style. Je me garde bien, sous prétexte que je suis spécialisé en musique classique, de juger de la qualité de musiques de genres différents, et encore plus de prétendre que l'une serait supérieure à l'autre. Seul le temps est juge, c'est à lui que se mesurent les créations artistiques. Ainsi, certaines sonates tirées des œuvres complètes de compositeurs reconnus s'avèrent appartenir davantage au divertissement qu'à la musique savante, car elles n'ont pas résisté au passage du temps. Il est de même incontestable que la chanson pourtant peu complexe de John Lennon *Imagine* est un témoignage magistral de créativité musicale qui résistera à l'épreuve du temps – du grand art, la haute culture du domaine de la pop, intemporelle non seulement dans sa forme musicale mais également dans son message politique.

De par ma profession, je suis un spécialiste de la musique classique et donc, par définition, pas le plus grand fan du *crossover*, ce genre qui consiste à allier musique savante et musique de divertissement. Peut-être les mots eux-mêmes sont-ils erronés, sans doute devrions-nous arrêter de diviser la musique en catégories « savante » et « de divertissement », évoquer plutôt différents styles et laisser le temps faire son travail. Les grandes œuvres musicales sont intemporelles, elles nous parlent et échappent à toute classification. Elles sont simplement là.

Il est intéressant de souligner que nous posons volontiers la question de la pertinence actuelle de la musique classique. Qui songerait à disputer l'importance et la validité des textes d'Aristote ou de saint Augustin, des pièces de théâtre de Lessing ou des romans de Fontane, simplement parce qu'ils datent de quelques siècles, voire de plus de mille ans ? Lorsque j'ai demandé à Daniel s'il pouvait imaginer que la musique classique disparaîtrait un jour complètement, ce guitariste et musicien rock, qui joue aussi de nombreuses compositions classiques au piano, m'a regardé, interloqué : « C'est impossible, ce serait comme si Shakespeare disparaissait un jour. Peux-tu l'imaginer ? »

Une question de perspective

La musique agit sur chacun de nous de manière différente. Elle n'est pas définie sur le plan sémantique, ne réfère à rien de concret, elle s'adresse à nous dans toute son abstraction. Elle amorce un processus cognitif, une réflexion suscitée par les émotions. Il serait pourtant déraisonnable d'attendre de l'écoute d'une symphonie qu'elle suscite immédiatement une impulsion nouvelle et concrète, qu'elle donne naissance à une idée, voire à une vision de la société. Ce n'est pas aussi simple. La contribution – *input* – et le résultat – *output* – ne sont pas dans un rapport qui se laisse exprimer sous la forme de fonctions linéaires, inversement proportionnelles ou quelque chose d'analogue, et qui permettrait de calculer précisément des effets en fonction d'un investissement de quelque nature qu'il soit. Il est impossible de connaître le taux de rendement précis des arts sur le plan social. Dois-je être capable de prévoir, au cent près, la manière dont un chef d'État modifiera sa politique s'il fréquente un concert de musique classique tous les mois pendant un an et, mieux encore, s'il écoute la causerie présentant les œuvres avant la représentation ?

« Ma définition préférée de la musique est qu'elle change notre perception du monde », dit Daniel. Nous sommes assis depuis deux heures, déjà, dans son petit bureau. Sa guitare acoustique est posée contre le mur, à portée de main pour illustrer un argument ou l'autre à l'aide d'un exemple musical. Lorsque nous écoutons un morceau de musique, nous voyons le monde autrement, même si nous n'en sommes pas toujours conscients sur le coup. Il en est profondément convaincu. La musique conduit à la production de nouvelles connexions dans le cerveau. La manière dont la musique entraîne ces nouvelles connexions demeure encore inexpliquée. « C'est le miracle que provoque la musique. »

Un miracle d'une efficacité certaine. Ce changement de perspective nous permet de voir le monde d'un point de vue différent, nous donne le recul qui nous permettra de transformer une relation, de remettre en mouvement des opinions figées, de trouver des solutions à des interrogations en les abordant sous un jour nouveau. Mais comment fonctionne exactement ce changement de perspective ? Comment la musique nous conduit-elle à voir le monde autrement ?

« Il existe deux modes d'activité du cerveau », dit

Daniel, le mode actif et le mode de rêverie éveillée. Notre cerveau est en mode actif lorsque nous nous concentrons sur une tâche précise comme, par exemple, l'apprentissage d'une œuvre musicale, cuisiner en suivant une recette ou chercher notre chemin sur une carte. Le mode de rêverie éveillée est cet état où on est dans la lune, où l'esprit vagabonde, et lorsque quelqu'un nous demande : « À quoi penses-tu ? », nous répondons : « Oh, à rien » ou « Je ne sais pas ». « Le mode de rêverie éveillée est important pour notre propos », dit Daniel. Les pensées sont alors libres de créer de nouvelles associations, comme c'est le cas lorsqu'on rêve et qu'un fauteuil se transforme soudain en une voiture avec laquelle on roule au-dessus de la mer. De telles associations n'adviennent que lorsque le cerveau a la liberté de les créer. Les aires cérébrales alors actives sont différentes de celles qui sont nécessaires pour un travail qui exige de la concentration ; un tout autre réseau neuronal est soudain activé. Cet état génère de nouvelles pensées ou associations, ce qui, sur le plan neurologique, ne signifie rien d'autre que des milliards de connexions neuronales nouvelles par l'intermédiaire des synapses. « Quand nous avons un problème à résoudre, c'est souvent impossible au moyen d'une pensée rectiligne, explique Daniel. Que le problème soit un aspect des changements climatiques, la faim dans le monde ou la menace d'un conflit armé ne change rien à l'affaire. » Seule la créativité peut venir à notre secours.

Quel est le rapport avec la musique ? Le cerveau dispose apparemment d'un mécanisme ou d'un « interrupteur » qui permet le passage d'un mode cérébral à l'autre. « Nous avons découvert, dans mon laboratoire, à Stanford, où il se situe », ajoute Daniel. Il se situe dans ce qu'on appelle le cortex insulaire, ou *insula*. Si son mode de fonctionnement n'est pas encore éclairci, il est cependant certain que la musique influe sur son mécanisme. Elle serait en mesure d'induire chez les personnes qui en écoutent attentivement un état de rêve éveillé. « Un lever de soleil est également en mesure de le faire », dit Daniel. Mais la musique est à ses yeux unique : « Elle nous occupe sur une durée plus longue et selon un mode spécifique qu'une image ou un lever de soleil ne peut offrir. » Nous sommes synchronisés à son rythme, à son pouls, « nous ne pouvons nous dégager d'elle ».

La musique fait oublier le temps. Quoiqu'elle soit indissociable du temps, elle semble se situer en dehors de toute temporalité : elle nous entraîne dans une forme de rêverie éveillée, au-delà des limites du corps. Nous perdons le sens de notre entourage, de notre environnement, de l'espace et du temps. Les mélodies et les timbres se distinguent à d'autres égards encore des images et d'un coucher de soleil : « Les images donnent l'impression d'être quelque part à l'extérieur du corps », poursuit Daniel. À l'inverse, la musique pénètre en nous par l'oreille et entre directement dans notre tête. Puis, lorsqu'elle a pris entièrement possession de nous, nous a mis dans un état au-delà de l'espace et du temps, le chemin vers de nouvelles associations est alors libéré, un chemin ouvert à la créativité, à une pensée nouvelle. Le chercheur en neurosciences me regarde. Il rit.

Notre longue discussion touche à sa fin, je quitte le laboratoire de Daniel avec un sentiment de satisfaction

profonde. Je suis heureux d'avoir eu l'occasion d'observer la musique sous un jour tout à fait différent et d'y
réfléchir ainsi autrement. Heureux aussi qu'il n'y ait,
jusqu'à aujourd'hui, pas de réponse absolue à la question clé : pourquoi la musique exerce-t-elle sur nous un
tel pouvoir ? J'ai transcrit quelques réponses qui me
paraissent plausibles et que je trouve fascinantes. Il y a
néanmoins d'innombrables autres contributions
brillantes à ce débat. À ce jour, le secret du pouvoir de la
musique n'est pas déchiffré. Si la musique est synonyme
de vie, cela ne changera pas avant longtemps. Au
contraire, plus nous aspirons à lever le mystère de la
musique, plus nos recherches se font intenses, et plus
complexe encore paraît son secret, telle une énigme
inexplicable. C'est précisément en cela que réside la
qualité insaisissable de la musique et que se fonde sa
puissance.

BRUCKNER

S'affranchir des limites

Lorsque je pense à Anton Bruckner, ce grand compositeur autrichien, des souvenirs de jeunesse s'imposent
à moi. Ils me transportent à Morro Bay, dans la maison familiale d'un ami, dans leur salon avec son grand
piano à queue qui était toujours accordé. C'est là que la
musique d'Anton Bruckner est entrée dans ma vie, je
dirai presque avec sa témérité propre – directement,
avec puissance et de manière inoubliable.

Cela paraît aussi chargé de pathos que la musique de
Bruckner elle-même lorsqu'elle est dirigée avec trop
de complaisance. Pourtant, je n'exagère pas. La découverte de Bruckner, cet après-midi-là, a marqué ma vie.
On serait tenté de nous imaginer, David et moi, en train
de mettre le disque d'une symphonie de Bruckner, de
tourner le bouton du volume au maximum, de plonger
la pièce dans la pénombre et de nous allonger sur le sol
les yeux fermés, pour laisser la musique de Bruckner
nous envahir. À cette époque, c'était là un de nos passe-
temps préférés, à mes amis et à moi, auquel nous reve-
nions sans cesse tout au long de notre scolarité. Mais ce
n'est pas tout à fait ainsi que cela s'est passé.

Un matin, à l'école, David, assez excité, m'a dit qu'il

voulait absolument jouer quelque chose avec moi
l'après-midi même. Aujourd'hui, il est pianiste de carrière, et il était déjà un très bon musicien à l'époque.
Nous étions adolescents et jouions à quatre mains, à
l'occasion. Son invitation ne m'aurait donc pas surpris
outre mesure si je n'avais ressenti son impatience sous-
jacente. Ce qui m'a sidéré, c'était ce qu'il voulait jouer.

Lorsque nous sommes arrivés chez lui, il m'a montré
un arrangement des *Septième, Huitième* et *Neuvième
Symphonies* de Bruckner pour piano à quatre mains.
Nous avons aussitôt commencé par la première page de
la *Septième* et joué avec un enthousiasme grandissant.
Des pianistes chevronnés auraient aisément maîtrisé la
partition, mais il nous a bien sûr fallu nous y reprendre
plusieurs fois et mobiliser toute notre attention. Néanmoins, nous sommes assez vite parvenus à une idée de
la manière dont cette musique sonnait, et elle nous a
envoûtés complètement. David était féru de littérature
et connaissait assez bien la musique de Bruckner, qui
m'était familière aussi, au moins ses œuvres pour chœur.
Nous savions bien sûr qui il était : un compositeur autrichien, auteur d'une musique rien de moins que monu-
mentale, qui était peu reconnu de son vivant et dont
les œuvres, du temps de ma jeunesse et de mon adolescence, étaient encore loin d'être régulièrement inscrites
au programme des concerts symphoniques. Et pourtant, son univers était totalement différent de tout ce
que j'avais entendu ou joué jusque-là. À la fin des
années 1960, alors que grondait la révolte de la jeunesse,
il y avait sans doute peu de choses plus aberrantes que
deux garçons jouant Bruckner à quatre mains.

Je ne me rappelle plus si mon ami m'a raconté, à l'époque, d'où il tenait les partitions, mais peu importe. Ce qui compte, c'est que la musique nous troublait. Nous étions médusés, émerveillés, chavirés. Ce compositeur écrivait différemment de ce que le professeur Korisheli nous avait enseigné à l'école ; il ne développait pas sa musique de manière classique, mais juxtaposait ses pensées musicales en blocs, les uns à côté des autres. Je ressentais déjà, pendant que nous jouions au piano, combien il était difficile de relier ces blocs les uns aux autres. Quel rapport cette idée avait-elle donc avec la suivante ? J'avais l'impression d'évoluer à l'intérieur d'un édifice qui nous était complètement inconnu ; nous regardions autour de nous et de nouvelles pièces se révélaient sans cesse à nos yeux. Nous étions en train de découvrir quelque chose d'entièrement nouveau, une musique qui nous était encore inconnue et que nous ne comprenions pas vraiment, mais dont nous avions l'intuition qu'elle avait quelque chose à nous dire.

Chacun de nous, je crois, a de tels souvenirs de jeunesse – importants, porteurs de promesses, de surprise et d'émerveillement, profondément enfantins mais qui, d'une façon ou d'une autre, nous accompagnent ensuite toute notre vie. Cela n'a pas nécessairement à être relié à la musique. Pour certains, c'est la découverte des romans de Hermann Hesse, ou des essais de Nietzsche ou de la poésie de Rainer Maria Rilke. Pour moi, ce fut Bruckner. Pareils événements comptent parmi ces expériences qui ne déploient vraiment leur influence qu'avec le temps. Elles ne s'estompent pas, leur souvenir gagne au contraire en importance au fil des ans et fonde parfois la passion de toute une vie.

Les symphonies d'Anton Bruckner sont longtemps restées pour moi une sorte de mystère musical. Elles le demeurent sans doute toujours aujourd'hui, bien que je les aie étudiées en profondeur et que je me sois consacré à elles comme à peu d'autres créations musicales. D'où leur vient leur puissance ? Pourquoi cette musique me bouleverse-t-elle tant ? Qu'est-ce qui fait que ce sont les symphonies de Bruckner qui, aujourd'hui encore, me propulsent dans un tout autre monde, un monde d'expériences émotionnelles et spirituelles illimitées ? Un monde sans frontières temporelles, un espace en expansion, voilà Bruckner à mes yeux.

J'ai découvert Bruckner à une époque où l'intérêt pour sa musique et plus particulièrement pour ses grandes symphonies croissait timidement. Dans les années 1960, des chefs d'orchestre de renom commençaient à diriger ses œuvres et surtout à les enregistrer. Eugen Jochum fut le premier à enregistrer l'intégrale des neuf symphonies, entre 1958 et 1967. Dès 1926, il avait fait ses débuts à l'Orchestre philharmonique de Munich avec la *Septième*. Il avait alors vingt-quatre ans. Quatre décennies plus tard, il était considéré comme un interprète insurpassable de Bruckner.

L'un des tout premiers vinyles que je me suis offerts avec mon propre argent de poche était un enregistrement de Bruckner, sans doute de Jochum. C'était sûrement la *Septième*. De nombreux collègues de renom ont suivi sa voie ; parmi eux, Sergiu Celibidache et Günter Wand se distinguèrent par leurs interprétations, qui les rendirent tous deux célèbres. Celibidache fut engagé à la direction de l'Orchestre philharmonique de Munich en 1979 ; lorsqu'il dirigeait les symphonies de Bruckner, il fascinait par ses tempi d'une lenteur vertigineuse.

En ce qui me concerne, c'est le chef Günter Wand qui, plus que tout autre, a influencé ma compréhension de Bruckner, lui dont le nom est associé comme nul autre au compositeur autrichien. Il s'attachait durant des années à l'étude de la partition d'une seule de ses symphonies, se plongeant dans ses différentes versions avant de se décider pour l'une d'elles et de la présenter en concert. Il avait toujours infiniment de choses à dire au sujet de Bruckner. Au cours de notre longue amitié, j'ai immensément appris sur Bruckner et sur ce que signifie véritablement fouiller une œuvre, la connaître, sur ce que veut dire, enfin, la fidélité à une œuvre.

Günter Wand, après Olivier Messiaen et Leonard Bernstein, fut sans doute mon dernier grand professeur. Après une intense collaboration de plusieurs années, notre relation s'est transformée en profonde amitié, ce qu'elle est restée jusqu'à sa mort, en 2002. J'avais une petite quarantaine d'années lorsque je l'ai rencontré ; je venais de prendre la direction du Hallé Orchestra de Manchester, quelques années plus tôt, en plus de mon engagement à l'Opéra de Lyon. Wand assurait à cette époque la direction de l'Orchestre symphonique de la radio de Hambourg, le Rundfunkorchester de la NDR, qui m'avait engagé comme chef invité pour diriger *Das klagende Lied* de Mahler, sa cantate inspirée par des contes. Quand les musiciens de la NDR m'ont dit que

Wand revenait à Hambourg pour répéter avec eux la *Neuvième* de Bruckner, j'ai décidé de prolonger mon séjour pour assister à sa répétition. Il ne m'avait pas invité ; je me suis risqué à m'asseoir discrètement, en silence, tout au fond de la salle.

Il est tout à fait inhabituel d'agir ainsi entre chefs d'orchestre ; l'usage exige, à vrai dire, plus de respect, et au moins de demander si notre présence n'est pas importune. Au moment de la pause, un musicien s'est dirigé vers moi et m'a fait savoir que le maestro souhaitait me parler. Très embarrassé, j'ai commencé par le prier d'excuser ma présence. Mais avant que je ne sois parvenu à la fin de ma phrase, il a balayé mes mots d'un geste et m'a souhaité la bienvenue. C'était, m'a-t-il dit, la première fois au cours de ses nombreuses années à Hambourg qu'un autre chef d'orchestre s'intéressait à son travail. Et bientôt nous étions sur scène, en pleine discussion sur la *Neuvième* de Mahler et sur la cantate que je venais de diriger.

Après cette première rencontre, nous nous sommes revus souvent. Si nous parlions des œuvres orchestrales de Schubert et de celles d'autres compositeurs, nous nous penchions avant tout sur les symphonies de Bruckner, de la *Troisième* à la *Neuvième*. J'assistais à ses répétitions, observais sa direction, suivais chacune de ses indications. Pendant nos discussions, je buvais ses paroles et m'imprégnais de ses connaissances. Nos débats sur la musique de Bruckner nous ont bientôt conduits à aborder des questions fondamentales, qui n'engagent pas seulement des valeurs et des préférences personnelles mais touchent aussi aux questions de la foi.

Günter Wand représentait bien sûr pour moi une autorité indiscutable en ce qui concernait Bruckner ; personne ou presque ne connaissait aussi bien que lui l'œuvre de ce singulier compositeur autrichien. Ce qu'il en disait me paraissait remarquable à tous points de vue, même si nous n'étions pas toujours parfaitement d'accord. Günter Wand choisissait fréquemment d'interpréter les versions tardives des symphonies, parce que leur réécriture, pensait-il, portait la partition au plus près de la vision idéale du compositeur. Je commençais, pour ma part, à me passionner pour les versions originales, qui me paraissaient plus puissantes, plus abruptes, plus radicales et aussi plus modernes.

Wand vivait les symphonies de Bruckner comme des expériences hautement spirituelles, car le compositeur se penche sur l'au-delà et exprime musicalement son rapport à Dieu ou évoque une représentation de la vie après la mort. En outre, la nature se reflète dans les symphonies de Bruckner, la manière dont il l'observe est tout autant empreinte de spiritualité. Günter Wand m'a un jour confié que les symphonies, à ses yeux, se divisaient en quelque sorte en deux catégories. La *Cinquième* et la *Neuvième* étaient pour lui très différentes des *Troisième, Quatrième, Sixième, Septième* et *Huitième*. Si on conçoit les symphonies comme des dialogues avec l'au-delà, le sens de la communication dans la *Cinquième* et la *Neuvième* va du haut vers le bas, du ciel vers la terre. Dans les autres, c'est l'inverse : les êtres humains dirigent leurs paroles vers le ciel dans l'espoir d'une réponse. Je ne sais si l'on peut entendre ou ressentir cela, je ne sais même pas si je le ressens toujours ainsi. Günter Wand me l'a transmis tel un fait irréfutable, et avec lequel poursuivre mon chemin.

Aux yeux du public, Anton Bruckner passe pour un homme très contradictoire, un génie qui osait, comme nul autre, mener la musique à de toutes nouvelles dimensions. Un cliché tenace l'a suivi pendant de longues décennies : l'image du fils d'un maître d'école de campagne, dont le génie musical audacieux ne s'accordait en rien avec la personnalité dévote, peu sûre d'elle et éprouvant pourtant le besoin de se faire constamment valoir. La bizarrerie qu'on lui prêtait a donné naissance à d'innombrables anecdotes à son sujet. Il était encore moins pris au sérieux en tant qu'homme qu'en tant qu'artiste. Cette dichotomie persista plusieurs décennies après sa mort à Vienne, en 1896. Le mot de Gustav Mahler, qualifiant Bruckner d'« homme simple – moitié Dieu, moitié dadais » a contribué à maintenir vivante cette perception du compositeur.

En tant que compositeur, Bruckner resta largement méconnu de son vivant ; sa réputation d'organiste virtuose dépassait l'espace germanophone, il était largement accepté comme professeur d'harmonie, de contrepoint et d'orgue au conservatoire de Vienne. C'est en tant que compositeur qu'il était contesté, voire honni. Le rejet de sa musique contrariait sa soif de reconnaissance ; son comportement parfois extrêmement pusillanime face aux autorités politiques et artistiques ne s'accordait guère avec la conscience qu'il avait de sa grandeur et ses ambitions de symphoniste. Ce n'est qu'à l'âge de soixante ans, en 1884, que son talent éclata au grand jour grâce à sa *Septième Symphonie*. Il l'avait composée entre 1881 et 1883 et en avait écrit le célèbre *adagio* sous l'effet de la mort de Richard Wagner, auquel il vouait une admiration profonde. Il est révélateur que la création eut lieu à Leipzig et non à Vienne, ville où un trio de critiques impitoyables, mené par le très influent Eduard Hanslick, n'avait eu de cesse au fil des ans de discréditer non seulement la musique de Bruckner, mais aussi l'homme lui-même.

Un an plus tard, c'est à Munich que fut reprise sa *Septième Symphonie* sous la direction de son ami et soutien, Hermann Levi. Les critiques viennois restèrent sceptiques et poursuivirent leur travail de dénigrement. Chef de file de la critique, Hanslick qualifia la triomphante *Septième* de « monstrueux serpent » symphonique et décrivit Bruckner comme un compositeur qui, dans sa façon d'écrire, se révèle un anarchiste, quelqu'un qui sacrifie tout ce qui est « logique et clarté de développement, unité de la forme et de l'harmonie ».

Si je cherche aujourd'hui à interpréter cette phrase, il me semble que le redoutable critique est parvenu à caractériser Bruckner avec beaucoup de justesse, même si son intention était clairement malveillante. Bruckner, poussé par une nécessité intérieure, s'affranchissait des règles traditionnelles de la composition, devenues trop étroites pour sa vision musicale. Ses détracteurs, prisonniers de l'esprit du temps en dépit de toute leur science, ne pouvaient concevoir que c'était justement là que résidait la modernité de l'artiste. Peut-être est-ce le sort de tous les artistes en avance sur leur temps, le prix qu'ils paient lorsque leur vision artistique ouvre la voie de l'avenir.

Toute sa vie, Bruckner a payé un lourd tribut simplement parce qu'il s'entêtait à composer de la musique. Sa solitude tenait sans doute moins à ce qu'il n'était pas marié et vivait très seul qu'au fait qu'il était totalement incompris et que plusieurs de ses œuvres majeures ne furent créées qu'après sa mort – comme la *Cinquième* et la *Sixième Symphonie,* dont il ne put jamais entendre une note. Bruckner ne réussit jamais à trouver un éditeur, aussi bien alors passer sous silence la question des droits d'auteurs, qu'il n'a bien sûr jamais perçus.

Ses symphonies avaient non seulement la réputation d'être beaucoup trop longues, elles passaient aussi pour être injouables. La symphonie en tant que forme artistique semblait s'être tarie avec Beethoven, qui avait porté le genre à son parachèvement. Était-il encore possible d'écrire une œuvre symphonique de valeur après Beethoven ? Il fallait, dans ce cas, qu'elle soit radicalement autre. Beethoven connut de son vivant une gloire qui fut refusée à Bruckner. Cela pourrait peut-être s'expliquer par le fait que Beethoven était considéré en son temps comme un compositeur maniant les idées, incarnant dans ses œuvres les conquêtes novatrices des Lumières et du libéralisme qui ont bouleversé les rapports sociaux dans toute l'Europe au début du XIXe siècle. Ce faisant, on oublie fréquemment que Beethoven composa ses œuvres tardives de musique de chambre de manière si différente, si nouvelle, qu'il n'était plus compris non plus de la plus grande partie de son public.

Je pense souvent à combien il doit être difficilement supportable, pour un artiste, qu'aucune de ses œuvres ne soit comprise, ne serait-ce qu'un peu, et ce, pendant des décennies. Même les amis de Bruckner avaient de la difficulté avec ses compositions et leur expression exacerbée. La réaction profondément effrayée de Hermann Levi, lorsqu'il reçut la *Huitième Symphonie* que le compositeur lui avait envoyée après trois ans de travail, est à cet égard quasiment légendaire. Levi, que Bruckner, submergé d'émotion après l'interprétation triomphale de la *Septième Symphonie* à Munich, avait désigné comme son « père en art », fut totalement décontenancé par la *Huitième*. « En quelques mots, je ne me retrouve pas dans la *Symphonie n° 8* et n'ai pas le courage de la présenter en concert », écrivit-il à un étudiant de Bruckner ainsi chargé de transmettre la nouvelle dévastatrice au compositeur. Levi ne voulait pas porter de jugement, mais il redoutait l'opposition de l'orchestre à l'« impossible instrumentation » – et celle du public. L'apparente ressemblance de la nouvelle œuvre avec la *Septième* et ce qu'il considérait comme des poncifs le perturbaient. Aussi, il recommanda un remaniement de l'œuvre.

Bruckner n'eut de cesse de retravailler ses neuf symphonies « valables », parfois jusqu'à des décennies après les avoir écrites. Il a ainsi laissé aux musicologues un travail d'établissement des ses partitions quasi insoluble et nous a placés, nous, chefs d'orchestre, devant la question toujours renouvelée du choix de la version à présenter aux auditeurs. Ces remaniements sont en effet loin de n'être que quelques corrections au cœur d'une œuvre dont la cohérence globale demeure. Il s'agit souvent de changements radicaux, par lesquels il voulait ajuster les structures sonores presque archaïques de ses versions d'origine à l'esprit de son temps. Il cherchait à les adoucir, à les rendre plus accessibles. Ses œuvres se heurtèrent continuellement à l'incompréhension des critiques, mais aussi de ses amis. Bruckner prenait à cœur les sarcasmes, et plus encore les conseils bien intentionnés. Il remania de longs passages, écrivit de tout nouveaux mouvements, raccourcit, simplifia.

Je me suis plongé dans chacune des versions, séparément, un nombre incalculable de fois, et les ai tout aussi souvent comparées. Je me suis fréquemment demandé si Bruckner avait eu conscience de la force d'innovation de ses premières versions. Il remania ses œuvres avec le même acharnement qu'il avait d'abord mis pour rompre avec les règles traditionnelles de la symphonie : il en atténua le caractère pionnier, en amoindrit la truculence – sans respect pour son acte de création initial, et peut-être sans la conscience de l'exigence qui fonde ces premières versions. Doutait-il lui-même de sa modernité ? Il est impossible de répondre à cette question.

Les versions originales de ses symphonies sont à mes yeux instructives et fascinantes. Elles sont plus modernes, plus visionnaires et plus puissantes que leurs versions remaniées. Leur force est incomparable, tout comme la puissance avec laquelle les idées musicales y déferlent. C'est dans les premières versions que s'illustre la manière révolutionnaire dont Bruckner avait choisi de traduire ses idées, de pousser le discours harmonique jusqu'à ses limites pour finalement le détruire. Si je devais décrire ce que ses symphonies provoquent en moi, je dirais qu'elles transforment ma perception du temps et de l'espace. Tout devient plus ample, plus vaste, le temps perd son caractère absolu, l'espace ses limites. Sa musique m'emporte dans une dissolution de nos dimensions terrestres. Comment Bruckner parvient-il à de tels effets ?

Tout ne s'explique pas par la technique de composition, mais une partie, certainement. Aussi, je voudrais souligner quelques points qu'il est possible de saisir sans connaissances théoriques trop approfondies. Peut-être les remarquerez-vous la prochaine fois que vous écouterez une symphonie de Bruckner.

Le temps est une dimension. Les symphonies de Bruckner, surtout la *Huitième*, entretiennent un rapport au temps jamais vu pour son époque. Certes, on connaissait déjà des opéras d'une durée imposante, mais personne n'avait encore entendu de symphonie de quatre-vingts minutes. Cette durée reste inhabituelle encore aujourd'hui. La musique de Bruckner agit avec lenteur, elle fait glisser l'auditeur hors du temps – dans de vastes phrases, qui s'étendent en règle générale sur seize mesures, ce qui va à l'encontre des usages et des habitudes du public de la fin du XIXe siècle. Or, au moment où une phrase musicale touche à sa fin, l'auditeur est animé du sentiment d'avoir parcouru un voyage. Mais avant même qu'il s'en aperçoive, il est déjà emporté, plus loin, vers l'aventure sonore suivante.

Toutes ces caractéristiques contribuent à l'impression d'une perte progressive de la notion du temps. L'usage que Bruckner fait des motifs, qui sillonnent le mouvement d'une symphonie en d'infinies variations, est aussi remarquable. Prêtez-y attention : les motifs traversent un processus d'évolution apparemment sans fin. Les variations opèrent graduellement une lente métamorphose. Bruckner y parvient en faisant résonner les reprises des motifs de manière apparemment toujours semblable, alors qu'il s'agit de variations toujours nouvelles – il en change parfois la tonalité, ce qui confère au motif une nouvelle couleur, il en change parfois le tempo, une autre fois il en modifie le contexte. La transformation des thèmes musicaux agit de façon associative, comme si le compositeur donnait libre cours à ses pensées. La métamorphose s'opère de manière à peine perceptible. Ce n'est qu'à la fin d'un mouvement que l'auditeur remarque qu'il se retrouve dans un autre monde.

Une pareille utilisation des motifs est entièrement nouvelle, illimitée du point de vue structurel. Si on se laisse emporter et qu'on renonce à chercher le début et la fin des thèmes musicaux, le temps perd toute validité. Si le compositeur avait voulu doter sa symphonie et chacun de ses mouvements d'une structure habituelle, conventionnelle, il aurait tout d'abord introduit des motifs clairement dessinés, qu'il aurait présentés à l'auditeur, puis développés, transformés, repris et conduits à leur terme. Or c'est exactement ce que ne fait pas Bruckner, et c'est la raison pour laquelle sa musique est restée en son temps étrangère à ses auditeurs. Il leur manquait la structure. Peut-être ses critiques sévères refusaient-ils simplement de se perdre dans le temps.

Je voudrais donner un exemple supplémentaire pour souligner la façon dont Bruckner parvient à transformer notre notion de la temporalité et à nous détourner ainsi de notre quotidien. Il fait volontiers se succéder duolets et triolets. Il crée ainsi une caractéristique propre à sa musique, un rythme simple parcourant toute son œuvre. Les indications de mesure, comme toutes les autres règles rythmiques, sont très précisément définies et rigoureusement respectées ; rien ne se mélange chez Bruckner, mais cette succession de duolets et de triolets provoque un sentiment inhabituel chez l'auditeur. Ce dernier commence à oublier la barre de mesure et ne sait plus où est le temps frappé. Le *down-beat* – le temps frappé – est, en théorie de la musique, le temps accentué dans une mesure, par exemple le *un*, dans l'habituel « un-deux-trois » d'une valse. L'auditeur s'y perd, le temps se désagrège.

Imaginez-vous simplement perdre la notion du premier temps au cours d'une valse. Si nous perdons le repère de cet accent qui nous est si familier, un sentiment de libération apparaît, celui de planer dans la musique, de flotter dans l'eau qui s'écoule. La musique se fait nature, se fait vent, ou feuilles automnales virevoltant dans l'air, qui ne connaissent ni mesure ni temps fort. Lorsque l'auditeur ne reconnaît plus l'organisation temporelle et les accents marquant la mesure, il ne ressent alors plus ni le temps ni sa mécanique impitoyable. Les limites se dissipent, laissant place à l'univers, grand ouvert.

La deuxième dimension libérée par la musique de Bruckner est celle de l'espace. Il est souvent question d'architecture sonore quand on parle de ses symphonies. Il les conçoit à la manière d'un architecte. Ses motifs musicaux apparaissent subitement, s'élèvent dans l'espace. Souvent, Bruckner oppose avec force les différentes sections de l'orchestre, parfois même un instrument en solo à tout l'orchestre, de préférence les bois, le contraste donnant ainsi l'impression d'une spatialité sonore plus vaste encore. Il empile ensuite les harmonies en terrasses, les accumule, étage par étage, pour donner à la musique son caractère monumental ; il construit d'immenses arches, qui apparaissent clairement dans une analyse poussée de la partition, et qu'il me faut, en tant que chef d'orchestre, faire entendre à l'auditeur. Bruckner travaille sur la répétition, technique qui suggère un vide, souligne encore l'espace. Il déploie alors de nouveaux motifs, parfois juste le fragment d'une idée, dans ce contexte musical. Il lui arrive de les placer simplement l'un à côté de l'autre afin de faire apparaître un panorama. Des constructions surgissent et se succèdent, ou des montagnes, les Alpes. On pourrait penser à un tableau, dont une grande partie semble laissée au hasard ; une vision plus attentive révèle néanmoins qu'aucune touche, aucun trait n'est aléatoire. Absolument tout est relié.

Bruckner élève de gigantesques édifices sonores, ce qui confère à ses œuvres leur caractère sublime. Son usage de la dynamique contribue autant que l'harmonie à souligner la structure spatiale de ses œuvres. Une alternance de force et de douceur, un *fortissimo* précède le *pianissimo* le plus léger et enfin le silence absolu des pauses, abruptes, marque les contours de cette architecture. Les registres sonores se succèdent, ouvrant toujours de nouveaux espaces, présentant parfois de nettes cassures, séparés par un temps de silence absolu, tendu à l'extrême. Ces oppositions fondent l'amplitude que l'on éprouve dans sa musique. Bruckner privilégie une structure diatonique simple à l'intérieur de laquelle de subtiles harmonies déploient leur force de manière presque insaisissable. Une ombre descend sur cet horizon, l'embrase d'une tout autre couleur. Avant que l'auditeur ne s'en aperçoive, la magie de l'instant s'est évanouie, et la lumière du soleil est apparue.

Ce sont de telles techniques de composition qui confèrent leur puissance sonore à ces symphonies, lesquelles – hormis les *Septième, Huitième* et *Neuvième,* qui incluent le tuba wagnérien – sont écrites pour des orchestres romantiques de la taille de ceux pour lesquels ont composé Brahms et Schumann. Or l'auditeur a bel et bien la sensation d'écouter un orchestre surdimensionné.

L'art de la composition de Bruckner a indubitablement échappé à ses contemporains : Gustav Mahler expliqua son malaise à l'égard des œuvres de Bruckner par ce qu'il appelait le « morcellement » de la forme ; d'autres parlèrent d'absence de forme. Bruckner avait en effet abandonné les formes de la symphonique classique. C'est la raison pour laquelle il me tient tant à cœur de présenter ses œuvres de manière à en rendre visibles et reconnaissables les principes de construction, et il me faut pour cela tout d'abord les connaître. Comme chez tout grand compositeur, il s'agit là d'une entreprise sans fin, la récompense se trouve dans la profondeur infinie de ses œuvres. Chaque fois que je me plonge dans la musique de Bruckner, je découvre de nouveaux éléments de son architecture sonore, d'autres passerelles, de nouvelles arches. Cela donne l'impression de visiter un édifice et d'en pénétrer chaque fois un peu plus les principes de construction. Au début, on ne voit que les arches ; on découvre ensuite que certains alignements dessinent des axes. C'est en cela que réside en partie la fascination qu'exercent ses œuvres.

Par les tensions harmoniques qu'il génère, le compositeur ôte toute force de pesanteur à ses édifices sonores – à la manière de ce que les architectes modernes cherchent si souvent à faire, lorsqu'ils donnent à un gratte-ciel l'apparence de tourner sur lui-même ou qu'ils construisent une façade en porte-à-faux, suggérant, à l'encontre de toutes les lois physiques, un déplacement du centre de gravité. Ainsi, les édifices sont nouveaux, différents. Lorsque Bruckner dissout les harmonies, prive son architecture sonore de tonalité fondamentale et, en quelque sorte, de ses fondations, il amorce la suspension de la tonalité. Souvent, il change de tonalité, les superpose ou bien ne les définit pas au préalable. Il utilise parfois chacun des douze degrés de l'échelle chromatique et place de cette manière son auditeur dans un état de flottement.

Ces aspects ne concernent pas seulement les mélomanes avertis ou les musiciens particulièrement chevronnés en théorie de la musique qui savent reconnaître les ambiguïtés d'une composition à l'analyse d'une partition. C'est quelque chose dont on peut faire l'expérience de manière intuitive. Les profanes ressentent tout autant l'absence de tonalité fondamentale, donc de la résolution vers laquelle la musique tend de manière pour nous si habituelle. Bruckner ne craignait pas les dissonances. Il les laisse retentir longuement, les pousse avec abandon dans l'espace, comme si elles avaient déjà conquis à son époque une égalité de droit et qu'elles n'avaient pas attendu Schoenberg pour s'émanciper.

Bruckner est célèbre pour ses immenses crescendos. Sa musique s'amplifie. Une symphonie commence comme surgie de nulle part, comme si la musique avait au fond toujours été là, mais que nous ne l'avions simplement pas remarquée. Cela lui donne quelque chose d'absolu, de détaché des limites du temps et de l'espace. À peine l'entendons-nous qu'elle commence à se développer. Indépendante, comme émancipée de celui qui l'a composée. La musique s'écoule tel un courant gagnant toujours en puissance, qui se développe inexorablement en une vague gigantesque qui avale ses spectateurs médusés. Y a-t-il derrière tout cela une expansion de l'esprit, une manifestation du génie du compositeur qui porte son travail au-delà de lui-même jusqu'à ce qu'il s'affranchisse de toutes les limites et que la musique se soustraie au contrôle de son créateur ?

Je n'ai jusqu'à aujourd'hui pas de réponse, c'est le secret impénétrable de la musique de Bruckner, qui m'occupe sans cesse lorsque j'inscris une de ses symphonies au programme et que je me replonge dans sa partition. Bruckner lui-même n'était parfois pas très sûr de lui. Effrayé par sa propre témérité, il demanda un jour à un de ses amis si l'on avait « le droit » de composer ainsi. Peut-être est-ce l'embarras qu'il éprouvait lui-même face à l'impétuosité de son esprit qui explique sa sensibilité à la critique et qui le poussa à remanier ses symphonies au premier jet si audacieuses, afin de les rendre plus « aimables ». Il se domestiquait, faisait machine arrière, se rabattait vers son époque. Les compositions de Bruckner, dont la force réside dans le manque d'égards avec lequel il repousse les limites du temps et de l'espace, étaient bien trop progressistes ; tout simplement inadmissibles pour le goût musical d'alors, elles étaient bien trop en avance sur leur temps.

Les œuvres de Bruckner sont pour moi un univers en expansion qui se nourrit sans cesse de son caractère infini. C'est là que réside leur puissance, c'est ce qui fait la singularité des œuvres d'art majeures, qu'on ne peut pas décrire même quand on a analysé la pièce musicale dans le détail et déchiffré le langage sonore de l'artiste. Il s'agit d'autre chose, de quelque chose de plus grand. Je ne sais pas ce que c'est. Mais la musique de Bruckner ne me quitte pas plus que celle de Jean-Sébastien Bach.

La raison pour laquelle il me coûte tant d'écrire de manière très concrète à ce propos, c'est que je ne peux pas expliquer ce phénomène. Ces deux compositeurs ont, chacun à sa manière, un effet émotionnel constant sur ma vie. Les quelques pensées que j'ai écrites ici sont parfaitement insuffisantes pour en rendre compte. Elles ne sont rien de plus qu'une faible tentative pour cerner un phénomène qui, finalement, m'échappe totalement. Dans ma passion et ma dévotion pour la musique de Bruckner, je ferais le pire des chercheurs brucknériens. Mieux vaut peut-être que vous oubliiez ce que j'ai écrit sur Bruckner. Je pense à sa musique. Elle retentit dans mon esprit, et je n'ai plus de mots.

CHAPITRE 6

La question sans réponse

Car une fois que vous aurez essayé de voler, vous mar-cherez sur terre les yeux tournés vers le ciel, car là vous êtes allés, et là il vous tarde de retourner.

LÉONARD DE VINCI, 1452-1519

Il ne se passe pas un jour de ma vie sans que la musique y joue un rôle ; elle est toujours présente, que je sois en répétition, que je dirige, que je joue du piano, que je me plonge dans une partition, que j'y réfléchisse – seul ou, de préférence et le plus souvent, avec d'autres. Les échanges avec ceux dont la musique n'est pas le métier m'inspirent particulièrement. Ils sont mon contact avec la terre lorsqu'il m'arrive d'être totalement absorbé par l'univers de la musique. Parmi eux, il y a des scientifiques, des politiciens, des figures religieuses, des artistes d'autres domaines que le mien. À l'occasion de ces rencontres, je leur demande systématiquement quel est l'importance de la musique classique dans leur vie, si elle a influencé leur évolution, et comment ? Quel rôle joue-t-elle dans notre société ? Aucune de ces conversations n'est longtemps restée à un niveau purement théorique ; le rapport que chacun entretient avec la musique classique, l'amour qu'on lui porte est d'ordre bien trop personnel. Je restitue certains de ces entretiens en conclusion de ce livre.

Julie Payette – Bonjour, Houston

Houston est au Texas ; depuis cinquante ans, toutes les missions spatiales habitées sont dirigées par le centre spatial Lyndon B. Johnson, qui y a sa base. C'est donc là, depuis le centre de contrôle des missions, que sont surveillés les vols de la Station spatiale internationale. Le nom de code des communications radiophoniques du centre de contrôle est « Houston ». Julie Payette, ingénieure électronique et astronaute, est bien connue de la base du centre spatial. Elle a grandi à Montréal, obtenu un baccalauréat international au pays de Galles avant de revenir au Canada pour terminer ses études. À deux reprises, en 1999 et en 2009, elle a pris part à un vol spatial dans le cadre d'une mission de construction de la Station spatiale internationale, la première fois à bord de *Discovery,* et la seconde, à bord de la navette *Endeavour.* Elle est en quelque sorte une héroïne nationale : elle incarne l'aérospatiale canadienne. Elle est restée huit ans à la tête du Corps des astronautes canadiens, puis elle a vécu et travaillé quelque temps à Washington ; elle dirige aujourd'hui le Centre des sciences de Montréal.

Le Québec et le Canada ont décerné leurs plus hautes distinctions à Julie Payette. Je l'ai rencontrée en 2013, lorsqu'on nous fit l'honneur de nous distinguer en tant que « Grands Montréalais » – elle à titre d'astronaute et scientifique, et moi de chef d'orchestre de l'Orchestre symphonique de Montréal. Mais ce qui nous relie va beaucoup plus loin que cet événement ; nous partageons en effet l'amour de la musique classique, de cet art qui représente pour Julie bien plus qu'un loisir de jeunesse. « La musique classique fait depuis toujours partie de ma vie, m'a-t-elle dit un jour où je lui ai rendu visite au Centre des sciences de Montréal. Les expériences que la musique classique nous fait vivre sont particulièrement intenses, et nous ne savons jamais à l'avance ce qu'elles peuvent apporter. » C'est alors qu'elle m'a raconté ce qu'elle appelle une « petite anecdote » – mais c'est bien plus que cela, il s'agit ni plus ni moins du début de son fabuleux voyage dans l'espace.

« Lorsque j'ai postulé, en tant qu'ingénieure, à l'Agence spatiale canadienne pour devenir astronaute au début des années 1990, nous étions 5 330 candidats pour seulement 4 postes. Cela a marqué le début d'une rivalité acharnée. Une sélection impitoyable ponctuait chacune des nombreuses étapes du processus de recrutement. Sans doute est-ce plus dur encore que lorsqu'un musicien passe une audition d'orchestre. À la fin, nous n'étions plus que 20. On nous a questionnés tous ensemble, au cours d'une sorte d'entrevue collective », se souvient-elle. Tandis qu'elle répondait à la question : « Mademoiselle Payette, qu'est-ce qui témoigne, selon vous, de votre esprit d'équipe ? », elle s'est dit qu'elle aurait mieux fait de se mordre la langue : « J'ai chanté toute ma vie dans des chorales, je peux soutenir une mélodie avec d'autres, au même rythme, je chante en harmonie. Depuis des années, je participe à des répétitions, j'ai appris à réagir aux indications du chef d'orchestre, même au plus infime de ses mouvements. Comment aurais-je pu mieux forger mon esprit d'équipe ? » Julie Payette rit en me racontant cela. Ce n'est pas la première fois qu'elle confie cette histoire. « Je pensais alors : mais qu'est-ce que je raconte ? Je postule à un poste technique pour partir dans l'espace et je parle de l'importance de chanter dans une chorale. »

Est-ce ce qui a fait pencher la balance ? « Peut-être. Je n'en sais rien. »

Toute jeune, Julie Payette a appris à jouer du piano. Dans les années 1970, elle a été recrutée par la chorale d'une église. Par la suite, elle a chanté dans le chœur de chambre de l'Orchestre symphonique de Montréal, puis dans le chœur de Tafelmusik, à Toronto, et avec le Piacere Vocale, à Bâle, lors de son séjour en Suisse. Enfant, elle se rendait en bus, le dimanche matin, aux répétitions de la chorale et à la messe. « C'est ainsi que j'ai découvert la musique la plus merveilleuse jamais écrite : la musique chorale liturgique. » Elle ne se considère pas particulièrement religieuse, mais ces moments passés à chanter à l'église font néanmoins partie des expériences les plus intenses de sa vie. Elle baisse soudain la voix, comme si elle me confiait un secret : « Ce dont je n'ai pas parlé au comité de sélection à cette dernière étape de recrutement de l'Agence spatiale, ce sont ces moments de bonheur incroyable. » Elle parle de ces instants de parfaite félicité dans lesquels nous plonge la musique.

« Les sciences procurent des expériences semblables lorsque des découvertes ou des connaissances nouvelles prennent forme, mais cela n'arrive que très rarement », alors que la musique permet de vivre cette émotion fréquemment. « La plupart des moments d'harmonie, de bonheur pur, parfait, qui me viennent à l'esprit, sont liés à la musique classique. » Elle a un jour chanté une composition *a capella* de Zoltán Kodály dans les stalles du chœur d'une cathédrale. Le chœur était divisé en deux moitiés placées en vis-à-vis et qui se répondaient par le chant. « Soudain, une harmonie totale a résonné, se souvient-elle, les notes semblaient se fondre et perdre de leur importance, les voix se rejoignaient, s'unifiaient en un flot sonore. Je n'avais rien vécu de semblable auparavant, c'était comme si nous nous envolions tous ensemble vers un autre monde. » Il lui est arrivé aussi, ajoute-t-elle, de vivre des moments de béatitude provoqués par la seule écoute de la musique classique.

Lorsque Julie Payette parle de ses deux vols dans l'espace, de l'aspect de notre planète bleue vue de là-haut, de sa beauté à couper le souffle, de sa vulnérabilité, on se dit que de la musique devrait alors spontanément retentir. Voir la Terre d'un point si élevé que les conditions n'y sont pas viables pour l'homme ne fait qu'en souligner la singularité. L'atmosphère, dont dépend la vie humaine, entoure notre planète à la manière d'une peau fine et fragile, d'un voile de soie transparente qui prend l'aspect, de la fenêtre de la station spatiale, de bandes bleutées. C'est encore d'une voix feutrée que Julie Payette prononce le mot « espace ». Il n'y a aucun bruit dans l'espace, les ondes sonores ne se transmettent pas dans le vide. Un silence absolu y règne, palpable. Julie baisse encore la voix : « Dans l'espace, nous dormons toujours à heures fixes. Tous les matins, nous sommes réveillés avec de la musique que nous transmet le centre de contrôle de Houston. » La musique préférée de chaque astronaute retentit ainsi dans toute la navette spatiale.

« Un matin, j'ai entendu au réveil les premiers accords de l'ensemble soprano et chœur le plus extraordinaire qui soit, à mon avis, le "De torrente" du *Dixit*

Dominus de Georg Friedrich Haendel. » Le *Dixit Dominus* est le psaume 110 que le jeune Haendel a mis en musique à l'âge de vingt et un ans seulement, quand il était en Italie, pour cinq solistes et chœur. Le septième mouvement, *De torrente in via bibet* (« Il boit au torrent pendant la marche ») commence par ce dialogue entre la soprano et le chœur, dont Julie a le souvenir si vif et qui reste pour elle attaché à ce matin de janvier 2009, à bord d'*Endeavour*. « Je l'avais entendu des centaines de fois, je l'avais chanté moi-même dans le chœur. Ce matin-là, toute la navette retentissait de cette musique. Ma musique. D'abord les accords, puis les voix. Elle a surgi tout doucement dans l'espace, pour moi, dans l'apesanteur, à des centaines de kilomètres au-dessus de la planète Terre. Et je savais que mes douze collègues à bord de la station spatiale – des Japonais, des Russes, des Européens – et moi, nous tous rassemblés là-haut, nous n'étions pas seuls à entendre cette musique ; tout le personnel au sol, dans les stations de contrôle de Houston et de Moscou, ceux qui avaient tant fait pour nous, astronautes, qui avaient calculé, construit, fait des recherches, nous avaient entraînés des années durant, eux aussi l'entendaient. Je le savais. » Un court instant, Julie Payette est plongée dans ses pensées, envahie par la musique et par le souvenir de son voyage spatial. « J'ai encore un enregistrement de ce matin-là, où après un moment et d'une voix plutôt endormie, j'ai répondu : "Bonjour, Houston." » Elle me regarde alors avec de grands yeux : « Et maintenant, reposez-moi la question de savoir si la musique classique fait partie de ma vie. »

Julie se rappelle plusieurs autres circonstances

qu'elle décrit en employant l'expression *total bliss* – de pur bonheur. L'écouter me fait penser qu'il y a beaucoup de similitudes entre voyager dans l'espace et dans l'univers de la musique. « Lorsque la navette reprend le chemin de la Terre à une vitesse de 420 kilomètres à l'heure, c'est un moment très spécial, dit Julie Payette. *Touch down,* fin de la mission STS-127. On se rend compte, à cet instant, qu'on a pris part à quelque chose de beaucoup, beaucoup plus grand que soi. » D'avoir repoussé les limites un peu plus encore. Dépasser des limites, dit-elle, est un besoin profondément humain. Le désir de la découverte est plus fort que la peur. Les risques passent au second plan. Je songe alors à combien d'œuvres musicales majeures ce besoin a donné naissance.

La musique signifie pour elle davantage qu'un moyen de s'octroyer des moments de bonheur. Julie ne cesse d'établir des parallèles avec les sciences. « La créativité est capitale dans les sciences naturelles », dit-elle. Les découvertes se fondent sur la capacité de penser autrement ; il importe de quitter les schémas de pensée connus, rebattus. « Il en est exactement de même pour l'art. » Faire de la recherche signifie imaginer de nouveaux chemins. « On ne peut pas entreprendre de recherches en décidant à l'avance de ce qu'on trouvera. » Sans le courage de s'aventurer en terrain inconnu, on ne trouve rien – ni en art ni en sciences.

Ces deux domaines ne sont pas si éloignés l'un de l'autre : « Ce ne sont pas des silos, dit-elle, on ne peut pas les dissocier. Je suis une fervente partisane du principe selon lequel il ne faut pas systématiquement séparer l'art des sciences et de la technique. » Tout comme

Léonard de Vinci, qui conjuguait une immense soif de savoir et le désir de transmettre ses connaissances à une authentique nécessité d'expression.

Le premier violon d'un orchestre, poursuit Julie Payette, doit faire preuve d'une discipline inouïe, être doué de sensibilité et de créativité. Il doit en outre savoir selon quelles règles et quels principes la musique est construite. « Il doit en maîtriser les codes et les respecter, sous peine de ne pas être en mesure de jouer avec les autres. » Il en va de même pour un scientifique ou un ingénieur : la discipline ainsi que la connaissance du code, donc du langage mathématique ou physique, sont essentielles. « Un scientifique doit faire preuve de créativité pour résoudre un problème, il lui faut être en mesure de penser hors des sentiers battus, ou simplement être courageux et suffisamment curieux pour regarder dans une direction nouvelle, poser des questions, douter, rester ouvert à des expériences inédites, garder tous les sens en éveil – exactement comme c'est le cas en musique. »

Yann Martel – Le silence absolu

L'écrivain Yann Martel a connu un immense succès avec son roman *Histoire de Pi*, qui lui a valu le Booker Prize en 2002 et qui est devenu un best-seller international. L'histoire de ce jeune Indien, seul rescapé avec un tigre d'un naufrage et survivant dans un petit bateau de sauvetage sur le Pacifique, a été portée au grand écran par le réalisateur taïwanais Ang Lee. Yann est l'auteur de nombreux autres livres ; l'un d'eux, *Mais que lit Stephen Harper ?*, a fait sensation il y a quelques années. Pendant deux ans, toutes les deux semaines, il a envoyé au premier ministre Stephen Harper un livre accompagné d'une lettre expliquant pourquoi il lui recommandait de le lire. Il n'a jamais reçu de réponse personnelle du premier ministre, seulement des accusés de réception, preuve du manque d'intérêt du bureau d'un chef d'État, il est vrai, extrêmement occupé. Ces lettres ont été réunies en un recueil formant un saisissant plaidoyer pour l'absolue nécessité de la lecture, une déclaration d'amour à la littérature et aux arts. Par deux fois, Yann Martel a écrit des textes pour des projets de concerts de l'Orchestre symphonique de Montréal, et ceux-ci ont été repris dans les programmes. Nous sommes deux artistes que deux choses rassemblent : le souci de maintenir la littérature et la musique dans la vie de chacun, et nos efforts pour y parvenir.

« Nous menons le même combat, m'a un jour écrit Yann. Ton défi est pourtant différent du mien », ce n'est pas comme si notre société risquait de cesser d'écouter de la musique. « Dans le domaine de la musique, le problème tient surtout au fait que les gens ne consomment plus, pour la plupart, qu'un seul type de musique : des chansons pop préfabriquées qui durent trois minutes – la musique classique meurt à cause de Katy Perry. » Mais la musique est en réalité bien vivante, poursuit-il, et continuera d'exister. Il en va un peu différemment de la littérature : une grande partie de la société a arrêté de lire, en particulier les jeunes.

Au cours d'une de nos discussions, Yann a souligné

le rôle déterminant de la vision économique et de son principe de « retour sur investissement » dans la menace qui pèse sur les arts. « Je suis convaincu que l'art ne devrait pas être considéré d'un point de vue économique ; c'est une erreur de penser ainsi. Bien sûr, on connaît le nombre de personnes qui travaillent dans "l'industrie de la culture", quels revenus y sont créés, mais là n'est pas la question. Nous ne nous consacrons pas à l'art pour des raisons financières, nous créons pour des raisons existentielles. » Si nous écrivons des livres, peignons, composons, c'est parce que l'art donne un sens à la vie. « La religion recèle quelque chose d'analogue, pense-t-il, le réconfort qu'offre Dieu n'a rien à voir avec le confort financier. Les hommes ne construisent pas des temples, des églises, des mosquées dans l'idée d'une rentabilité financière, mais parce qu'ils en ressentent la nécessité. Il en va de même pour l'art. »

Yann voit les problèmes que pose une pensée politique qui ne s'intéresse qu'aux considérations économiques. Il a une conscience claire du danger qu'encourent les artistes se soumettant à ces critères : comme ils n'ont pas de rendement clairement quantifiable à offrir, ils perdront toutes les batailles engagées sur ce terrain. Bien sûr, il est possible de chiffrer ce que coûte l'art, mais jamais d'évaluer précisément les effets qu'il produit. « Nous autres, artistes, ne devrions pas nous aventurer sur ce terrain-là, dit-il. Il faut plutôt parler de nécessité essentielle. » Que tous les styles de musique soient écoutés, de Benjamin Britten à Britney Spears, là n'est pas le problème ; les deux artistes évoluent sur des marchés différents, poursuit-il, des marchés tous deux performants. « Le problème engendré par ces considérations uniquement financières, c'est que l'art y est toujours perdant, car il coûte toujours de l'argent. » Son rendement financier est loin d'être celui d'une chanson pop. « Mais ce qu'on y gagne vraiment vaut plus que tout. Le réconfort qu'on trouve dans une musique merveilleuse ou un livre extraordinaire donne alors son sens à la vie. Une vie sans art serait un enfer absolu. »

Yann Martel aime la musique classique. Pas toutes les musiques, mais, dit-il, il n'apprécie pas non plus tous les livres. Certains ne lui disent rien et l'ennuient, tout simplement. « Comparons la musique classique à la pop. La musique pop peut être terriblement séduisante, certaines chansons pop sont fantastiques. Pourtant, après qu'on les a entendues trente fois, on finit par s'en lasser. » Le rapport à la musique classique est différent, plus complexe. « Nous écoutons toujours Mozart et Vivaldi, Bach et Beethoven », alors que leur musique est vieille de plusieurs centaines d'années. « Ces œuvres contiennent une part d'infini, elles ne relèvent pas exclusivement des émotions, elles dévoilent une multiplicité de niveaux différents, une vraie profondeur. » Enfant, Yann écoutait beaucoup Vivaldi ; il raconte qu'il se perdait dans les mélodies que le compositeur développe en variations infinies et qui semblaient lui conter des histoires. « *This music liberated me to dream* – Vivaldi m'a ouvert les portes du rêve, la musique m'y portait. J'ai commencé à apprendre à jouer d'un instrument, je voulais pouvoir interpréter Vivaldi. Et pendant que je jouais, je songeais à des histoires ; elles venaient à moi à travers la musique. »

Il ne sait pas, dit-il, ce que réserve l'avenir. « Il faut nous dégager de cette obsession de l'économie, du fait que tout ne revienne jamais qu'à l'argent, que cela seul compte. Nous avons assez d'argent, il faudrait plutôt réfléchir à l'usage que nous en faisons, ce pour quoi nous voulons le dépenser. Nous serions largement récompensés si nous investissions dans l'art. Enthousiasmer les jeunes pour l'art serait la solution au problème. »

La fin de son courrier est moins optimiste que ne l'étaient nos entretiens. « L'avenir est moins inquiétant pour toi, en tant que musicien, que pour un écrivain comme moi, car une partie croissante de la société ne lit simplement plus. » Elle vit, mentionne-t-il, dans une absence quasi totale de textes écrits ; elle se contente des mots et bribes de phrases échangés par SMS. Cette disparition de l'écrit dans la vie des jeunes menace la littérature. « Les gens qui ne lisent rien sont de plus en plus nombreux, ils étanchent leur soif de récits grâce à la télévision. » Si les nouvelles technologies ont fortement fait reculer la lecture, elles profitent toutefois à la musique : « Tu ne trouveras sans doute personne, même parmi les jeunes générations, qui éprouve de l'aversion pour tous les styles de musique, de la pop à Beethoven. » S'il en était ainsi, si les gens repoussaient la musique tout autant que les livres, cela signifierait qu'ils veulent vivre dans un silence absolu. « Peux-tu imaginer vivre dans un silence absolu ? »

La musique est-elle vraiment mieux pourvue que la lecture ? J'y réfléchis, mais n'ai pas la réponse. Avons-nous, musiciens, plus de raison d'être optimistes que les écrivains comme Yann Martel ? « *Well,* conclut-il enfin, *there is always hope. Education is the key.* » Il y a toujours de l'espoir. La clé, c'est l'éducation.

William Friedkin – En voyage avec Beethoven

A priori, le lien entre la musique classique et le cinéma hollywoodien n'a rien d'évident. Il arrive pourtant qu'un réalisateur privilégie la musique classique pour la bande-son de ses films, comme Stanley Kubrick dans *2001, l'Odyssée de l'espace,* ou encore William Friedkin dans *L'Exorciste,* sans conteste son film le plus célèbre dont la bande originale inclut des musiques d'Anton Webern, de Hans Werner Henze, de Krzysztof Penderecki et de George Crumb. Loin de trouver là de quoi rassasier son amour de la musique classique, William Friedkin deviendra par la suite metteur en scène d'opéra.

William Friedkin et moi avons travaillé ensemble en 2006 à l'Opéra d'État de Bavière, où je lui ai confié la mise en scène de *Salomé,* le fameux opéra de Richard Strauss qui a tant fait scandale en son temps, et de *Das Gehege,* de Wolfgang Rihm. Je souhaitais marquer mes débuts dans cette maison par une soirée qui allie tradition et innovation, passé et avant-garde ; une soirée qui présente l'orientation artistique de ma direction musicale à Munich, ville où l'avant-garde a toujours été vivace. J'avais demandé à Wolfgang Rihm de composer un opéra que je voulais présenter en prélude à *Salomé.*

Avec *Salomé*, précédé de *Das Gehege*, le tout mis en scène par un réalisateur hollywoodien, la soirée promettait d'être originale. Il était clair pour moi que le metteur en scène idéal serait William Friedkin, ce cinéaste excentrique mais néanmoins oscarisé qui, avec *L'Exorciste* et *The French Connection*, est entré dans l'histoire du cinéma dès les années 1970. Ce n'était d'ailleurs pas la première fois qu'il se voyait confier la mise en scène d'un opéra : son premier contrat datait de 1998 à Florence, où il avait mis en scène le *Wozzeck* d'Alban Berg, puis il avait fait, à l'invitation de Placido Domingo, ses débuts à l'Opéra de Los Angeles avec *Ariane à Naxos,* que je dirigeais. Il avait également mis en scène *Aïda* à Turin et *Samson et Dalila* en Israël.

William a dit deux choses à propos de l'opéra qui reflètent bien mon propre sentiment : « L'opéra, ce n'est pas la vie, c'est bien plus grand que la vie » – déclaration qu'on pourrait trouver quelque peu grandiloquente, mais n'oublions pas que nous sommes tous deux américains. William a dit aussi : « En tant que metteurs en scène, nous nous devons d'ancrer l'opéra dans le temps présent. » Cela fait partie de la fascination qu'exerce l'opéra, et c'est en cela que réside aujourd'hui son meilleur atout. Les opéras sont des pièces de théâtre en musique ; ils nécessitent donc une mise en scène, et c'est précisément grâce à ces mises en scène qu'on peut faire ressortir la contemporanéité des thèmes que l'opéra et la musique classique abordent depuis des siècles. Je n'ai demandé que récemment à William quelle importance la musique classique avait à ses yeux. J'avais jusqu'alors laissé cette question en suspens tant il est évident pour moi que la musique fait partie de la vie.

« La musique classique revêt une importance considérable pour moi, m'a-t-il dit, une importance capitale. Kent, tu sembles l'ignorer, mais la musique classique a changé ma vie. » Je crois entendre dans sa voix un soupçon de reproche, comme s'il s'étonnait que je ne le sache pas déjà. Il est vrai que nous nous connaissons depuis l'époque où j'étais à l'Opéra de Los Angeles. Il m'avait alors demandé s'il pouvait utiliser mon enregistrement du *Sacre du Printemps* de Stravinsky avec le London Philharmonic Orchestra pour son film *Jade*.

« Ma famille est originaire d'Ukraine. Mes parents ont fui Kiev pour émigrer à New York et ne parlaient pas un mot d'anglais à leur arrivée. La musique était totalement absente de mon cercle familial ; j'ai grandi dans un environnement où l'art ne jouait aucun rôle. Mes parents, occupés à survivre dans un monde qui leur était étranger, travaillaient dur et ne s'accordaient pas une minute d'oisiveté. S'asseoir près d'un poste de radio pour écouter de la musique était inimaginable. Nous n'assistions pas non plus à des concerts ni à des opéras, et c'est donc en autodidacte que j'ai développé mon intérêt pour la musique. J'ai parcouru un chemin plus long encore pour accéder à la musique classique, que j'ai fini par découvrir par le plus grand des hasards. Avant que ce hasard ne porte ses fruits, il m'a fallu me frayer seul un passage vers la musique. »

William a grandi à Chicago, où il a succombé aux charmes du blues. « Le blues est la musique du Sud. De nombreux Afro-Américains sont arrivés à Chicago par le chemin de fer en provenance du sud. Ils empruntaient la ligne de l'Illinois Central Railroad qui reliait Chicago à La Nouvelle-Orléans. Ils quittaient la Louisiane, la Géorgie, l'Alabama et le Mississippi en direction du nord. Leur musique était aussi du voyage. Ils n'ont pas tardé à ouvrir, dans la périphérie sud de Chicago, des clubs où ils se produisaient. J'ai découvert ces clubs dans mes jeunes années ; j'étais envoûté. Bien souvent, les salles n'étaient guère plus grandes qu'une salle de séjour de taille moyenne, mais parmi les musiciens qui s'y produisaient quelques-uns allaient devenir des légendes du blues : George "Buddy" Guy, par exemple, ou Junior Wells. »

La fascination que le blues et le jazz ont exercée sur William est antérieure à son amour pour la musique classique. « Même si je ne comprenais rien aux racines culturelles de cette musique, je la trouvais sensationnelle. Le blues et le jazz, c'était la musique de Chicago, la musique de l'Amérique. Je faisais des petits boulots et me payais mes entrées dans les clubs avec les dollars que j'avais gagnés. C'est ainsi que j'ai pu entendre, dans le fameux club The Blue Note, le clarinettiste de jazz Artie Shaw, le pianiste Stan Kenton ou encore le Duke Ellington Orchestra. C'était une époque passionnante. Un soir, je me suis rendu au Blue Note après ma journée de travail à la télévision. C'était en plein hiver, les rues, couvertes de neige, étaient quasiment désertes, et les seules personnes présentes ce soir-là au Blue Note étaient le propriétaire du club, le manager et le barman. Oscar Peterson était au piano, il a joué avec son trio pour nous quatre seulement, trois heures durant. À l'époque, j'avais le sentiment que, de ma vie, je n'entendrais plus jamais rien d'aussi exceptionnel que ses improvisations. C'est ainsi que je suis passé du blues au jazz. »

La distance qui séparait William de la musique classique s'était réduite à ce moment-là. « J'écoutais souvent du jazz à la radio, particulièrement pendant mes déplacements en voiture. Il y avait une émission consacrée au jazz classique, ils passaient du Louis Armstrong mais aussi des nouveautés, de temps à autre. Tout ne me plaisait pas. Un jour, alors que je rentrais chez moi, ils passaient justement un de ces morceaux que je n'appréciais pas particulièrement. Quelque chose m'a alors poussé à changer de station. Je vois encore ma main droite se diriger vers la radio et commencer à tourner le bouton pour trouver une autre fréquence. Une musique absolument extraordinaire a envahi soudain l'habitacle de ma voiture, une musique telle que je n'en avais encore jamais entendue. C'était une musique de l'âme, spirituelle ; c'est du moins ce que j'ai ressenti à l'époque. Je me trouvais sur une voie rapide et je me suis garé sur l'accotement pour l'écouter en toute tranquillité. Elle était d'une profondeur absolue, puissante, presque troublante. Lorsque la dernière note a retenti, j'ai entendu la voix du présentateur : il s'agissait du *Sacre du Printemps*, d'Igor Stravinsky, avec Pierre Monteux comme chef d'orchestre, celui qui l'avait dirigé en 1913, lors de la création mondiale qui avait tant fait scandale. »

C'est ainsi que William a fait ses premiers pas dans le monde de la musique classique, dans les années 1950.

« Dès le lendemain, je me suis rendu dans un magasin de musique et je me suis procuré le disque. Il fallait absolument que je réécoute cette musique. C'est précisément ce moment clé, dans la voiture, un moment de distraction en somme, qui m'a propulsé dans le monde de la musique classique. Ce moment m'a ouvert les portes d'innombrables autres œuvres que j'écoute aujourd'hui quotidiennement : Stravinsky, Bartók, Prokofiev, puis plus tard seulement Beethoven, et enfin Bach. Aujourd'hui, au moment même où nous parlons, je suis convaincu que toute la musique qui m'ait jamais inspiré est contenue dans la *Première Symphonie* de Mahler ou y est du moins annoncée. C'est l'œuvre que j'écoute le plus souvent, en ce moment. »

Je demande alors à William son point de vue sur la fascination qu'exerce la musique classique. Comment l'expliquer ?

« La musique classique est composée de manière magistrale. Elle est habilement construite, rien dans une composition classique n'est laissé au hasard. Les thèmes sont développés avec rigueur, la musique a une structure précise : notes, mesures, rythmes, harmonies, phrases, structures, comme celle de la forme sonate. Le compositeur veille toujours à nous mener vers un point culminant, ce qui constitue le principe de base de la musique classique. Les grandes œuvres nous font voyager, elles nous transportent vers un autre lieu, un lieu où émergent l'inspiration, les souvenirs, la nostalgie, une vision de l'avenir. La musique classique m'a beaucoup appris en tant que cinéaste. Un film se doit de suivre des structures similaires, il faut conduire le spectateur à un pic d'émotion, comme le fait Beethoven dans ses symphonies. La musique classique m'a fait prendre conscience que les films documentaires que je tournais n'avaient pas de forme particulière ; j'avais jusqu'alors suivi mon seul instinct. C'est avant tout mon expérience de la musique classique ainsi que les nombreuses questions que je me suis posées pour tâcher de comprendre pourquoi elle me touchait autant qui m'ont fait me rendre compte que toute œuvre nécessite une structure précise. Elle ne s'ouvre pas sur un finale, ce qui reviendrait à griller sa meilleure cartouche dès le début. La *Cinquième* et la *Neuvième* de Beethoven sont des voyages, de véritables explorations émotionnelles. La musique classique introduit des thèmes qu'elle développe ensuite, c'est ainsi que commence le voyage. J'ai compris à l'époque que je procéderais exactement de cette manière à l'avenir avec mes films. »

Les voyages, qui naissent aussi bien de la musique que des grands films, nous invitent à l'exploration. On peut voir et revoir un bon film, me dit William, et y découvrir à chaque visionnage quelque chose de nouveau – que ce soit un détail passé inaperçu, une association, un indice. « Chaque fois que je regarde *Citizen Kane,* me raconte-t-il, j'y découvre quelque chose que je n'avais pas encore remarqué, et cela reste vrai même après plusieurs décennies. » Avec ce film, sorti en 1941, Orson Welles a inauguré une nouvelle page de l'histoire du cinéma. « Puisque les grandes œuvres d'art sont autant d'invitations au voyage, la grande question qui se pose est de savoir comment faire en sorte que le voyageur se trouve au point initial de son cheminement. En ce qui me concerne, c'est le hasard qui m'y a conduit, au moment précis où j'ai tourné le bouton de la radio sans réfléchir. Contrairement à toi, je n'ai jamais reçu d'éducation musicale à l'école. »

C'est vrai, le professeur Korisheli avait toujours veillé à me ramener à ce point initial. Malgré les possibilités techniques qui rendent aujourd'hui la musique classique accessible à tous, en tout lieu et à tout instant, il n'est en rien garanti que les voyageurs trouvent ce point initial. Il leur est alors impossible de faire le voyage. Quelqu'un doit les guider, un professeur, ou peut-être un ami. De nos jours, les chances de rencontrer cet intermédiaire semblent compromises. William le pense aussi. Pourquoi donc ?

« La culture est battue en brèche dans le monde entier, répond-il. C'est une sorte de nivellement par le bas. On accorde moins d'importance à la culture classique ; les grandes œuvres du passé, qui résonnent d'une profondeur infinie, qu'il s'agisse de musique, de littérature ou de peinture, ne suscitent plus guère d'intérêt. La musique classique souffre elle aussi de ce phénomène. »

Je lui demande de préciser sa pensée.

« Lorsque je donne des cours dans des écoles de cinéma, je constate rapidement que les étudiants n'ont, par exemple, jamais vu *Citizen Kane*. Ils ne savent même pas qui était Orson Welles. J'ai le sentiment d'observer des visages vides de toute expression. Ils connaissent en revanche tous *Spider-Man*. Les films de ce genre ont déferlé tel un tsunami sur le cinéma et ont emporté tout le reste. Cela ne se limite pourtant pas au cinéma. Il suffit de penser à Rembrandt ou à Vermeer, à leurs portraits, leurs paysages. Ces œuvres complexes, d'une profondeur fascinante, quel rôle jouent-elles encore aujourd'hui ? À un moment donné, Andy Warhol est apparu, et plus tard Jeff Koons, avec ses ballons bleus. Que représentent ces œuvres, comparées à celles de Rembrandt et de Vermeer ? Le fait qu'elles se vendent aujourd'hui à vingt ou trente millions de dollars est une blague, cela tient du canular. On peut aussi se demander qui, de nos jours, lit encore Proust ou Dickens. Plus personne. Tous préfèrent les romans de Jackie Collins, qui se vendent par millions. C'est le problème de l'art aujourd'hui, on néglige Rembrandt et Vermeer, tout comme Proust, Dickens, Shakespeare et Goethe. Peut-être est-ce dû au fait que l'accès à ces œuvres requiert un certain effort. La musique dispose de douze tons, dont se sert Beethoven tout comme les compositeurs de musique pop. De ces douze tons peut naître la *Neuvième Symphonie* ou *Kill the Bitch.* Il se trouve qu'une large partie de la société passe à côté de la *Neuvième Symphonie* et écoute *Kill the Bitch.* »

William a raison. Le problème n'est pas l'inaccessibilité de l'art, et notamment de la musique classique. Ils n'ont jamais été aussi accessibles. Les nouvelles technologies représentent une chance pour l'art. Or être visible ne signifie pas pour autant être vu, et c'est là que réside le danger. Quelle perte pour ceux qui n'entrent jamais en contact avec cette musique, me dis-je en mon for intérieur, pour ceux qui n'ont pas eu la chance d'être frappés par le hasard, comme le fut William. Ils ne savent pas ce qu'ils manquent. « Les symphonies de Beethoven sont des voyages, conclut William, tout particulièrement la *Cinquième* et la *Neuvième*. Aussi long-temps qu'on jouera de la musique sur Terre, ces symphonies continueront de retentir. Quiconque fait ce voyage, ne serait-ce qu'une fois, n'aura de cesse de le refaire, encore et encore. »

Helmut Schmidt – Restons optimistes

Helmut Schmidt dispose dans les locaux de *Die Zeit*, sans doute le plus grand hebdomadaire allemand, d'un bureau de taille très modeste, pour ne pas dire incongrue. Je me serais attendu à ce que le bureau de cet ancien chef d'État, qui incarne à mes yeux de citoyen américain la figure emblématique de la politique allemande, soit beaucoup plus spacieux. Mais il faut dire que l'ancien chancelier fédéral et éditeur de *Die Zeit,* que les Allemands vénèrent tant, n'est pas ici en villégiature. Il travaille, comme n'importe lequel de ses collaborateurs. En toute simplicité. Cette manière d'être lui vient peut-être un peu de sa ville natale de Hambourg et de l'humilité si typique de ses habitants, ou de son bon sens légendaire.

Voici quelque temps déjà, je lui ai rendu visite dans les locaux de *Die Zeit* pour m'entretenir avec lui de l'importance de la musique classique, du lien qu'entretient celle-ci avec la politique et de la nécessité que l'art soit présent dans une société qui semble en être de plus en plus dépossédée. Discuter de musique avec Helmut Schmidt est un enchantement, une source d'enrichissement, non seulement à cause de son amour profond

pour la musique classique et de son excellente formation musicale, mais aussi parce qu'il ne manque jamais,
en véritable homme d'État et journaliste, d'évoquer le
contexte sociopolitique avec une éloquence certaine.

Helmut Schmidt, qui est né en décembre 1918, a
atteint un âge vénérable. Pendant notre entretien, il est
assis derrière son bureau, dans un fauteuil roulant, et il
fume. J'ai pris place en face de lui, comme il m'y a invité.
Une question me brûle les lèvres : la politique ne devrait-
elle pas se mettre davantage au service de l'art et de la
musique, afin d'éviter que la musique classique ne
devienne plus encore le violon d'Ingres des seules élites ?
J'imagine mal comment Helmut Schmidt, grand mélo-
mane, pourrait ne pas abonder dans ce sens.

L'instant d'une pause qu'on pourrait qualifier de
théâtrale, l'ancien chancelier fédéral disparaît derrière
un nuage de fumée, puis il engage la conversation à sa
manière : « N'en a-t-il pas toujours été ainsi ? demande-
t-il. La littérature, l'art ont toujours été l'affaire de pré-
tendues élites. Il est fort possible que le peuple ait lui
aussi aspiré à l'art, mais la plupart du temps, seule une
frange de la société a pu accéder aux joies que procurent
la musique et le théâtre. La situation n'a guère évolué
depuis deux siècles, voire depuis l'Antiquité. Les besoins
des gens simples se résument à du pain, à de l'eau et à
un toit au-dessus de leur tête, autant dire à des besoins
élémentaires, bien plus importants que la satisfaction
d'une aspiration – la musique, la peinture ou l'architecture – qui peut sembler bien immatérielle. »

Helmut Schmidt ne cache pas son scepticisme à
l'égard des élites et de leur prétendu amour des arts.

« Permettez-moi une remarque impertinente, Monsieur Nagano. Je sais bien que vous dirigez des opéras. Une partie de ces élites qui vont à l'opéra n'y comprend rien. Ils vont à l'opéra parce que cela se fait et parce que leur voisin y va. Bayreuth en est le parfait exemple. Le public de Bayreuth est en partie constitué de gens qui gagnent des millions et ne comprennent rien à la musique. Pourtant, une fois l'an, ils se rendent à Bayreuth. N'est-ce pas une étrange élite ? Pour ma part, je me garderai bien de leur reconnaître le statut d'élite. À Bayreuth, on joue Wagner. Ce sont les vieux nationalistes allemands qui se sont agrippés à Wagner ; ses textes ont une forte connotation nationaliste, particulièrement le *Ring*. » Selon Helmut Schmidt, Nietzsche était le plus virulent critique du *Ring*. « Lisez donc *Nietzsche contre Wagner,* me recommande-t-il. Nietzsche a très bien cerné l'instinct nationaliste qui se cache derrière cette œuvre. »

De toute évidence, Helmut Schmidt ne semble pas beaucoup apprécier l'opéra. Pourquoi ? « Je considère l'opéra comme une forme d'expression artistique ratée. »

Je le regarde, étonné. Je sais que ce n'est pas la première fois qu'il tient ces propos mais les entendre exprimés de manière aussi directe ne laisse pas de me déconcerter.

« La musique est, par essence, un art universel mais l'opéra, lui, a besoin du langage. La musique a une portée universelle, tout comme la peinture, la sculpture, l'architecture. Toutes les autres formes d'art, la littérature, le théâtre, ont besoin de la parole, de la langue, et la langue est rattachée à la nation. C'est la raison pour laquelle l'opéra représente une gageure par rapport à la dimension universelle de la musique. Mais je ne veux pas parler qu'en termes négatifs de l'opéra, il a long-temps été une institution sociopolitique très importante et l'est probablement toujours aujourd'hui.

— Peut-être pourrions-nous vous considérer comme un défenseur de la "musique pure", ou du moins comme un de ses grands admirateurs, dis-je, comme quelqu'un qui aime la musique pour la musique, sans texte, libre de toute influence non musicale.

— Bach est mon idole, avoue-t-il sans détour.

— La mienne également, dis-je à mon tour.

— Sa musique peut m'émouvoir aux larmes. Toute-fois, les textes qu'il a mis en musique n'ont pas éveillé mon intérêt. De fait, j'ai toujours préféré de loin le concert à l'opéra.

— Enfant, vous avez reçu une formation musicale exceptionnelle, vous jouez très bien du piano.

— C'est exact, mais cela ne s'est pas limité au piano. À dix-sept ans, j'ai composé de nombreux hymnes reli-gieux pour chœurs à quatre voix. »

Je suis stupéfait, car je sais quelles connaissances en théorie musicale et quelles aptitudes à la composition cela exige et que, précisément, cela ne relève pas du domaine de mon interlocuteur qui est un homme poli-tique. Une telle maîtrise requiert une formation qui dépasse largement les connaissances d'un simple ama-teur. « Quelle importance votre formation musicale a-t-elle eue dans votre parcours ?

— Une importance considérable, à tel point que beaucoup d'autres choses, et particulièrement les

SONNEZ, MERVEILLES !

matières d'enseignement général, ont été reléguées au second plan. Ma formation a commencé à l'école, dès l'âge de six ou sept ans, puis elle s'est nettement intensifiée lorsque j'ai eu dix ans : c'est l'école qui m'a formé à la musique. Aujourd'hui, je suis totalement coupé de l'univers de la musique. »

Notre conversation se teinte de mélancolie chaque fois qu'il évoque son éloignement de la musique, auquel la perte progressive de son ouïe le contraint depuis des années. « Depuis quand n'écoutez-vous plus de musique ?

— Je n'ai plus entendu d'orchestre depuis quinze ans et je n'ai plus assisté à aucun concert. Lorsque je parle de musique, c'est uniquement sur la base de mes souvenirs. »

Helmut Schmidt marque une pause. « Les souvenirs d'un très vieil homme. La musique ne parvient plus à mes oreilles que comme une sorte de fouillis sonore. Je ne peux plus rien entendre, pas même le son du piano lorsque j'en joue, ce que je fais toujours deux à trois fois par semaine. Aujourd'hui, je ne peux plus qu'imaginer la musique. Si vous me tendez une partition, je peux me faire une représentation mentale de la musique qui y est notée, mais je ne pourrai plus jamais l'entendre. »

J'ai du mal à me mettre à sa place et à imaginer ce que serait le silence si je ne pouvais plus entendre la musique. « Qu'est-ce que cela signifie pour vous ?

— Je suis un écrivain qui ne peut plus goûter aux joies de la musique. Rendez-vous compte, j'écris un livre après l'autre, et ce, sans aucune musique. C'est terrible, absolument terrible. Pour moi, c'est une perte inestimable. Avant, la musique était une de mes plus importantes sources de bonheur. Sa perte est pour moi catastrophique. Il ne faut pas oublier que j'ai grandi avec la musique. Si ma femme et moi assistions à la messe de Noël, c'était surtout pour la musique. J'avais noué des liens d'amitié avec de grands chefs d'orchestre, Herbert von Karajan, Yehudi Menuhin, Sergiu Celibidache ou Leonard Bernstein. Un jour, Karajan m'a offert un Walkman que j'ai souvent utilisé. La musique, qu'elle soit chantée ou instrumentale, a toujours été d'une importance capitale pour moi, aussi longtemps que j'ai été capable de l'entendre. »

J'aimerais comprendre d'où vient sa fascination pour les chefs d'orchestre. « Est-ce dû au fait qu'ils sont eux aussi des meneurs, comme les dirigeants politiques ?

— Les chefs d'orchestre m'ont toujours beaucoup intéressé. Et lorsque j'assistais à un concert, c'était souvent pour le chef d'orchestre et non pour un orchestre en particulier. Les chefs sont des interprètes qui restituent la musique écrite par quelqu'un d'autre. La différence entre les interprétations d'un Lenny Bernstein et d'un Herbert von Karajan, par exemple, est immense. L'un est exubérant, exalté et très démonstratif, alors que l'autre fait preuve de retenue, de parcimonie. Tous deux ont dirigé la *Neuvième* de Beethoven, et leurs versions sont totalement différentes. »

Helmut Schmidt s'allume une nouvelle cigarette. Je poursuis : « Votre passion pour la musique classique fait-elle de vous une exception dans le monde politique ?

— Je ne sais pas. Je ne saurais vous dire par exemple

si la musique classique revêtait une importance similaire aux yeux de Lyndon B. Johnson. Pas plus que je ne sais si ce qui est vrai pour moi l'est aussi pour le maire de ma ville. Cela dépend beaucoup de l'éducation que chacun a reçue et de ce qui l'a forgé. À l'école alternative où j'allais, enfant, la *Lichtwarkschule* de Hambourg, l'accent était mis sur la musique et l'art, et non sur les langues étrangères ou les sciences naturelles. Cela m'a fortement marqué. Jusqu'à dix-huit ans, j'imaginais mon avenir dans le secteur de l'architecture, de l'urbanisme, où j'aurais pu allier mes dons de créateur à mes talents d'organisateur. Mais cela s'est passé tout autrement : j'ai été soldat. Avec le régime nazi et la guerre, tout cela n'avait plus aucun sens. »

— Diriez-vous que la musique classique forge l'esprit ?

— Oui, tout à fait, absolument, répond Helmut Schmidt sans hésiter.

— À quelle fréquence un responsable politique ou un chef d'État assiste-t-il à un concert ?

— Rarement, trop rarement. Je n'avais plus que très peu d'occasions d'écouter de la musique, elles étaient beaucoup plus rares que je l'aurais souhaité. »

J'aimerais connaître le sentiment d'Helmut Schmidt quant à l'influence que la musique classique peut avoir sur les dirigeants politiques. Les rend-elle différents, plus avisés peut-être ? En d'autres termes : « Quel rôle la musique joue-t-elle dans le développement de la personnalité ?

— Il y a des chefs d'État exceptionnels, des personnalités admirables, qui n'ont jamais revendiqué de rapport particulier avec la musique. Cela dépend donc de chacun et des hasards de la vie, particulièrement au début de celle-ci, pendant les vingt premières années ou, pour être plus précis, de onze ou douze ans à vingt ans. C'est la période décisive. Lorsqu'on a grandi avec la musique, comme ce fut mon cas, elle reste déterminante tout au long de la vie. Mais on ne peut pas généraliser. Il y a des hommes politiques qui ne se réfèrent pas à la musique, mais à la littérature et à la philosophie : Homère, Socrate, Platon, Aristote, Sophocle, Anaximandre, et qui sais-je encore. Je ne connais que peu de politiques parmi les plus grands qui étaient réellement engagés dans le monde de la musique. Il y a davantage de musiciens qui s'engagent en politique, mais cela aussi reste de l'ordre de l'exception.

— La musique classique a-t-elle tant perdu de son importance ?

— La distance qui sépare la musique de la politique est considérable. Ce sont deux domaines qui ont très peu en commun, qui se touchent à peine. »

Et pourtant, Schmidt établit un parallèle auquel je n'avais moi-même jamais pensé :

« Chaque musicien d'un ensemble joue intentionnellement très légèrement faux, selon la gamme tempérée. C'est *Le Clavier bien tempéré* de Bach qui a fait émerger l'harmonie moderne. Avant lui, pour un violoniste, un *la* dièse n'était pas la même chose qu'un *si* bémol. Depuis Bach, les musiciens ont adopté la gamme tempérée et le violon joue ces deux notes de la même manière. »

Helmut Schmidt fait ici référence à la gamme tempérée que Bach a perfectionnée en accordant son clavier à l'encontre des lois physiques régissant les intervalles purs. « Faux » signifie donc « impur » ; il s'agit en quelque sorte d'un compromis, mais il a pour avantage que toutes les tonalités sont agréables à l'oreille. L'orchestre pouvait alors jouer harmonieusement dans toutes les tonalités.

Je lui demande de préciser le lien avec la politique.

« Il n'en va pas autrement en politique. Là aussi, tout le monde joue légèrement faux. Le nerf de la démocratie, c'est le compromis. Sans cette volonté de compromis, aucune démocratie n'est possible. En règle générale, les dirigeants politiques ne ressentent pas le besoin d'assister à un concert de musique classique, ils préfèrent les hymnes nationaux, qui font l'unanimité et ne constituent en rien un compromis. »

Je pose à Helmut Schmidt la question de la responsabilité de la politique vis-à-vis de l'art : « L'État se doit-il de promouvoir les arts et avec eux la musique classique afin de garantir leur existence ?

— Je répondrai à cette question par l'affirmative et sans aucune réserve. Absolument. Et les dirigeants politiques qui en ont conscience ne sont pas rares. Je précise que je ne parle pas ici de l'art en tant que divertissement, c'est-à-dire de musique de moindre qualité, pour laquelle les gens sont toujours prêts à payer. Cette musique est autonome sur le plan financier, elle a déjà son public et n'a pas besoin du soutien de l'État. Elle contribue en réalité au problème que vous avez évoqué. Le public est submergé par cette musique de divertissement, alors que la musique savante trouve de moins en moins d'audience et doit bénéficier de l'aide de l'État. Cela dit, cela n'implique pas forcément qu'on ait besoin d'autant de maisons d'opéra. L'opéra coûte très cher ; l'Opéra d'État de Hambourg reçoit par exemple à lui seul cinquante millions d'euros de subvention annuelle. Nous savons pourtant que les foules ne vont pas envahir les salles de concert ou l'opéra pour écouter une symphonie de Gustav Mahler ou de Verdi. Il faut bien réfléchir lorsqu'on réclame la création de nouveaux opéras. Les gens qui fréquentent les salles de concert et l'opéra resteront toujours une minorité. Cela ne signifie en rien que vous deviez, vous, en tant que musicien, renoncer à Mahler, mais il vous faut avoir conscience que vous cultivez le patrimoine d'une élite culturelle et de quelques personnes qui le financent, que ce soit par intérêt, par passion ou pour des raisons de prestige. »

Dois-je me satisfaire en tant qu'artiste d'être assimilé à un phénomène réservé à l'élite ? Certainement pas. « Monsieur Schmidt, au XIXe siècle, l'opéra était très apprécié et jouissait d'une telle importance au sein de la société que son rayonnement s'est étendu des hauts lieux de la musique classique à des villes de taille beaucoup plus modeste, que ce soit en Italie ou en Allemagne. L'opéra s'adressait au plus grand nombre et non à une élite cultivée.

— Monsieur Nagano, au XIXe siècle, les disques, les CD, Internet n'existaient pas. Si les gens manifestaient alors un tel engouement pour l'opéra, c'est uniquement parce que c'était, avec le concert, leur seule occasion d'entendre de la musique. Quoi qu'il en soit, nous n'avons pas besoin de nouvelles salles d'opéra. Ce dont nous avons besoin, c'est de résidences pour personnes âgées. L'Allemagne compte aujourd'hui près d'un million et demi de personnes âgées, dépendantes, qui ont besoin de soins constants. Par le passé, l'espérance de vie était d'environ soixante ans. Lorsque Bismarck a introduit une pension de vieillesse en Allemagne, l'âge de la retraite était de soixante-dix ans et les travailleurs l'atteignaient rarement. Aujourd'hui, les salariés ont une espérance de vie de soixante-dix-huit ans en moyenne, mais les Européens refusent d'affronter les conséquences que cela entraîne sur le plan économique. Ces problèmes n'ont que peu de rapport avec la musique, et la musique n'a guère d'influence quant à la résolution de ces problèmes. »

Helmut Schmidt, jusqu'à ce point de notre discussion, n'a évoqué que les grands classiques, les compositeurs et les œuvres déjà entrées au panthéon de la musique. J'aimerais en savoir un peu plus sur sa relation avec la musique nouvelle.

« Les expérimentations font rage dans le domaine de la musique savante depuis la fin du XIXᵉ siècle. Mais je suis trop âgé pour avoir pu développer un lien avec cette musique, du temps où je l'entendais encore. Certes, la musique d'Olivier Messiaen est parvenue jusqu'à mes oreilles, mais plus guère les opéras de Hans Werner Henze, et les compositions de Stockhausen pas du tout. Je ne sais pas ce qu'il restera de tout cela ; une grande partie se perdra, disparaîtra. Quelles œuvres ? Pas toutes, bien sûr. Le temps nous le dira. Au XXIIᵉ siècle, on se souviendra sans aucun doute encore de Dante Alighieri, de Jean-Jacques Rousseau, de Beethoven et de Verdi.

Une musique comme celle du chœur des esclaves de *Nabucco* restera. Beethoven restera, Bach aussi. D'autres disparaîtront, indépendamment de leur qualité, comme le merveilleux *Abendlied* de Matthias Claudius, qui est presque tombé dans l'oubli déjà. »

Une question reste encore en suspens : qu'est-ce que l'avenir réserve à la musique classique ?

« Je ne suis pas prophète. Les possibilités qui s'offrent au monde de la musique ne manquent pas, je ne puis vous dire s'il saura les saisir. La littérature et la philosophie représentent des formes d'expression artistiques plus importantes que la musique, leur influence sur le monde est nettement plus grande. »

Je ne peux, en tant que musicien, me contenter de cette réponse et demande prudemment : « En êtes-vous sûr ?

— Oui, certain. Pensez ne serait-ce qu'à Marx ou à Lénine et à leur influence considérable. Le *Capital* de Marx, qui a traversé un siècle entier, a entraîné des changements réels dans le monde. À cet égard, la musique a un effet nettement moindre. L'influence la plus importante, toutefois, est celle qu'exercent les préjugés, les idées reçues. Il faut s'y résigner avec philosophie. »

Ce n'est pas une réponse à ma question, aussi je la repose : « Monsieur Schmidt, la musique classique ne joue pratiquement plus aucun rôle dans la vie des jeunes, doit-on craindre que cet art finisse par disparaître totalement ? »

Songeur, il répond : « Je ne serai pas si pessimiste, il y aura toujours des jeunes gens qui s'intéresseront à la musique. »

Cardinal [handwritten annotation]

Reinhard Marx – La voix de Dieu

« Jésus chantait-il ? Et dans ce cas, qu'a-t-il chanté ? demande le cardinal. J'aimerais bien le savoir. »

La musique que Jésus de Nazareth a écoutée, chantée, et sur laquelle il a sans doute même dansé n'est pas passée à la postérité. On n'inscrivait pas encore les notes sur une partition, il y a deux mille ans. Je me rends compte au moment où le cardinal soulève cette question que je n'y avais moi-même jamais pensé et j'en suis le premier étonné. Presque instantanément, les noces de Cana me viennent à l'esprit, j'en vois les images, je vois Jésus conseiller aux serviteurs désemparés de remplir les jarres d'eau pour faire goûter au maître des lieux l'eau transformée en vin. Ce fut le premier miracle. En arrière-plan, on entend les voix des nombreux invités ainsi que de la musique, naturellement. Il est fort probable que Jésus ait chanté avec les invités de la noce. Mais quelle sorte de musique était-ce ? Comment la musique des juifs résonnait-elle au juste dans le temple de Jérusalem ?

Le cardinal Reinhard Marx, archevêque de Munich et Freising, m'avait invité à déjeuner dans la rue Kardinal-Faulhaber, au cœur de Munich, à moins de dix minutes à pied de l'Opéra d'État de Bavière dont j'assurais alors la direction musicale. Il travaille et vit dans un palais de style rococo récemment rénové, le Palais Holnstein, qui se trouve juste derrière le fameux passage commercial des *Fünf Höfe*, dont l'entrée se fait par l'élégante rue Theatinerstraße. Reinhard Marx est le primat de l'Église catholique allemande. Président de la Conférence épiscopale allemande, ses prises de position en faveur d'un catholicisme libéral font régulièrement débat. La religion et la musique sont à ses yeux intimement liées ; cette proximité n'a cependant que peu de rapport avec le fait que l'histoire de la musique savante trouve principalement sa source dans les églises. Notre conversation s'oriente vers un tout autre sujet, la spiritualité.

« On peut voir dans la musique un instrument universel de rassemblement, dit le cardinal. Elle est capable d'engendrer l'esprit de communauté. La question centrale demeure pour moi de savoir si elle y arrivera bel et bien. »

Mon regard intrigué l'invite à poursuivre.

« Je n'ai pas la réponse. En effet, la musique a également le pouvoir de nous dresser les uns contre les autres. Mais nous disposons de si peu de choses susceptibles de rassembler les êtres humains. J'espère que la religion en fait partie ! » Avant d'ajouter, songeur : « Mais il est vrai que la religion a été, au cours de l'histoire de l'humanité, exposée au risque d'être utilisée comme un instrument de division et d'affrontement. C'est un fait dont on ne peut faire abstraction. »

De mon point de vue, cela est encore vrai aujourd'hui, ce qui n'est probablement pas le cas des symphonies de Mozart ou de Beethoven. « Si la musique offre un terrain propice à l'émergence de l'esprit de communauté, nous devrions y avoir recours davantage de nos jours », dis-je. L'individualisme postindustriel a éloigné les gens les uns des autres ; le fanatisme religieux, dans lequel se réfugient de nombreuses personnes, entraîne la division, porte à la haine et à une violence qui dépasse l'entendement.

« La musique classique a une portée universelle. Qu'on soit à Berlin, à Munich, à Pékin ou à Shanghai, on écoute les œuvres de Beethoven et on est ému par sa musique. C'est essentiel à mes yeux, car, en tant que chrétien, je suis convaincu que nous partageons tous la même nature humaine. Dieu a créé chaque être humain à son image, qu'il soit croyant ou non croyant, homosexuel ou hétérosexuel, d'Asie, d'Afrique ou d'Europe. Ce message, audacieux je l'avoue, constitue la base et la condition préalable de notre croyance en ce qui nous unit, nous les êtres humains, et en notre capacité à nous entendre mutuellement. Ce qui rend cet espoir possible, c'est un dénominateur commun : notre nature humaine. La réalité montre pourtant souvent un autre visage. Les affrontements et les guerres font rage. Nous n'avons pas non plus de conception commune de ce qu'est la Création. Mais nous avons la musique et, avec elle, la possibilité de créer une communauté et de vivre nos ressemblances ; elle peut aussi nous aider à faire un grand pas vers une meilleure compréhension mutuelle. Il est tout de même fascinant de constater que, dans toutes les cultures et dans toutes les couches de la société, on trouve des gens qui se laissent émouvoir par la musique de Bach ou de Beethoven. Ils disent que cette musique les touche, qu'elle les élève. Si on conçoit la musique comme un instrument universel de rassemblement, alors on peut considérer que vous, Monsieur Nagano, êtes investi d'une mission. »

Je ne l'exprimerais sans doute pas en ces termes,

mais il est clair que rien ne me stimule davantage que de convaincre les gens de tout ce que la musique peut leur apporter. C'est ma vocation de chef d'orchestre de toujours partager la musique avec les autres. « Qu'est-ce qui rend la musique si singulière aux yeux d'un théologien et prêtre ? »

La réponse du cardinal ne se fait pas attendre : « La nature humaine et la musique coexistent. La musique existe depuis aussi longtemps que l'humanité. L'être humain est par essence musicien, artiste. Il s'exprime à travers la musique et les arts. Ce faisant, il élabore une réflexion sur lui-même et, comme nous sommes justement en train de le faire, sur la musique. Je suis convaincu que, sans la musique, la nature humaine serait incomplète. Il en va de même avec la religion, elle fait partie intégrante de la nature humaine. Cette capacité à l'introspection, qui nous distingue des autres êtres vivants, nous oblige à nous poser la question de savoir s'il existe quelqu'un de plus grand que nous. De même, la religion est inconcevable sans la musique, car celle-ci parvient à exprimer quelque chose que les mots seuls ne peuvent approcher d'aussi près : la transcendance. La musique a un petit supplément de transcendance, si vous me permettez l'expression, qui nous entraîne dans une immensité que la langue parlée ne peut contenir. C'est la même chose avec la prière, elle nous entraîne au-delà des limites de notre monde. »

Je lui demande ensuite si l'art, la musique ont une importance vitale pour l'humanité.

« Pour nous, chrétiens, l'homme est la plus belle des œuvres d'art, il est le chef-d'œuvre de Dieu, qui l'a créé.

Il constitue le couronnement de la création, il y a en lui quelque chose qui le dépasse lui-même, un petit "plus" que nous pourrions appeler l'âme et qui, dans la musique, s'exprime de manière tout à fait particulière. L'âme humaine trouve en la musique un bel écrin. Les êtres humains ont besoin de s'exprimer, ils ne peuvent s'en empêcher, ils l'ont toujours fait. En ce sens, oui, l'art est essentiel à leur survie. Connaissez-vous le film *Amadeus* de Miloš Forman ? »

J'acquiesce.

« C'est un film sur Mozart et sur sa vie ; l'histoire nous est contée à travers les souvenirs du compositeur Antonio Salieri. Le film prend la forme de la confession d'un homme malade, aigri. Tout cela n'est que fiction, mais j'aime beaucoup ce film. Une scène m'a particulièrement impressionné, il s'agit de celle où la femme de Mozart, Constanze, organise à l'insu de son mari une rencontre avec l'arrogant Salieri pour lui remettre les partitions de Mozart. À la lecture de ces feuillets, Salieri reste sans voix, les pages lui tombent des mains. Et du tréfonds de ses souvenirs, le vieil homme à l'air hagard raconte qu'il a alors compris que c'était Dieu qui parlait à travers ces notes : "C'est la voix de Dieu." Ce que je disais précédemment se trouve parfaitement illustré dans cette scène, à ce moment précis du film où, comme cela se fait dans les grandes productions hollywoodiennes, on entend retentir en musique de fond un arrangement de morceaux choisis de Mozart. Le message n'en est pas moins limpide : certes, les théoriciens de la musique peuvent clarifier beaucoup de choses, mais il y a dans la musique quelque chose en plus, quelque chose que l'on ne s'explique pas, de l'ordre de la "voix de Dieu". »

Je ne peux que lui donner raison. Il y a dans la musique de Mozart quelque chose d'universel, quelque chose qui va bien au-delà de ce que la théorie de la composition peut expliquer. *Eine kleine Nachtmusik* de Mozart me vient à l'esprit, une œuvre parfaite du point de vue de la composition. Les thèmes que Mozart y développe n'étaient toutefois pas particulièrement originaux à l'époque, mais la manière dont Mozart s'en empare, ce qu'il en fait, est unique, surnaturel, presque divin. Plus prosaïquement, on pourrait parler de génie. « C'est vrai, la musique de Mozart reste un mystère, elle est inexplicable.

— C'est exactement ce que cette scène du film illustre. Il est vrai que la musique, comme toute autre forme d'art, peut être utilisée à des fins manipulatrices, elle peut perdre en qualité ou encore susciter de fausses émotions. L'histoire de l'humanité nous l'a suffisamment montré. Mais lorsque la musique revêt vraiment sa forme la plus noble, quand elle parvient à captiver totalement son auditoire, à l'instar d'un opéra de Mozart ou de sa *Messe en ut mineur,* alors elle ne peut en aucun cas être facteur d'agressivité ou de division. Au contraire, elle nous fait accéder à un plan supérieur. C'est du moins mon sentiment. »

J'aimerais également connaître l'avis du cardinal au sujet de l'avenir de la musique classique. Est-elle vouée à disparaître de nos vies ?

« Cette question autour de la disparition fait également débat au sein de l'Église. La religion perd-elle de son importance ? Dans les années 1970, nombreux étaient ceux qui craignaient de voir la religion perdre de sa pertinence au cours du processus de modernisation de la société. Pourtant, aujourd'hui, plus aucun sociologue ne s'aventurerait à dire que la religion perd en influence, au contraire. Mais elle se transforme. Il faut bien convenir que la religion chrétienne éprouve quelques difficultés, elle dépend de la communauté des fidèles et nécessite un engagement réel, ce qui va à l'encontre d'un certain mouvement d'émancipation que connaît notre époque. Il est plus difficile et moins populaire de s'engager, de reconnaître une autorité. La religion est plus subjective, moins dogmatique. »

Certes, mais quel est le lien avec la musique classique ?

« La musique nous offre la chance de vivre une expérience spirituelle. Lorsqu'on assiste à un concert, on partage une expérience artistique avec l'ensemble des personnes présentes. On se rend alors compte que cette expérience est bien plus belle que d'écouter une œuvre seul, avec des écouteurs. Nous n'avons bien sûr besoin de communiquer avec personne au cours du concert, mais, grâce à la communion avec les autres – l'auditoire, les musiciens, le chef d'orchestre –, nous vivons la spiritualité de la musique, ce petit plus de transcendance dont nous avons tous besoin. Pendant un concert, toutes les personnes présentes écoutent la même chose au même moment. Elles peuvent faire l'expérience d'une spiritualité sans se préoccuper des aspects de la religion imposés par le christianisme ou toute autre grande religion. Elles n'ont pas à croire au dogme selon lequel Dieu s'est fait homme, pas plus qu'en la résurrection des morts. »

La fonction que Reinhard Marx attribue au concert ne peut que me conforter dans mon travail de chef d'orchestre. « Mais croyez-vous réellement qu'un concert peut remplacer une messe ou un service religieux ? »

Reinhard Marx nuance son propos : « De nombreux sondages montrent que le nombre de personnes qui se considèrent religieuses est en augmentation, même si elles ne sont rattachées à aucune Église. Naturellement, nous devons en prendre acte. Ce n'est donc pas le nombre d'athées qui croît, mais celui des croyants sans confession. En tant que prêtre, je suis convaincu qu'un concert ne peut remplacer une messe, mais en même temps je pense qu'assister à un concert permet à chacun de vivre l'expérience d'une dimension religieuse dont il ressent le besoin. Ce que la musique entretient en chaque être humain ne relève pas seulement de notre grande tradition culturelle, mais aussi de ce petit supplément de transcendance que nous évoquions précédemment, elle le garde en éveil. Évidemment, je pourrais concevoir une certaine amertume du fait que les gens préfèrent assister à un concert de Kent Nagano plutôt que de se rendre à la cathédrale, laquelle au demeurant bénéficie d'ordinaire d'une bonne fréquentation, mais je ne suis pas de nature pessimiste. Je ne me plaindrai pas de la baisse de fréquentation des églises tant qu'il y aura des gens qui écouteront la *Pastorale* de Beethoven ou une symphonie de Bruckner et qui ressentiront qu'il existe plus que ce que les mots sont à même de décrire. Au contraire, cela montre qu'il n'est pas vain d'espérer que les êtres humains poursuivront leur quête de quelque chose de plus grand qu'eux. Pour moi, l'idéal serait qu'ils fréquentent les deux, les salles de concert et les églises. Peut-être la musique les ramènera-t-elle finalement dans le giron de l'Église. »

J'éprouve une certaine réticence à me montrer pessimiste. Je doute cependant qu'il soit particulièrement judicieux de placer ses espoirs dans la musique classique, qui se trouve elle aussi en recul dans une grande partie du monde occidental. « Nos salles de concert connaissent la même baisse de fréquentation que les églises. Nous n'avons, dans le monde de la musique, pas non plus trouvé la solution miracle pour ramener la musique dans le quotidien des gens, dis-je en guise de réflexion.

— Peut-être est-ce dû au fait que nous tous, acteurs du monde de la religion ou de celui de l'art, nous nous soumettons trop à la loi du marché. Nous pensons en termes de marché, nous nous posons sans cesse la question de savoir ce qui marche, ce qui a du succès et ce qui n'en a pas. Or ai-je le droit de vulgariser la musique de Mozart dans le seul but de la rendre accessible au plus grand nombre pour me demander ensuite si j'en tire des bénéfices du point de vue financier ? Cette logique des marchés, cette approche économique, met en péril la religion comme la musique, elle les vide de leur substance. Je ne pense pas que nous puissions continuer ainsi. Les gens sont toujours en quête d'authenticité, dans la religion et dans la musique. La renaissance de la foi et de la musique classique ne sera peut-être possible que grâce à la force de conviction de leurs ambassadeurs.

On ne peut pas se contenter de dire : c'est la vérité et tu dois y croire, c'est la beauté et tu dois l'embrasser. Un pasteur bien avisé m'a dit un jour : "La foi se présente à nous sur deux jambes." Tout réside dans la rencontre d'une personne qui ne prêche pas la foi, mais la vit et délivre par là même la parole de l'Évangile. N'en va-t-il pas de même pour la musique classique ? Les êtres humains recherchent de l'intégrité au contact de leurs semblables, de la vérité, de l'authenticité. C'est ce que nous essayons tous deux de donner, vous comme moi. La clé, c'est d'arriver à les en convaincre. »

J'ai ajouté, tout en me rendant compte que je revenais ainsi au début de notre conversation, que « les gens sont également en quête de communauté ».

« D'une communauté où il leur est possible de vivre, dans leur diversité, une expérience commune qui les transporte au-delà de ce monde. Cette quête est éternelle. Ils peuvent la poursuivre dans la religion comme dans la musique. »

Peu avant leur retour sur Terre en 1999, l'astronaute Julie Payette et l'équipe de *Discovery* ont écrit dans le journal de bord de la Station spatiale internationale la phrase de Léonard de Vinci sur l'aspiration de l'être humain à voler, car celle-ci témoignait au plus près de leur état d'esprit. Dans ce livre, j'ai dépeint le monde de la musique classique comme un univers en expansion dont on embrasse l'infinité toujours davantage, plus on s'y engage. Quiconque s'y est un jour aventuré, a volé dans l'infinité de cet art et en a entrevu les profondeurs, aspirera toute sa vie à revivre cette expérience.

Compositeurs

BERNSTEIN et IVES

Amérique, où vas-tu ?

Dustin Hoffman est patriote, la star hollywoodienne ressemble en cela à la majorité des Américains que je connais. Nous autres, Américains, sommes en notre for intérieur tous patriotes. Cet amour de la patrie très singulier, qui vient du cœur même s'il est parfois proclamé avec un brin de pathos, est profondément américain. Il s'enracine dans l'identification très personnelle de chacun avec un pays dont la construction date d'à peine plus de trois cents ans et n'est toujours pas achevée. Notre histoire, fondée sur des idées magnifiques, est cependant faite de guerres, de conflits, d'oppression et de dissonances presque insupportables, une histoire chargée de déceptions mais riche d'espérances.

Un zeste de ce patriotisme, mélange de fierté et de dévouement, était perceptible lorsque Dustin est monté sur la scène du Broad Stage, le nouveau théâtre de Santa Monica. Il tenait le rôle du narrateur en cette soirée d'août 2008. Le Broad Stage, dont il dirigeait le comité artistique, venait d'ouvrir ses portes et affichait complet. « L'Amérique, voilà notre sujet, commença-t-il, une nation née d'un désaccord et qui continue allègrement de prospérer dans la discorde. » Ce fut une soirée d'août mémorable, au cours de laquelle plusieurs acteurs de renom ont lu des textes des Pères de la nation : des phrases de George Washington, fondateur de notre république, de Thomas Jefferson, rédacteur de la Déclaration d'indépendance, et du démocrate radical Thomas Paine, farouche opposant à l'esclavagisme.

La soirée était conçue comme un retour sur ce qui, jadis, avait forgé l'Amérique et lui avait conféré sa vigueur et sa force : les idées d'indépendance, de liberté, les droits inaliénables de l'individu. Cet événement avait été organisé en réaction immédiate à une campagne électorale présidentielle qui n'offrait que de la haine et des contrevérités. En effet, l'art de la manipulation dont faisaient preuve les protagonistes rendait presque impossible de distinguer les mensonges de la vérité. Au cœur de la cacophonie des élections de 2008, en revenant ainsi sur les idéaux de l'histoire américaine, nous voulions contribuer à ce que les citoyens ne perdent pas de vue l'essentiel. Nous avions intitulé ce spectacle *American Voices, Spirit of Revolution.* La musique de Charles Ives faisait partie de l'événement : j'avais choisi quelques-unes de ses mélodies, ainsi que la *Concord Sonata,* sa composition *Three Places in New England* et la fugue de sa *Quatrième Symphonie.* Charles Ives est un compositeur américain, peut-être le premier de notre histoire encore jeune qui soit parvenu à écrire de la musique véritablement américaine. À mes yeux, il est certainement le plus remarquable. « Charles Ives aimait nos dissonances, a lu Dustin. Il en a fait une musique qui voulait, selon ses termes, nous rappeler les *town hall meetings* de jadis, au cours desquels chacun se levait et faisait connaître son opinion – au mépris des conséquences. » Tout au long de la soirée a flotté la question qui mobilise encore notre pays aujourd'hui et qui a été la source de tant de nos querelles : où va l'Amérique ?

Cette soirée me tenait très à cœur. Barack Obama avait de bonnes chances d'entrer à la Maison-Blanche. C'était la première fois qu'un candidat noir se présentait aux élections présidentielles. Les républicains et les démocrates se livraient une bataille forcenée. Ils n'hésitaient pas à invoquer les principes de la Constitution pour le plus banal prétexte afin de faire croire aux citoyens que leur programme politique s'accordait avec ce qui fonde l'identité américaine.

J'avais choisi Ives, car sa musique transmet les idéaux américains, nos valeurs, notre histoire, nos traditions, parle de notre société si hétérogène, de son esprit de communauté, de ses dissonances flagrantes et, bien sûr, de sa merveilleuse nature. Sa musique, qui n'a touché qu'une audience restreinte de son vivant, recèle beaucoup de ce qui fait l'Amérique, ma terre natale, de son patriotisme sincère.

Ce fut Leonard Bernstein qui fit redécouvrir Ives aux Américains, à nous tous, des années après que ce dernier eut cessé d'écrire. Jusqu'à sa mort, les œuvres de Charles Ives ne furent guère jouées et demeurèrent largement inconnues du vaste public. Bernstein m'a dit un jour qu'il tenait Ives pour le compositeur de musique savante le plus important que notre pays ait donné au cours de son histoire encore jeune. Sa musique recélait à ses yeux toute la fraîcheur d'un simple Américain de la côte Est

qui regarde les fastueux palais de la musique européenne, s'imprègne de leur esprit, qu'il métamorphose
ensuite, par une sorte de rare alchimie, en musique
américaine.

L'Amérique résonne bel et bien dans la musique de
Ives – dans toute sa diversité, toutes ses aspirations et
toutes ses discordes. C'est précisément la raison pour
laquelle sa musique retentit avec tant de pertinence ce
soir-là.

Bernstein aimait la *Symphonie n° 2* que Ives avait
composée à l'âge de vingt-sept ans. La musique de ce
dernier n'avait pas été jouée pendant presque cinquante
ans, lui-même n'entendit jamais ses œuvres interprétées
par un orchestre. Les Américains entretenaient des rapports difficiles avec la musique savante qui était écrite
par les leurs. Ils tournaient amoureusement leurs
regards vers l'Europe. Bernstein lui-même, leur superstar, qui composait tant, n'était pas vraiment pris au
sérieux. Lorsque Bernstein fit répéter les œuvres de Ives
avec son orchestre et les présenta en concert, c'est leur
propre musique qu'il offrait à ses concitoyens, une
musique américaine qui n'aurait pu l'être davantage.

C'est en 1951, trois ans avant sa mort, qu'on décou-
vrit Charles Ives, au moment où Bernstein imposa sa
Symphonie n° 2 à l'attention du public. Il la donna au
Carnegie Hall, avec l'Orchestre philharmonique de New
York, et l'inscrivit ensuite régulièrement au programme
de ses concerts. Quelques décennies plus tard, au Musée
de Munich, où il dirigeait l'Orchestre symphonique de
la radiodiffusion bavaroise, il commença le concert non
par de la musique, mais par une introduction de quinze

minutes sur Ives, qui était jusque-là resté largement inconnu du public allemand. Ives, expliqua-t-il, était un enfant de la nature, *a country boy at heart*, qui avait su restituer les images sonores de son monde dans sa *Symphonie n° 2* : « original, excentrique, naïf, plein de charme ».

De sa voix rocailleuse, Bernstein, alors âgé de presque soixante-dix ans, ajouta : « On dit que la *Deuxième* de Ives est la plus belle symphonie qu'un Américain ait jamais écrite. Avec la détermination courageuse de composer une musique véritablement américaine dans un monde qui ne s'intéressait, à l'époque, aucunement à lui. » Ives ne voulut pas assister à la création de son œuvre à New York. Peut-être le courage d'entendre jouer une œuvre dont il ne connaissait les sonorités qu'intérieurement lui fit-il défaut. Il est mort trois ans plus tard.

Qu'est-ce qui rend au juste la musique de Ives si américaine ? Ce sont les mélodies et les danses populaires, les chœurs d'église, les gospels. On y entend les hymnes de l'Armée du Salut et des chansons populaires comme *Let Us Gather at the River*, *Columbia, the Gem of the Ocean*, *Turkey in the Straw*, *America the Beautiful* ou *Old Black Joe*. Des passages empreints d'humour succèdent à des passages tristes, la profondeur et la banalité y sont juxtaposées, la grandiloquence et la vulnérabilité, notre pathos américain et cet esprit si délicat qui empêche ses œuvres de glisser vers la trivialité. Cela aussi est très américain.

Charles Ives (1874-1954) est un phénomène singulier dans le monde de la musique. C'était un original, poussé par la nécessité de s'exprimer par la musique sans toutefois chercher à en faire son gagne-pain. Déjà, au cours de son enfance dans la campagne de Danbury, au Connecticut, la musique jouait pour lui un rôle essentiel. Son père, lui-même un musicien très peu conventionnel, était son professeur. À l'âge de quatorze ans, le fils témoignait d'un tel talent d'organiste qu'il fut engagé à la Seconde Église congrégationaliste de sa ville natale. Il fit plus tard ses études à Yale, où il s'inscrivit à la faculté de sciences économiques. Il pratiquait la musique comme passe-temps, même s'il le faisait au plus haut niveau. Pendant quatre ans, en plus de ses études d'économie, il suivit des cours de piano avec Horatio Parker, compositeur formé en Europe, et étudia l'harmonie, le contrepoint et la composition.

Malgré sa fascination pour la musique, il commença à travailler comme employé d'une compagnie d'assurances à vingt-quatre ans. En 1907, avec un collègue, il fonda sa propre agence, bientôt florissante, qui poursuivit ses activités sous le nom Ives & Myrick. Elle existe encore aujourd'hui sous l'appellation Hartford Insurance. Son succès d'entrepreneur lui permit de vivre dans une aisance certaine. Indépendant de fortune, il composa sans relâche, la nuit et la fin de semaine, durant de nombreuses années, jusqu'à l'épuisement. Enfant, il avait honte de son amour de la musique : « La musique n'a-t-elle pas toujours été un art efféminé ? » écrivit-il plus tard dans ses mémoires, jugeant par la suite cette « position entièrement fausse, mais profondément enracinée » en lui à l'époque.

Son choix de faire carrière dans les assurances, au

lieu de la musique, tenait à l'influence de son père : « Père estimait qu'il était possible de se consacrer à la musique avec plus d'authenticité et de liberté lorsqu'on ne cherchait pas à gagner sa vie grâce à elle. » Et Ives considérait en outre qu'il était possible de composer de manière plus libre lorsqu'on ne cherchait pas à faire jouer ses œuvres devant un large public. Ives avait à peine vingt ans lorsqu'il a perdu son père, et avec lui sans doute son seul véritable ami – il n'a jamais surmonté cette perte. Toutes ses œuvres sont dédiées à son père.

Peut-on vraiment prendre au sérieux un tel compositeur du dimanche ? Aux États-Unis, du moins, personne ne le fit. C'est un pays où l'esprit d'entreprise et le succès en affaires sont essentiels, ainsi que l'argent et l'aisance qu'ils engendrent. Les partitions franchement révolutionnaires de Ives furent à peine comprises des quelques mélomanes qui s'y penchèrent de son vivant. On y releva surtout les infractions aux règles de composition, ou on s'en moqua en raison des nombreuses erreurs de notation qu'elles comportent.

Ives paya cher son succès en tant qu'entrepreneur en assurances et son activité de composition intense : il fut victime de deux infarctus. Il cessa de composer pendant les vingt-sept dernières années de sa vie. Il se retira également de sa compagnie d'assurances et quitta New York pour retourner vivre dans son Connecticut natal.

J'ai souvent discuté de Ives avec Bernstein, que j'ai rencontré à Tanglewood, au festival de l'Orchestre symphonique de Boston, par l'intermédiaire du chef Seiji Ozawa, dont j'étais l'assistant au milieu des années 1980. Nous nous sommes souvent revus pour discuter des œuvres majeures du répertoire, au cours de sortes de sessions d'analyse. Nos conversations revenaient toujours aux œuvres de Charles Ives et aux racines du son et des caractéristiques propres à la musique américaine. « Quand la musique sonne-t-elle de manière américaine ? » Cette question a longtemps préoccupé Bernstein.

Fils de juifs ukrainiens, Bernstein était lui aussi patriote. « Dans tout ce qu'il fait, Lenny est foncièrement, remarquablement américain », écrivait sa sœur Shirley. Il aimait l'Amérique et le manifestait par un engagement à toute épreuve pour les œuvres des compositeurs américains. Ses concerts ont fait connaître de nombreux compositeurs, il vénérait George Gershwin, aimait Aaron Copland ; Ives tenait cependant à ses yeux la première place. C'est à des enfants que Bernstein donna la meilleure explication de ce qu'est la musique américaine : « C'est tout d'abord un enthousiasme juvénile – fort, puissant, chargé d'optimisme. » C'est ensuite un esprit d'aventure, une certaine rudesse, l'isolement et l'immensité du pays qu'on perçoit dans la distance entre les notes. Tout cela s'entend dans la musique de Ives.

On pourrait voir une ironie de l'histoire dans les efforts mis par Bernstein à faire reconnaître les œuvres de Ives, alors que son destin de compositeur était fort semblable. En dépit de son immense popularité en tant que chef d'orchestre et star des médias, les Américains hésitaient à reconnaître sa valeur comme compositeur. La création de *West Side Story*, en 1957, fut un succès qui s'étendit bien vite au monde entier. On en a tiré un long-métrage, et elle est régulièrement reprise à l'opéra ou au concert. Mais l'œuvre de Bernstein ne se résume pas à cette comédie musicale. Il a écrit trois symphonies, plusieurs autres œuvres orchestrales, des opéras, tels *Trouble in Tahiti, Candide* ou *A Quiet Place,* quatre autres comédies musicales, des musiques de film ainsi que de la musique de chambre.

Nombre de ses œuvres n'avaient guère de chance de percer de son vivant, Bernstein le savait et le regrettait. Pendant plus de cent ans, la majorité des Américains a semblé se détourner de ses compositeurs et de leurs œuvres avant-gardistes – comme s'ils n'osaient opposer leurs créateurs de musique savante à l'Europe et à ses prodigieux compositeurs, à sa longue tradition et à ses grands interprètes, sauf dans les formes purement américaines, tels le jazz, captivant, ou les poignants gospels.

Un regard sur l'histoire de la musique américaine explique une telle crainte. Nous n'avons en effet pas eu beaucoup de temps pour développer une musique savante américaine, notre nation n'a pas encore trois cents ans. Dès le début de notre histoire, il nous fallut lutter pour la survie de notre société. Nos ancêtres, venus des quatre coins du monde, s'établirent tout d'abord sur la côte Est, pour ensuite avancer toujours davantage en direction de l'ouest. Au tournant du siècle, alors que Schoenberg, Stravinsky et Debussy délaissaient l'harmonie classique pour fonder une toute nouvelle musique, l'Amérique donnait ses premiers compositeurs. Parmi eux, on trouve de grands artistes, tels Walter Piston, Virgil Thomson, Roger Sessions ou

Aaron Copland. Tous avaient séjourné en Europe, y avaient étudié la composition, l'harmonie et le contrepoint, et les œuvres qu'ils créaient n'avaient, à vrai dire, rien de véritablement américain. Elles étaient de tradition européenne. Elles étaient merveilleuses, certes, mais ne recélaient rien de propre à l'Amérique.

Gershwin et Copland empruntaient au jazz, mais Ravel et Stravinsky le faisaient aussi. La seule utilisation de matériaux typiquement américains n'est pas suffisante. La musique classique américaine apparaissait comme une catégorie de la musique européenne, les Américains étaient encore sous l'emprise du style musical européen. Trente ans plus tard, la vague d'immigration précédant la Deuxième Guerre mondiale nourrit encore davantage la présence de la musique européenne : Schoenberg, Stravinsky, Hindemith, Bartók et Milhaud s'installèrent aux États-Unis, y composèrent et y enseignèrent. La recherche d'ingrédients propres à une musique vraiment américaine était loin d'être achevée.

Il n'y eut qu'un compositeur qui, en raison de son mode de vie, ne fut en rien touché par tout cela : Charles Ives. Cet original de la Nouvelle-Angleterre avait peu de liens avec les cénacles européens de la musique classique. Il ne se souciait pas des règles de la musique tonale, de la forme, du contrepoint et des marches harmoniques conventionnelles. Bien sûr, il en avait appris les règles à Yale, auprès de Parker, mais seulement – comme le dit un jour Bernstein – pour aussitôt les transgresser. Les mémoires de Ives nous apprennent combien il méprisait l'obsession des règles manifeste chez son professeur, qu'il qualifie littéralement de fossoyeur de la musique. À ses yeux, la musique soumise à la « tyrannie des règles » atteindrait bientôt une impasse, s'épuiserait en répétitions infinies pour, enfin, mourir en tant qu'art de création.

Ives, mû par son enthousiasme juvénile, voulait la liberté. Il cherchait « de nouvelles possibilités, suivant l'exemple de la nature », et voulait créer « des gammes plus complètes, de nouvelles manières de superposer les timbres, les tonalités et les rythmes ». Dans une Amérique pourtant libre, il n'eut pas cette chance : « Dès le début de la première année d'étude, Parker me défendit d'essayer de telles choses en cours. » À Yale, son appétit révolutionnaire fut tout simplement muselé. Son père se montra plus généreux à cet égard : lorsque Charles aurait appris à composer une fugue conforme aux règles, seulement alors, il gagnerait le droit d'écrire des fugues qui les transgressent. Ives se tint à cette consigne. Il ne plia jamais.

Le regard de Ives n'était pas tourné vers l'Europe. Il ne savait rien des drames qui bousculaient l'histoire de la musique à Vienne au début du XXe siècle, des disputes entre défenseurs de l'atonalité et partisans de l'harmonie traditionnelle. La querelle qui s'abattit en une cacophonie assourdissante sur les métropoles musicales européennes, Vienne, Paris, Prague, qui se déchiraient sur les enjeux de l'avenir de la musique classique, n'est jamais parvenue à ses oreilles. Bien avant que Schoenberg n'écrive son célèbre *Quatuor à cordes n° 2*, dans lequel il faisait exploser les frontières du cosmos de Bach, Ives expérimentait déjà avec la polytonalité et

l'atonalité, les quarts de ton, la polyrythmie. Il écrivit de
la musique sérielle, utilisa la technique du collage, composa ses pièces en différentes strates dont chacune restait indépendante des autres, et fit l'expérience de
sources sonores mobiles dans l'espace. Avec une insouciance tout simplement américaine, Ives parvint à la
pointe de l'avant-garde – sans que cela soit le moins du
monde son intention, son ambition. Seulement, de son
vivant, personne ne le remarqua. On continuait de
se quereller à Vienne, au moment même où quelque
chose d'entièrement nouveau voyait le jour de l'autre
côté de l'Atlantique.

Ives était indépendant. Il transcrivait en musique ce
qu'il voyait : les petites villes de la Nouvelle-Angleterre,
les fidèles rassemblés dans les églises de bois et les *town
halls*, les parades, les stades de football. Il décrivait la
nature, l'immensité du pays, le patriotisme des Yankees.
Une esthétique particulière s'exprimait dans sa musique.
Il demeura néanmoins des décennies entières absolument seul avec sa musique. Quatre-vingt-dix pour
cent de sa musique orchestrale n'avait été vue d'aucun chef d'orchestre, écrivit-il des années plus tard.
Sur une durée de trente ans, seuls quatre chefs avaient
pris connaissance de l'une ou l'autre de ses partitions. Gustav Mahler était l'un d'entre eux. En 1910, il
avait demandé qu'on lui envoie sa *Symphonie n⁰ 3*, achevée six ans plus tôt. Quelle aurait été la vie de Ives
si Mahler avait donné sa *Symphonie n⁰ 3* en concert ? Or
Mahler est mort peu de temps après.

Bernstein ne se passionnait pas seulement pour la
Symphonie n⁰ 2 de Ives, mais aussi pour une courte

œuvre orchestrale de son compatriote, d'une modernité à couper le souffle : *The Unanswered Question* – la question sans réponse. Ives avait ajouté le sous-titre *A Cosmic Landscape* – un paysage cosmique. Cette pièce de musique de chambre est plus moderne et pionnière, et peut-être même d'une plus grande profondeur, que tout ce que l'Europe avait à offrir de nouveau à cette époque. C'est un homme de trente-quatre ans qui la créa, en 1908, au moment où la crise de la tonalité ébranlait les fondements de l'esthétique musicale en Europe.

L'instrumentation de la pièce miniature de Ives allait déjà à l'encontre des conventions : un quatuor à cordes, une trompette et quatre flûtes, placés à bonne distance les uns des autres. Personne n'avait encore vu cela. La structure musicale, elle aussi, proposait quelque chose de parfaitement neuf : tel un collage, la trompette, les cordes et les bois interviennent quasiment indépendamment les uns des autres tant du point de vue rythmique que du point de vue harmonique. De longs accords consonants forment la base tonale sur laquelle la trompette lance une question, encore et encore, en un motif atonal, opiniâtre, peu mélodieux. Les flûtes lui répondent à six reprises – chaque réponse retentit de manière toujours plus dissonante, plus impatiente et plus désespérée. La septième fois, la question reste sans réponse. Selon les termes de Ives, il s'agit là de « l'éternelle question de l'existence », à laquelle il est impossible de donner une réponse définitive.

Mais ce n'est pas l'aspect métaphysique qui a retenu Bernstein dans *The Unanswered Question*, c'est plutôt l'aspect musical – comment aurait-il pu en être autre-

ment ? Il intitula son cycle de conférences mondiale-
ment célèbre, qui fut retransmis à la télévision et plus
tard repris sous forme de livre, d'après cette œuvre. Sa
question sans réponse était celle de la direction qu'allait
prendre la musique du XXe siècle. Musique, vers quels
horizons ? Le dilemme du siècle commençant trouve-
rait-il une résolution, déchiré entre la tonalité d'un côté
et l'atonalité, l'ambiguïté tonale, de l'autre ? Si on partage le point de vue de Bernstein, Ives a lancé cette question avant tous ses collègues européens, qui devaient
plus tard bénéficier d'une renommée bien supérieure.
Cette lutte incessante entre la dissonance et l'euphonie,
entre tonalité et atonalité, qui se manifeste et se dissout
dans les œuvres de Ives, a préoccupé Bernstein toute sa
vie. Ce conflit réapparaît dans les compositions de ce
dernier, cette dichotomie y est mise en scène. Bernstein
était persuadé que l'origine de toute musique était
tonale, car pour lui la tonalité seule correspondait à la
nature humaine, elle demeurait le fondement naturel
de toute composition, l'origine de toute évolution musicale, et il croyait que les folies, les excès et les jeux intellectuels finiraient toujours par en retrouver le chemin
si la musique ne voulait perdre sa raison d'être.

Il pensait que la musique nouvelle serait éclectique,
marierait différents styles et différentes écoles – toujours
sur la base de la série des harmoniques naturels, dont la
validité s'étend au cosmos entier. Lui-même composait
ainsi : sa musique réunissait l'harmonie classique, le jazz
et le blues, le son de Broadway reconnaissable entre
mille, les rythmes d'Amérique latine et les douze sons
de la musique de Schoenberg. En cela, il a vu juste.

L'œuvre de Ives *The Unanswered Question* laisse place à de multiples interprétations. Pour ma part, aujourd'hui, je ne peux m'empêcher de faire le lien entre cette œuvre et les États-Unis. Amérique, où vas-tu ? Pourtant, à partir de 1985, au cours des années où Bernstein et moi-même avons travaillé ensemble, cela ne me serait jamais venu à l'esprit.

J'ai beaucoup appris de Bernstein, je me rappelle encore notre première rencontre, qui a pris un tour inattendu. Bernstein a interrompu assez soudainement notre discussion sur la *Symphonie n° 5* de Tchaïkovski pour passer le reste de l'après-midi avec moi au Musée Guggenheim. Étais-je insuffisamment préparé à ses yeux ? Étais-je un interlocuteur digne d'intérêt ? Je ne le sais pas. Toujours est-il que, ce jour-là, nous n'avons plus parlé de musique, mais de peinture expressionniste. Ce n'est que plus tard que j'ai compris combien la conception que Bernstein avait de l'art était globale. La langue et la poésie en faisaient partie, tout comme la peinture et, naturellement, la musique. À ses yeux, un intellect aiguisé était tout aussi important que le mysticisme passionné qu'il retrouvait dans les œuvres de Ives.

Vers la fin de sa vie, j'ai rendu une dernière visite à Bernstein. Je l'avais appelé pour prendre rendez-vous, je tenais absolument à le voir – peut-être poussé par l'intuition que les occasions ne seraient plus très nombreuses. Il était éprouvé par la maladie, ses poumons étaient touchés. On craignait pour ses jours. C'est chez lui, à Tanglewood, que je l'ai vu. Il savait que la fin approchait, et je l'ai vite compris également. Il fumait, comme toujours. Il tenait sa cigarette de la main droite et, de la gauche, le masque à oxygène. Nous avons parlé de choses personnelles et de musique, cette fois de la musique qu'il avait composée. Cela s'était rarement produit. Lors de nos rencontres, nous parlions plus volontiers de répertoire, des œuvres dans lesquelles il était plongé.

« Kent, a-t-il fait soudain, pensif, je suis sûr que *A Quiet Place* est de la bonne musique, au moins en partie. » Il l'a dit avec une conviction profonde, doublée d'une ombre de désillusion. C'étaient surtout quelques-unes de ses œuvres tardives qu'il considérait comme de la bonne musique. Il avait été contesté en tant que compositeur. Plusieurs de ses œuvres n'avaient su convaincre ni les critiques ni le public. La création de son opéra *A Quiet Place,* en 1983, en était l'exemple le plus manifeste. Le *New York Times* avait écrit : « *To call the result a pretentious failure is putting it kindly.* » Le critique lui recommandait un vaste remaniement de son travail. L'opéra a par la suite été présenté à Vienne, où je l'avais accompagné quelques semaines plus tôt. Là encore, on ne lui a accordé qu'un succès mitigé. « *There is some strong music in* A Quiet Place », répéta-t-il – ce fut une des dernières phrases qu'il m'ait dites, et je l'ai emportée avec moi. Plus tard, elle devait me conduire sur le chemin de cette musique-là.

Bernstein redoutait la disparition de ses idées musicales. Ses mots ne m'ont pas quitté. Nous avions laissé cet homme de génie, généreux, au charisme rare, devenir une star qui devait continuellement se donner en spectacle pour nous distraire. Les critiques – peut-être certains collègues aussi – ne prêtent pas de profondeur à ses compositions. Sa phrase m'est restée dans la tête. Longtemps j'ai douté de l'importance de Bernstein en tant que compositeur. Le temps n'a pas encore tranché. Outre *West Side Story*, d'autres de ses œuvres rejoindront-elles le canon des grandes œuvres reconnues dans le monde entier ? Je voulais libérer son opéra *A Quiet Place* de toute pompe pour en dégager les assises musicales, le dévoiler, pas à pas. Tout ce qui, d'une orchestration trop luxuriante, masquait la musique devait disparaître. J'imaginais une version de chambre, qui révélerait ce qui se cache peut-être dans cette composition – en l'occurrence une musique remarquable, des sonorités américaines agencées de façon époustouflante. Bernstein lui-même, je devais l'apprendre plus tard par son entourage, l'avait envisagé.

C'est avec l'Ensemble Modern que j'ai présenté cette nouvelle version de *A Quiet Place*, en 2013. Le résultat nous a tous stupéfiés. Bernstein n'est pas seulement le compositeur de *West Side Story*. Il n'a pas été seulement un des plus grands professeurs de musique classique, peut-être son défenseur le plus talentueux, un géant de la scène – qu'il enseigne, joue ou dirige. Il est aussi un compositeur unique, qui mélange tout ce que la musique offre d'américain, de manière éclectique – fidèle en cela à ses propres prévisions. La musique de Bernstein est américaine, différemment de celle de Ives, plus urbaine, plus agressive. Donc, il avait raison. Ses œuvres contiennent de l'excellente musique, même celles dont l'insuccès au départ aurait pu faire croire qu'elles tomberaient dans l'oubli.

Ives et Bernstein représentent l'Amérique mieux que

personne. Je suis chez moi dans la musique de Ives, sa force de suggestion me transporte dans mon pays, dans notre communauté à la cohésion si profonde, dans son système de valeurs et dans sa grande indépendance. Dans celle de Bernstein, je vois les villes, les nombreux conflits qui déchirent notre société d'immigrants ainsi que le thème éternel de l'aliénation humaine. Ces compositeurs étaient tous deux patriotes, chacun à sa manière, animé par des idéaux de fraternité, de civisme et de paix. Ils évoquent l'esprit de communauté propre à l'Amérique, en même temps si fragile, pour lequel nous continuons de nous battre aujourd'hui. Ives et Bernstein se sont battus avec leur musique.

À mes yeux, ils appartiennent à un contexte profondément américain. Nous connaissons la musique de Ives grâce à l'énergie inépuisable que Bernstein a mise au service de la reconnaissance posthume de ce compositeur. Et il nous revient de progresser dans la découverte de la musique de Bernstein afin qu'elle ne se perde pas, qu'il ne reste pas de cet artiste unique et universel son seul *West Side Story*, ainsi qu'un souvenir, de plus en plus diffus, du fabuleux passeur de savoir musical qu'il a été. Bernstein star des médias disparaîtra au fil des ans, mais les sujets dont il traite dans ses œuvres demeurent d'une vive actualité. La manière dont il les aborde peut avoir paru de son temps trop provocante, trop brûlante aux yeux d'un public américain puritain, parfois même quelque peu bigot. Je crois que le temps est mûr pour ses œuvres. Nous venons à peine de commencer à les redécouvrir. L'Amérique aura besoin de la musique de Bernstein.

Notre pays profondément divisé n'a pas encore surmonté sa crise d'identité. Que diraient Ives et Bernstein ? Notre sens civique et notre cohésion se trouvent,
dans le meilleur des cas, engagés dans une mutation
profonde ; dans le pire des cas, ils sont en ruine. Le rêve
américain, où tout un chacun pouvait s'imaginer au
sommet de ce pays jeune, si libre, est depuis longtemps
terni. Nombreux sont ceux qui le remettent en question.
Aujourd'hui, l'Amérique montre son pire visage, celui-
là même qui se laissait pressentir lors de la campagne
électorale de 2008. Ce sont l'intolérance et le ressenti-
ment qui caractérisent les affrontements politiques. La
société paraît s'être figée, la curiosité et le dynamisme
se sont éteints. Le nouveau départ tant attendu après la
paralysie du 11 Septembre n'a toujours pas eu lieu.
L'Amérique, vers quel avenir ? C'est pour moi aujour-
d'hui *the unanswered question* – la question sans réponse
qui se pose à nous, Américains.

Je suis américain – corps et âme, *hopelessly American,* et je n'ai pas la réponse. Peut-être aurions-nous dû
jouer cette œuvre ce soir-là, sur la scène du Broad Stage.
Au lieu de faire résonner l'esprit américain, sa diversité
et ses dissonances, lancer à l'auditeur cette question sans
réponse. Il était impossible alors de concevoir la profondeur des fissures qui aillaient miner notre pays. « En
dépit de nos penseurs révolutionnaires, de notre Déclaration d'indépendance, de notre Constitution et de la
Déclaration de droits, notre nation se trouve devant un
avenir incertain », rappelait Dustin Hoffman au public
vers la fin du concert. Et chacun sait qu'il s'agit encore
d'un sujet d'actualité brûlant.

Seules les cordes jouent à la fin de *The Unanswered Question* de Ives ; pendant les six minutes que dure la pièce, elles ne font rien que donner sa fondation à l'œuvre par leurs accords consonants. Imperturbables, elles jouent un accord parfait de *sol* majeur. La base de la composition est tonale. Les chamailleries dissonantes du quatuor des bois se sont tues. La trompette solo a fait retentir sa question, une septième et dernière fois dans la salle. Amérique, où vas-tu ? Aucune réponse. Discrètement, l'œuvre se termine, tonale, harmonique. Affirmative, à l'instar de Bernstein, à la fin de son célèbre cycle de conférences. Il y a toujours de l'espoir.

Remerciements

Pour finir, je souhaite remercier tous ceux qui sont à mes côtés depuis des années et ont ainsi contribué à ce que ce livre voie le jour. Dieter Rexroth est l'un d'eux : musicologue, dramaturge, collègue et fidèle conseiller, il ne s'est jusqu'ici jamais lassé de me soutenir de son savoir inépuisable. Ma reconnaissance va également au designer Peter Schmidt pour son amitié fidèle et l'inspiration constante qu'il m'apporte, à mon assistante de longue date, Christa Pfeffer, dont les qualités et l'efficacité me permettent de me consacrer presque exclusivement à la musique, à Gabriele Schiller, avec qui je travaille depuis quinze ans, qui connaît le marché de la musique classique en Allemagne comme personne – c'est à elle que je dois la rencontre avec l'auteur Inge Kloepfer.

Je tiens à remercier Madeleine Careau, chef de la direction de l'Orchestre symphonique de Montréal, ainsi que toute l'équipe administrative, les merveilleux musiciens de l'Orchestre, l'ancien premier ministre du Québec Lucien Bouchard, aujourd'hui président du conseil d'administration de l'OSM, sans oublier bien sûr Monique Jérôme-Forget, ancienne ministre des Finances du Québec. Tous furent et continuent d'être des partenaires exceptionnels et passionnés, se dévouant sans condition au soutien des arts et de la musique classique. C'est grâce à chacun d'eux que ma vision et nombre de mes idées ont pu se réaliser à Montréal, au Québec et bien au-delà également.

Du plus profond de mon cœur, je remercie ma femme, Mari Kodama, sans qui ma carrière ne serait pas ce qu'elle est, et sans qui je n'aurais pas eu le courage d'écrire ce livre.

Sources

Adorno, Theodor, *Introduction à la sociologie de la musique*, traduit par Vincent Barras et Carlo Russi, Genève, Contrechamps, 1994.

—, *Wissenschaftliche Erfahrungen in Amerika*, Francfort-sur-le-Main, Suhrkamp, 1969.

Bernstein, Leonard, *Young People's Concerts*, New Jersey, Amadeus Press, 2006.

Frye, Northop, *Pouvoirs de l'imagination*, traduit par Jean Simard, Montréal, Éditions HMH, 1969.

Gradenwitz, Peter, *Leonard Bernstein. Eine Biografie*, Zurich, Atlantis Musikbuch-Verlag, 1984.

Hessel, Stéphane, *Indignez-vous !*, Montpellier, Indigène, 2010.

Hill, Peter et Nigel Simeone, *Messiaen*, New Haven, Yale University Press, 2005.

Hoffmann, E. T. A., « Musique instrumentale de Beethoven » et « *Cinquième Symphonie* de Beethoven », dans *Écrits sur la musique,* traduit par Brigitte Hébert et Alain Montandon, Lausanne, L'Âge d'homme, 1985.

Huron, David, *Sweet Anticipation. Music and the Psychology of Expectation,* Cambridge (Massachusetts), The MIT Press, 2008.

Ives, Charles, *Essais avant une sonate,* traduit par Vincent Barras et Carlo Russi, Lausanne, L'Âge d'homme, 1986.

Keats, John, *Ode à une urne grecque,* traduit par Yves Bonnefoy, dans Yves Bonnefoy, *Keats et Leopardi,* Paris, Mercure de France, 2010.

Korisheli, Wachtang Botso, *Memories of a Teaching Life in Music,* Morro Bay, s. é., 2010.

Levitin, Daniel J., *The World in Six Songs: How the Musical Brain Created Human Nature,* Toronto, Penguin Canada, 2009.

—, *De la note au cerveau. L'influence de la musique sur le comportement,* traduit par Samuel Sferz, Paris, Éditions Héloïse d'Ormesson, 2010.

Martel, Yann, *Mais que lit Stephen Harper ? Suggestions de lectures à un premier ministre et aux lecteurs de toutes espèces,* traduit de l'anglais par Émile et Nicole Martel, Montréal, XYZ, 2009.

Platon, *L'État ou la République,* traduit par A. Bastien, Paris, Garnier frères, 1879.

Rexroth, Dieter, *Beethoven. Leben – Werke – Dokumente,* Mayence, Schott Music, 1988.

Rousseau, Jean-Jacques, *Essai sur l'origine des langues. Où il est parlé de la mélodie, et de l'imitation musicale,* [classiques.uqac.ca/classiques/Rousseau_jj/ essai_origine_des_langues/origine_des_langues. pdf].

Sacks, Oliver, *Musicophilia. La musique, le cerveau et nous,* traduit par Christian Cler, Paris, Éditions du Seuil, 2009.

Schiller, Friedrich, *Lettres sur l'éducation esthétique de l'homme,* traduit par Robert Leroux, Paris, Aubier, 1992.

Schoenberg, Arnold, *Boiling Water Speech,* enregistrement vocal, 1947.

—, *Le Style et l'Idée,* traduit par Christiane de Lisle, Paris, Éditions Buchet/Chastel, 1977.

Schweitzer, Albert, *Johann Sebastian Bach,* Wiesbaden, Breitkopf und Härtel, 1952.

Vargas Llosa, Mario, *La Civilisation du spectacle,* traduit par Albert Bensoussan, Paris, Gallimard, 2015.

Table des matières

CRÉDITS ET REMERCIEMENTS

La traduction de cet ouvrage a été rendue possible grâce à une aide
financière de la SODEC.

Nous reconnaissons l'aide financière du gouvernement
du Canada par l'entremise du Fonds du livre du Canada (FLC)
pour nos activités d'édition.
Canadä

Les Éditions du Boréal sont inscrites au programme d'aide
aux entreprises du livre et de l'édition spécialisée de la SODEC
et bénéficient du programme de crédit d'impôt pour l'édition
de livres du gouvernement du Québec.
Québec ██

Photographie de la couverture : © Felix Broede

Ce livre a été imprimé sur du papier FSC.

MISE EN PAGES ET TYPOGRAPHIE :
LES ÉDITIONS DU BORÉAL

CE DEUXIÈME TIRAGE A ÉTÉ ACHEVÉ D'IMPRIMER EN DÉCEMBRE 2015
SUR LES PRESSES DE MARQUIS IMPRIMEUR
À LOUISEVILLE (QUÉBEC).